£2

may

DAN PUW, DYN Y PARC

DAN PUW, DYN Y PARC

Argraffiad cyntaf: 2006

Ⓟ *Dan Puw*

Mae'r cyhoeddwr yn cydnabod cefnogaeth ariannol·
Cyngor Llyfrau Cymru.

Rhif Llyfr Safonol Rhyngwladol:
1-84527-071-1

Clawr: Sian Parri

Argraffwyd a chyhoeddwyd gan Wasg Carreg Gwalch,
12 Iard yr Orsaf, Llanrwst, Dyffryn Conwy, LL26 0EH.
℡ 01492 642031
🖷 01492 641502
✆ llyfrau@carreg-gwalch.co.uk
Lle ar y we: www.carreg-gwalch.co.uk

Gair bach:

Ar Myrddin ap Dafydd mae'r bai. Fo sydd wedi bod yn swnian ers pan oeddwn i'n ceisio cyfrannu pytiau misol i *Pethe Penllyn* ar imi hel pethau at eu gilydd oddi mewn i un clawr. Dyma'r canlyniad.

Mae'n dilyn wedyn mai arna i mae'r bai am lawer cam gwag a geir ar y tudalennau sy'n dilyn. Diamau fod llawer o bobl a phethau a ddylanwadodd arnaf heb eu crybwyll, naill ai oherwydd fy nghof tila neu fy niofalwch, ond gobeithiaf fod y ffeithiau a gofnodwyd yn weddol agos at y gwir fel y gwelais ac y clywais i nhw. Ymddiheuraf ymlaen llaw am unrhyw ddiffyg.

Rwyf yn ddyledus iawn i lawer o gydnabod a ffrindiau am gadarnhau ambell enw, ffaith a dyddiad. Gwn fod rhai wedi treulio oriau meithion yn chwilio am luniau, a chefais fenthyg darn o'i bolyn a'i giât gan un arall! Diolch i chi i gyd. Diolch hefyd i Wasg Carreg Gwalch a Myrddin am eu hamynedd a'u gofal.

Cyflwynaf y cyfan i gymdogion, ffrindiau a theulu yng Nghwm Glan Llafar a thu hwnt. Mae bywyd wedi bod yn hynod ddifyr yn eich plith, yn enwedig y rhai fu'n cyd-oesi â mi yn Styllen, dros gyfnod o bum cenhedlaeth.

Rŵan, hwyl fawr ar y darllen, ac fe welwch erbyn cyrraedd diwedd y llyfr i bwy rydw i yn fwya dyledus.

Dan Puw
Haf Bach Mihangel 2006

Cynnwys

Wele fi yn dyfod

Cwestiwn: Beth fyddwch chi'n galw dyn sy'n gapten sybmarîn?
Ateb: Dan Dŵr.
Cwestiwn: Beth fyddwch chi'n galw dyn sydd yn y jêl?
Ateb: Dan Glo.
Cwestiwn: Beth fyddwch chi'n galw dyn sy'n cario planc ar ei ben?
Ateb: Dan Styllen.

Dyna'r math o gwestiynau a ofynnir yn achlysurol gan rai o jocars yr ardal. Fi ydi Dan Styllen, a'r rheswm amlwg pam y cefais yr enw yw mai yn Styllen yr ydw i wedi treulio y rhan fwyaf o f'oes. Erbyn hyn does neb yn siŵr iawn beth yw enw cywir y lle. Castell Hen yw enw swyddogol y ffarm yn awr, ond ar yr hen fapiau nodir y lle fel Cystyllen Fawr. Mae pawb yn gwybod mai darn o bren yw styllen, ac mae lle i gredu fod yr hen air 'ystyllen' yn golygu rhyw fath o silff, neu efallai rhyw arwynebedd uchel rhwng dau lefel is. Cae Ystyllen, felly, yn gae sydd yn uwch na'r tir o'i boptu. Cae felly yw Weirglodd Isa, rhwng dwy nant yng ngwaelod tir Styllen Fawr. Mae cae tebyg rhwng dwy nant yng ngwaelod tir Styllen Bach. Mae'n bosibl felly mai Cae Ystyllen (cae ar silff) yw tarddiad yr enw. Mae'r ffaith fod yna ddyddyn o'r enw Cystyllen Bach yn taro ar y tir yn rhoi mymryn o ogwydd tuag at yr ystyr yma. Ond os am swnio fymryn bach crandiach, wel, Castell Hen bob tro! Ond dydi pobl Penllyn yn hidio 'run iot; iddynt hwy Styllen (Styllen Fawr yn aml iawn ddefnyddid gan genhedlaeth fy 'Nhad) yw enw'r lle yn ddiamau, a Styllen yw snâm answyddogol pawb sydd wedi byw yno ers cenedlaethau.

A'r ardal? Wel, mae yna ddau enw ar honno hefyd. Y Parc ger y Bala yw'r enw a ddefnyddir heddiw, ond dair neu bedair cenhedlaeth yn ôl Cwm Glan Llafar oedd enw'r darn yma o dir sydd rhwng Arenig Fawr a Llyn Tegid yn y rhan honno o baradwys a elwir yn Penllyn. Pentref bach iawn ar fin afon Llafar, mwy neu lai yng nghanol y cwm yw'r Parc. Yn ôl y sôn, byddai tipyn golêw o drafaelio ar hyd y ffordd oedd yn arwain o'r Bala, heibio i Lanycil, drwy Gwm Glan Llafar, dros y Bwlch Llwyd i Flaenlliw, ymlaen wedyn dros Fwlch yr Wden i Drawsfynydd, ac efallai ymlaen i Ardudwy. Yn nyddiau'r cerdded mae'n bur debyg mai dyma'r ffordd fyrraf i gysylltu'r ddwy ran arbennig yma o'r wlad, ac roedd cae bach reit hwylus i orffwys anifeiliaid ynddo ger y rhyd lle croesai'r ffordd afon Llafar. Synnwn i ddim nad moch oedd yn ei ddefnyddio amlaf, oherwydd bedyddiwyd y cae yn Barc y Moch. Cydiodd yr enw yn y saith tŷ gerllaw, nes i'r trigolion sylweddoli, mae'n debyg, y gallai'r rhan olaf ohono adlewyrchu'n anffafriol ar farn y cyhoedd yn gyffredinol ar eu glanweithdra, felly bwriwyd allan 'y Moch' o'r enw.

Mae'n siŵr fod y traffig moch wedi dod i ben ers cryn amser, gan i Ysgol Bwrdd Llanycil gael ei hadeiladu ar y cae dan sylw ym 1873–4. Mae'r capel sydd dros y ffordd wedi ei godi tua'r un pryd, ar sylfeini'r hen gapel. Adeiladwyd y capel cyntaf hwnnw tua 1810, medde nhw, ac roedd hi'n dipyn o ddadl bron i ddwy ganrif yn ôl ymhle yn union i godi'r addoldy. Roedd yr hen Siôn y Rafel mor selog am ei gael yn y fan arbennig yma fel yr aeth ati ar ei ben ei hun rhyw ddiwrnod i dorri sylfeini. Galwodd ar un o wragedd y tai cyfagos i ddod i ddal pen y llinyn i'w helpu i sgwario'r sylfaen, ond mae'n rhaid nad oedd honno neu Siôn (neu'r ddau) wedi bod yn ddigon gofalus, oherwydd roedd y sylfeini ymhell o fod yn sgwâr. O ganlyniad mae'r capel presennol allan o'i sgwâr hefyd, er mawr ofid i bawb. Sgwâr neu beidio, bu'r ddau sefydliad, y capel a'r ysgol, yn fawr eu dylanwad ar yr ardal.

Ardal amaethyddol yw Cwm Glan Llafar, wrth gwrs. Erbyn heddiw, (2006), rhyw bymtheg o ddaliadau sydd yma, y rhan fwyaf ohonynt yn ddigon mawr i gynnal teulu, er bod amryw o wragedd ffermydd â swydd ychwanegol. Bu ychydig o gydio maes wrth faes yn ddiweddar, ond digwyddodd hynny ar raddfa llawer ehangach ganrif a mwy yn ôl pan oedd y tyddynnod yn llawer llai. Bryd hynny byddai llawer yn crafu bywoliaeth oddi ar tuag ugain erw, a'r tai a'u cartrefi fawr gwell eu cyflwr na'r adeiladau oedd yn lloches i'r anifeiliaid.

Mae'r hen ffermdai hynny yn adfeilion ers cryn amser, ac o ganlyniad, dim ond rhyw hanner dwsin o dai ffermydd sy'n dai haf neu â theuluoedd di-Gymraeg yn byw ynddynt. Tua dechrau'r pumdegau codwyd wyth o dai cyngor yn y pentref. Ychwanegwyd pedwar arall atynt ar ddechrau'r saithdegau, ac adeiladwyd ambell un preifat hefyd yn ystod ail hanner yr ugeinfed ganrif. O ganlyniad mae poblogaeth a Chymreigrwydd yr ardal wedi cadw rhywbeth yn debyg dros ddegawdau. Mae nifer y plant sydd yn yr ysgol yn llawer iawn llai heddiw nad ydoedd ganrif yn ôl, ond mae rhif aelodau'r Capel yn dal rhywbeth yn debyg, ond heb fod mor selog o dipyn. Bron yn ddieithriad, yr un teuluoedd sydd yn trin y tir yn awr ag oedd ar ddechrau'r ganrif ddiwethaf a chyn hynny, ond fod ambell i deulu, yn gam neu'n gymwys, wedi llwyddo i berchnogi tipyn mwy o dir erbyn hyn.

Ystrydeb, ond gwirionedd er hynny, yw dweud na chaiff neb ddewis yr amser na'r lle y caiff ei eni. Pe byddai'r ddau ddewis yma wedi dod i'm rhan, digon prin y byddwn wedi medru gwneud yn well nag ymddangos fel y gwnes mewn ffermdy yn yr ardal ddiwylliedig hon yn yr hen Sir Feirionnydd pan oedd pethau'n 'dechrau gwella' wedi cyfnod o 'fyd drwg'.

Mi fu pethau'n ddrwg – yn ddrwg iawn – yn nauddegau'r ugeinfed ganrif. Roedd dau ddigwyddiad y deuthum i wybod amdanynt wedi gwneud i amgylchiadau fy rhieni waethygu'n enbyd. Rhyw ddeng mlynedd oedd ers i 'Nhad ddechrau ffarmio ar ei liwt ei hun – dechrau fwy neu lai o ddim, pan ddechreuodd pethau fynd ar i lawr, a Mam ac yntau â dwy ferch fach i'w magu.

Wedi bod yn canu 'Wele fi yn dyfod, llefai'r Meichiau gwiw' yn y capel, dyma holi, 'Mam, be 'di meichiau?'

'Rhywun sy'n addo talu dy ddyledion di, ond gofala nad ei di *byth* yn feichiau dros neb.'

Bûm yn pendroni llawer dros yr ateb, ac ymhen blynyddoedd y deallais ei arwyddocâd. Tua diwedd y Rhyfel Mawr y daeth 'Nhad yn llefnyn ugain oed, cymharol ddiarth i'r ardal, i geisio bywoliaeth ar fferm y teulu oedd wedi bod â thenant yno ers rhyw ddwy genhedlaeth. Credwch neu beidio, roedd hi'n bosib byw ar dipyn llai na chan erw o dir y dyddiau hynny. Yn ei gynefin newydd roedd yn naturiol iddo wneud cyfeillion newydd, rhai ohonynt yn egin ffermwyr tua'r un oed ag yntau. Roedd un ohonynt â chynlluniau aruchel i wneud ei ddyddyn yn fwy proffidiol, a llwyddodd i gael benthyciad o'r banc ar gyfer hyn drwy gael 'Nhad i fod yn feichiau, hynny yw, i fod yn gyfrifol am unrhyw golled pe methai dalu'r arian yn ôl.

Pan ddaeth y wasgfa fawr ar y ffermwyr yn ystod y dauddegau, y 'cyfaill' oedd y cyntaf i ddiflannu, a haerai ei deulu (yn ddigon gonest, rwy'n siŵr) na wyddent ymhle yr oedd. Gan fod y banc yn galw am eu harian a dim ar gael, 'Nhad a ysgwyddodd y baich. Chlywais i erioed faint oedd y swm, nac ychwaith a ad-dalwyd y ddyled rhywbryd, ac ychydig iawn o hanes y 'cyfaill' a glywais wedi hynny. Er inni, flynyddoedd yn ddiweddarach, wybod iddo ddychwelyd i Gymru ac ymweld â'i deulu yn y cylch, nid wyf yn credu i 'Nhad ac yntau gael aduniad hwyliog iawn.

Nid oedd hyn ond cyfraniad chwedlonol y dryw i'r môr yn ymyl saga'r ffatri gaws. Arferai rhai o ffermwyr yr ardal yrru eu llefrith ar y trên i brynwr yn Birmingham, ond mae'n bur debyg i'r pris ostwng i'r fath raddau nes i nifer o gynhyrchwyr benderfynu sefydlu menter newydd, sef Cymdeithas Gydweithredol i wneud caws. Yn ôl arfer y cyfnod galwyd y gymdeithas yn 'Parc Cheese School'. Erbyn heddiw, toiledau i safle carafanau ar fin y ffordd fawr yw safle'r hen ffatri gaws, ond tua phedwar ugain mlynedd yn ôl bu yma brysurdeb mawr. Ni wn yn union faint o gaws a gynhyrchwyd, ond gellir bod yn sicr fod llefrith nifer o ffermydd am o leiaf flwyddyn wedi ei wneud yn gaws. Yn anffodus, erbyn i'r cynnyrch aeddfedu roedd y dirwasgiad yn dipyn dwysach, a'r pris a gynigid am y caws wedi gostwng i bum ceiniog a dimai y pwys. Roedd angen chwecheiniog i glirio'r costau, a phenderfynwyd dal, a dal – a dal – am ychwaneg. Dal i ostwng a wnâi'r pris, a deallodd llygod mawr y gymdogaeth fod cynhaliaeth iddynt hwythau yn y ffatri gaws, ac mae lle i ofni mai hwy gafodd y budd mwyaf o'r fenter. Y cyfan ddaeth i'r ffermwyr yn dâl am lefrith blwyddyn oedd ambell gosyn a achubwyd oddi ar y llygod.

'Nhad oedd ysgrifennydd y gymdeithas, a gofid mawr iddo oedd i bethau droi allan mor aflwyddiannus, yn enwedig gan ei fod ef ac eraill oedd ar bwyllgor y gymdeithas wedi perswadio llawer o'u cymdogion i'w cefnogi. Roedd siomi'r ffermwyr hynny a ymddiriedodd ynddynt yn gwneud y trychineb yn llawer gwaeth. Er mai ychydig iawn a soniai am helyntion y cyfnod, gwn i'r hwch fod â'i thrwyn yn bur agos i ddrws y siop yn Styllen, ac mai teulu-yng-nghyfraith f'ewyrth John ei frawd, ac yna f'ewyrth John, brawd Mam, a ddaeth i'r adwy i roi cymorth dros dro ym mlynyddoedd blin diwedd y dauddegau.

Ni fu'r amgylchiadau caled a wynebodd fy rhieni ar gychwyn eu bywyd priodasol yn rhwystr iddynt ddiwyllio eu hunain. Bendithiwyd y ddau â dawn gerddorol, a byddai Mam yn arbennig, gyda'i llais contralto cyfoethog, yn gystadleuydd eithaf llwyddiannus fel unawdydd yn yr Eisteddfodau niferus a gynhelid yn ystod y cyfnod yma. Ymddiddorai'r ddau hefyd mewn Canu Penillion, gan ennill fel unawdwyr a deuawd droeon mewn Eisteddfodau lleol.

Mae'n debyg mai yn Eisteddfod Genedlaethol Lerpwl ym 1929 y bu eu llwyddiant mwyaf. Gan fod ganddynt wallau technegol yn eu datganiad, yr ail wobr a ddyfarnwyd iddynt, ond hwy a swynodd y gynulleidfa – a gohebydd y *Daily Mail*, a ysgrifennodd:

10,000 PEOPLE SPELLBOUND.
 GREAT OVATION FOR FARMER AND WIFE

A young farmer and his wife stood on the platform of the Royal Welsh Eisteddfod here today and sang to the music of a harp a duet they had composed in their quiet cottage among the Welsh hills.

A little over-awed by the fact that 10,000 people were listening, they stood together, twisting their hands and smiling shyly at each other, the sunburnt man head and shoulders above his wife, she in her Sunday best of black.

The harp played a simple melody, and the couple began their song. In effect, it was they who had to accompany the harp. This curious inversion is called penillion singing, the fashion among Welsh bards 700 years ago.

It is at once the most difficult and the most distinctive type of Welsh music, because, besides singing an original accompaniment, the singers have to fit it to the alliterative metres of a Welsh poem in blank verse and pay the strictest attention to get proper accentuation.

Accentuation proved a pitfall to the young couple, but no one besides the adjudicator noticed their slip. The audience were completely carried away by the clear, fresh voices, perfectly blended, exquisitely precise.

When they had finished they received the biggest ovation of the Eisteddfod. The audience waved handkerchiefs, stamped their feet, clapped and cheered. As the couple left the platform they were surrounded by people anxious to shake hands with them. This incident was one of the most moving scenes in the festival, which today has been more typically national than on any of the previous days.

The young couple, Mr and Mrs William Pugh, of Parc, Bala, were awarded second place. First prize went to Mr J.D. Jones and Miss J. Ellen Roberts of Ffestiniog.

Mae'n rhaid eu bod nhw'n canu'n dda, oherwydd roeddynt hefyd wedi plesio sgowt un o gwmnïau recordio'r cyfnod gymaint nes eu bod, ymhen rhyw ddeufis, mewn stiwdio yn Llundain yn recordio pedair enghraifft o Gerdd Dant ar ddwy record, gyda Thelynores Maldwyn yn cyfeilio iddynt. Cawsant hanner canpunt am eu trafferth – arian bach iawn yn ein cyfnod ni, ond yr adeg yma roedd hanner canpunt yn gyflog blwyddyn anrhydeddus i weithiwr amaethyddol. Yn bwysicach fyth, roedd yn help mawr i ddechrau ad-dalu benthyciad Dewyrth John.

Yn ôl y sôn bu gwerthu mawr ar y record. Bu hefyd gyfnod o gyngherdda yma ac acw drwy ogledd Cymru. Weithiau byddent yn mynd eu hunain i rannu llwyfan gydag un neu ragor o unawdwyr enwog y cyfnod, enwau fel R.J. Lloyd, Berwyn Edwards a Gwilym Roberts o'r Bala, a Llewela Roberts o Landderfel yn cyfeilio iddynt. Yn amlach, aent yn barti tipyn mwy gwerinol gyda Caradog Pugh, cerdd-dantwr arall, a dawnsiwr step y glocsen medrus, oedd yn berthynas i 'Nhad. Llew Williams o Lanuwchllyn fyddai'r adroddwr, a Greta Williams (Telynores Uwchllyn) yn cyfeilio. Daeth cymydog, J.O. Jones, Tŷ Du, yn yrrwr tacsi i'r parti hwn. Pan ddaeth yn ddigon hen cafodd ei fab, O.T., y swydd, a datblygodd o dipyn i beth i fod yn arweinydd yn ogystal. Dyma oes aur cyngherddau i godi arian at y naill beth a'r llall ymhob pentref drwy Gymru bron. Yn anffodus ni chadwyd cofnod manwl o'r teithiau, ond gwelir oddi wrth yr ychydig fanylion sydd ar gael y codid rhyw bunt yr un am eu gwasanaeth. Dau swllt ar hugain oedd costau'r tacsi am fynd i Lanferres ar Ŵyl Dewi 1932 a dwybunt a chweugain am gludiant dros y 138 milltir i Lerpwl ac yn ôl. Efallai i'r ychydig arian yma, gyda ffortiwn y record, olygu nad oedd Mam bellach yn colli dagrau oherwydd nad oedd ganddi ddigon o arian i brynu bwyd i'r teulu bach.

O ystyried yr amgylchiadau, dydw i ddim yn siŵr iawn faint o lawenydd oedd yna pan ddeallwyd y byddai ceg arall i'w bwydo ganol haf 1934. Dim ond dechrau gwella yr oedd amgylchiadau'r ffermwyr, ac roedd Mam yn ddeugain ac un oed. Fe drodd allan i fod yn haf poeth, a hithau'n bur ddiflas ei byd oherwydd fod y babi'n ddychrynllyd o hir yn ymddangos. I geisio cael gwared o'i rhwystredigaeth, fin nos y pumed o Orffennaf aeth â'i chribin fach i helpu taenu ystodiau gwair oedd newydd ei dorri yn y Weirglodd Ucha. Ymddengys i hynny fod yn ddigon! Ben bore trannoeth ganwyd mab, bron i ddeg a deuddeng mlynedd yn iau na'i chwiorydd. Roedd yr hin mor boeth nes i Catrin Roberts, hen wraig o'r pentref, ychwanegu 'Poethwynt' at fy enw. Mae'n gas gen i dywydd poeth byth. Fûm i rioed yn or-hoff o'r gwaith o daenu 'stodiau chwaith!

Hen Deidiau

Mae'r rhan fwyaf ohonom yn cofio taid a nain. Mae'r rhai sy'n cofio hen-daid gryn dipyn yn brinnach, ond mae'r niferoedd sy'n ceisio dod i wybod am eu hynafiaid yn cynyddu'n gyflym erbyn hyn. Un peth sy'n taro rhywun yn syth pan yn ceisio tyrchu i hen hanes ei deulu yw'r newid anhygoel sydd wedi bod yn amgylchiadau pobl gyffredin mewn rhyw ganrif a hanner neu well. Mae'n siŵr nad oedd ein teulu ni yn ddim eithriad yn y bedwaredd ganrif ar bymtheg, ond o ystyried y pethau anffodus a ddigwyddodd i aelodau eraill o'r teulu byddaf yn meddwl weithiau fy mod yn lwcus iawn fy mod i yma o gwbl!

Yn ffodus i mi, mae bedd un o'm hynafiaid yn eithaf agos ym mynwent Llanycil, lai na phedair milltir fel yr hed brân o ddrws fy nghartref. I wneud pethau'n haws fyth rydw i 'run enw â fo. Nid nepell o fedd Thomas Charles i gyfeiriad Llyn Tegid wrth gornel yr eglwys, mae carreg i nodi gorffwysfan olaf Daniel Pugh, Cystyllen Fawr, Parc, a fu farw ar yr wythfed o Dachwedd, 1854, yn 77 mlwydd oed.

Synnwn i ddim na fyddai'r Daniel yma'n reit falch pe gwyddai fod ei fedd mor agos i sylfaenydd Cymdeithas y Beibl a'r mudiad Ysgolion Sul, oherwydd yn ôl *Hanes Methodistiaeth Dwyrain Meirionnydd* gwelwn iddo fod yn un o'r selogion a fu'n cychwyn Ysgol Sul yn y Parc, o dan gyfarwyddyd Thomas Charles. Elizabeth Jones o blwyf Llanfor oedd ei wraig, a gwyddom iddynt gael pedwar o blant. Ymfudodd John a Hugh i'r America (rydym yn dal mewn cysylltiad â theulu John).

Priododd Ann y ferch â ffermwr o saer o'r ardal o'r enw Edmund Roberts, Maesgwyn, ac mae nifer o'u disgynyddion o gwmpas heddiw yn fedrus iawn â'u dwylo. William oedd y pedwerydd, a fo oedd fy hen-daid. Yn ôl y sôn doedd o ddim ar frys i briodi, ond maes o law, pan glywodd fod hen gariad iddo wedi ei gadael yn weddw ym Mrynllin Fawr, Abergeirw, penderfynodd ryw noson fynd draw i'w gweld. Gŵyr y cyfarwydd fod y siwrne o Styllen i Frynllin yn ddwyawr a hanner dda o daith dros weundir pur flin. Efallai mai ar gefn ceffyl y trafaeliai William, a dywedir iddo aros ar ganol ei siwrnai i offrymu gair o weddi i ofyn am arwydd fod croeso iddo ym Mrynllin. Pan gyrhaeddodd ben ei daith roedd gwrthrych ei serch wedi mynd i'w gwely, ond galwodd ar y forwyn i godi i wneud tamaid o fwyd iddo cyn iddo gychwyn ar ei daith yn ôl i Gwm Glan Llafar. Mae'n rhaid fod William wedi cymryd hyn fel arwydd o groeso ac wedi dyfalbarhau â'i ymweliadau, oherwydd daeth maes o law yn ŵr i Marged, ac ymsefydlu yn fferm Brynllin Fawr. Gosodwyd Styllen i denant.

Mae'n werth nodi fod amgylchiadau wedi bod yn bur gythryblus ym Mrynllin Fawr ers amser. Mae'n siŵr nad oedd dim yn anarferol yn hyn, oherwydd ganrif a hanner yn ôl ystyrid fod pobl ddeugain oed wedi cael oes eithaf da. Yn nechrau'r 1830au Harry Pugh oedd yn ffermio yno, a phriododd â Lowri Parry o Sir Gaernarfon. Ganwyd iddynt fab, a ddaeth maes o law yn feddyg i'r Bala. Bu Harry farw yn ddyn gweddol ifanc, ac ailbriododd Lowri â Sylfannus Jones, mab Bedd y Coedwr yn yr un ardal, a ganwyd iddynt ddwy ferch. Bu Lowri farw, felly ailbriododd Sylfannus â Marged Griffiths, Cwm Hesgen, eto yn yr un ardal, a ganwyd iddynt ddau fab, John a Harri. Yn ddiweddarach, oherwydd ei fod am i'w blant gael gwell manteision addysg, symudodd Harri i fyw i Ysbyty Ifan, a daeth disgynyddion iddo yn adnabyddus iawn yn y fro honno a thu hwnt, pobl fel Huw Selwyn Owen, Syl Ellis a Griff Ellis, heb anghofio Sam Jones a fu'n cadw'r Post yn Rhyduchaf ger y Bala. Ond bu farw Sylfannus Jones yntau, yn ŵr cymharol ifanc, ac yna ym 1856 priododd Marged â William Pugh. Cafodd y ddau oes hwy na'r cyffredin, gan i William fyw nes oedd yn 79, a Marged yn ei hwythdegau cynnar. Dywedid y byddai ei gyfoedion yn tynnu ei goes mai ail ddewis Marged oedd o, ond ateb William fyddai ei bod yn well felly, gan iddo gael Marged yn wraig ac arian Sylfannus gyda hi! Mae'n fwy na thebyg fod gwir angen yr arian, gan fod dwy ferch Lowri a Sylfannus a dau fab Sylfannus a Marged yn dal yn rhan o deulu estynedig Brynllin Fawr.

Parhaodd trafferthion Brynllin. Ganwyd pedwar o blant i William a Marged Pugh, ond bu tri ohonynt farw'n ychydig ddiwrnodau oed. Dim ond un a oroesodd, sef Daniel. Ie wir, . . . un arall!

* * * * *

Yn y cyfnod yma roedd Meredith Roberts yn ffermio Bryngath yng Nghwm Abergeirw. (Roedd nain Sali Jones, a ddaeth yn wraig i Thomas Charles o'r Bala, yn ferch Bryngath, a chredir ei bod o'r un llinach.) Roedd tri o frodyr Meredith wedi ymfudo i Awstralia, ei chwiorydd wedi priodi, yntau wedi colli ei rieni, ac yn cadw howscipar a gwas neu ddau. Cyflogid Ann Roberts o gyffiniau Nefyn ganddo yn forwyn fach. Un diwrnod, a hwythau ar ganol rhoi gwlyb i'r lloiau, datgelodd Ann wrth yr howscipar fod y mistar wedi gofyn iddi ei briodi. Mae'n debyg fod yr howscipar hefyd â'i llygad ar y mistar, oherwydd fe bwdodd yn y fan a'r lle, gadael y lloiau gan fynd i'r tŷ i hel ei phac a gadael Bryngath. Ym 1868 priododd Ann â Meredith Roberts, a ganwyd iddynt ddwy ferch, Janet ac Elizabeth. Ym 1890 priodwyd Elizabeth â Daniel Pugh, Pantglas. (Dywedir i William Pugh gael ei droi allan o Frynllin am wrthod pleidleisio i'r Tori yn ôl dymuniad ei feistr tir, ond yn union wedi'r helynt cafodd denantiaeth Pantglas oedd yn eiddo i Mr Wood –

Rhyddfrydwr! Wedi hyn, fel William Pugh Pantglas y câi ei adnabod.)

Cafodd Elizabeth, fy nain, hefyd ei siâr o brofedigaethau. Ganwyd pedwar o feibion i Daniel a hithau, ond pan oedd John Daniel, yr ail o'r meibion, yn chwarae yn y stabal cafodd gic yn ei ben gan geffyl. Bu farw'n saith oed wedi bod yn anymwybodol am wythnosau. Ymhen rhyw flwyddyn ganwyd y pedwerydd, a galwyd yntau yn John, ar ôl ei frawd ymadawedig. Dair blynedd yn ddiweddarach bu farw Daniel Pugh o niwmonia. Ailbriododd Elizabeth â'r Parchedig David Owen Ellis, gweinidog Llanfachreth, Hermon ac Abergeirw, a ganwyd iddynt un mab, Dewi Machreth, a ddaeth yn ddiweddarach yn bennaeth Adran Gymraeg y Coleg Normal ym Mangor. Mae lle i ofni nad oedd ail briodas ei fam yn plesio Meredith, yr hynaf o blant Daniel ac Elizabeth. Mae'n bur debyg mai dyna a barodd iddo fynd i weithio i Lundain gyda theulu Ystumgwadneth, Llanfachreth, oedd yn berchnogion busnes llefrith mewn rhyw ran o'r palmant aur. Byddai yno brysurdeb mawr iawn bob bore Sul, gan y ceisient gwblhau'r rowndiau llaeth mewn pryd i fynd i'r capel. Wedi cinio ar y chweched o Orffennaf, 1913 canfyddwyd Meredith yn farw yn y toiled. *Enlarged heart*, meddai'r meddyg, oedd achos y farwolaeth, a chredid fod y straen o ddod i ben â'r gwaith, a hynny ar stumog wag, wedi cyfrannu at y digwyddiad trist. Cafodd dau fab arall Daniel ac Elizabeth Pugh, fy nhad, William Henry, a f'ewyrth John, oes dipyn hwy, gan iddynt ill dau fyw i weld eu saithdegau.

Efallai y dylwn ychwanegu ychydig am y forwyn fach a ddaeth yn wraig Bryngath. Os nad oedd hi'n fawr, doedd hi ddim yn un âi o dan draed neb. Yn dilyn marwolaeth ei dad treuliodd fy nhad lawer o'i amser ym Mryngath gyda'i nain a'i fodryb Janet a'i theulu, ac un o'i hoff hanesion fyddai am ei nain yn gorchfygu byddin Prydain Fawr.

Roedd Nain Bryngath dipyn yn iau na Meredith Roberts, ei

gŵr, a merch gymharol ifanc oedd hi pan adawyd hi'n weddw. Gan ei bod yn wraig pur gadarn a phenderfynol, wedi marwolaeth Meredith roedd hi'n ddigon abl i redeg y ffarm gyda help y gweision, a hyd yn oed wedi i Gomer Roberts – oedd yn ŵr cyfrifol iawn – ddod i fyw i Fryngath ar ôl priodi Janet, Ann Roberts oedd y bòs o hyd. Hi fyddai'n cyflogi, yn gwerthu stoc a phrynu angenrheidiau yn ôl y galw.

Ar y ffordd i Drawsfynydd i negesa, a dau neu dri o'i hwyrion gyda hi yn y car-a-merlen yr oedd pan fu'r ymrafael â'r fyddin. Ychydig iawn o amser oedd ers pan feddiannwyd cwm cyfagos i ymarfer saethu, a digon prin fod gan Ann deimladau caredig tuag at y bobl a'i meddiannodd. Yn rhywle ar y ffordd gefn rhwng Penystryd a'r Traws gorfod iddynt stopio oherwydd fod ceffylau'r fyddin a ddôi i'w cyfarfod wedi aros i gael gwynt wrth dynnu un o'r magnelau i fyny'r allt. Daeth swyddog atynt i ddweud y byddai'n rhaid iddynt droi i'r cae tra byddai ceffylau'r fyddin yn ailgychwyn. Doedd Nain Bryngath ddim yn deall (neu ddim yn dewis deall) Saesneg, a chadwodd y ferlen i sefyll yn ei hunfan. Ailadroddwyd y gorchymyn, ond heb unrhyw effaith. Yna daeth un o'r milwyr cyffredin i dywys y ferlen oddi ar y ffordd, ond fel yr oedd yn estyn ei law am y ffrwyn dyma flaen chwip yr hen Ann yn clymu am ei arddwrn. Ciliodd yntau'n ôl at y swyddog. Daeth y swyddog at y cerbyd eilwaith i ddweud sut yr oedd pethau i fod, ac i wneud arwyddion arnynt fynd i'r cae, ond y cyfan a wnâi Nain oedd anwesu'r chwip. O'r diwedd gorchmynnwyd i'r milwyr droi'r fagnel i'r cae, ac aeth Ann Roberts a'i hwyrion yn eu blaenau'n ddirwystr i Drawsfynydd i siopa. Trueni na fuasai 'na fwy o bobl debyg iddi!

* * * * * *

Gadawn Gwm Abergeirw, ond dim ond dros y gefnen i gyfeiriad Trawsfynydd. Yma mae'r cwm y cyfeiriwyd ato a feddiannwyd gan y milwyr yn bur gynnar yn yr ugeinfed ganrif. Cwm Defeidiog oedd yr enw gwreiddiol, mae'n siŵr, ond 'Cwm y Feidiog' a ddefnyddid gan y werin. Ymhlith nifer o ddaliadau roedd yno dair ffarm o'r un enw, Feidiog Ucha, Feidiog Isa a Feidiog Bach. Ym 1882, fodd bynnag, nid oedd sôn am filwr yn agos i'r lle, na neb yn breuddwydio pa mor wahanol fyddai'r ardal ymhen ugain mlynedd neu well. Ond ar bnawn dydd Mercher, yr 8fed o Dachwedd yn y flwyddyn dan sylw, fe ddigwyddodd trychineb. Aethai Gwen Jones, Feidiog Isa a'i chymdoges, Ann Williams, Dôl Mynach i Drawsfynydd ar ryw neges neu'i gilydd. Roedd Dafydd, gŵr Gwen, adre yn gwarchod y plant ieuengaf, Dafydd, Lisi, Morris a Robert. Galwodd cymydog, Edward Morris, Dôl Moch heibio, a gwahoddwyd ef i'r tŷ am sgwrs. Daeth y ci i mewn wrth ei sawdl. Roedd hi'n hen ddiwrnod digon tywyll, rhyw gymylau duon dros y cwm, a dal i d'wllu roedd hi ganol y pnawn. Doedd hynny'n ddim byd anarferol, wrth gwrs; wedi'r cwbwl roedd hi yn fis Tachwedd, y dydd wedi byrhau, a'r haul wedi gwanhau. Ond yn sydyn dyma anferth o glec. Roedd mellten wedi taro'r corn, a disgynnodd rhan o dalcen y tŷ. Credir i'r fellten ladd Morris (6 oed) a Robert (17 mis) a chi Edward Morris yn y fan a'r lle. Claddwyd Dafydd a Lisi o dan y cerrig a gwympodd, ond yn ffodus llwyddodd eu tad ac Edward Morris i'w cael yn rhydd yn weddol ddianaf mewn ychydig eiliadau.

Nid oedd John, y mab hynaf deunaw oed, gartref ar y pryd. Ymhen tair blynedd byddai ef yn ŵr priod.

* * * * * *

Synnwn i ddim nad oedd bywyd yn bur galed yng nghyffiniau Dinas Mawddwy tua chanol y bedwaredd ganrif ar bymtheg. Beth arall allai fod yn rheswm i Hugh Rowlands ymuno â'r cafalri? Roedd ei rieni, Richard a Catherine Rowlands, yn Annibynwyr selog. Erbyn heddiw mae heddychiaeth wedi dod yn rhan gref o draddodiad yr Annibynwyr. Os oedd hyn yn bodoli ganrif a hanner yn ôl, tybed a oedd Richard a Catherine yn fodlon gweld eu mab, oedd fel ei dad yn of medrus, yn mynd i bedoli ceffylau milwyr? Ym 1854, pan glywsant fod catrawd y gwŷr meirch yn mynd dramor, aeth Richard Rowlands yr holl ffordd i Lundain i brynu ei fab allan o'r fyddin, ond yn rhy hwyr – roedd y llong newydd hwylio, a'r *gallant six hundred* ar ei bwrdd ar eu ffordd i'r Crimea. Roedd y fan honno'n bell ddychrynllyd o Ddinas Mawddwy, ac yn ôl y sôn fu'r *British Army* ddim yn rhy lwyddiannus yno. Trwy drugaredd ni chafodd Hugh achos i gyfarfod Florence Nightingale na Betsi Cadwaladr, a daeth adre'n groeniach i chwilio am waith ychydig mwy diogel. Y gwaith hwnnw oedd gofalu am draed y ceffylau oedd yn gweithio ar safle'r rheilffordd newydd oedd yn cael ei hadeiladu rhwng Rhiwabon a'r Bermo.

Yng nghyffiniau'r Bontnewydd, ger Dolgellau, roedd y ffordd haearn yn mynd trwy dir tyddyn o'r enw Nant y Cnidiw. Roedd yno ferch o'r enw Elinor a ddenodd sylw Hugh. Efallai ei bod yn dipyn o bishyn yn ei dydd. Yn sicr, roedd hi'n ferch alluog iawn, yn aelod selog o Gapel yr Annibynwyr yn y Brithdir, yn fardd pur gynhyrchiol yn bur ieuanc, ac yn ôl yr arfer bryd hynny caneuon crefyddol a cherddi coffa a gyfansoddai. Argraffwyd llawer o'i gwaith yng nghyhoeddiadau crefyddol y cyfnod o dan ei henw barddol, Elen Meirion. Priodwyd y ddau, ac wedi prysurdeb y rheilffordd bu Hugh yn cadw gefail yn Nant y Cnidiw. Mae'n eithaf posibl ei fod yn dipyn o *entrepreneur*, oherwydd yn ôl cofnodion cyfrifiadau'r cyfnod cawn ei fod yn ddiweddarach yn of yng ngefail Llanfachreth, yn ffermio tyddyn Bryn Blew ar stad Nannau ac yn gweithio'n achlysurol i Syr John Vaughan yn Nannau. Pan ddaeth Richard, ei fab hynaf, yn ddigon profiadol, ef a gymerodd gyfrifoldeb dros yr efail yn Llanfachreth, ac aeth y tad i Nannau fel coitsmon amser llawn. Yn ôl yr arysgrif ar ei garreg fedd ym mynwent Llanfachreth, bu'n gwasanaethu sgweier Nannau am dros ddeugain mlynedd, 'yn was ufudd a ffyddlon'. Er ei brysured, llwyddodd i genhedlu tri ar ddeg o blant.

Jane oedd y chweched o'r tri ar ddeg. Priododd â John, mab y Feidiog Isa, a gwnaethant eu cartref yn Nant y Cnidiw. Yno magwyd chwe mab a dwy ferch. Yn nodweddiadol o'r cyfnod bu Ellen farw o'r ddarfodedigaeth yn ddeunaw oed. Gwen, y ferch ieuengaf, oedd fy mam.

Dechrau Cropian

Mae'n debyg mai rhyw flwydd oed oeddwn i pan ddaeth Dewi Mai o Feirion atom i aros. Brodor o Stiniog oedd David John Roberts; roedd wedi ymddiddori'n fawr mewn canu penillion, ac yn ddigon o awdurdod ar yr hen grefft i ysgrifennu llyfr ar y pwnc. Bu rhyw gytundeb rhyngddo ef a 'Nhad y câi ddod atom ni am gyfnod tra oedd yn paratoi'r gwaith ar gyfer y wasg. Er bod cael cwmni un o gewri'r grefft yn y cartref yn fantais ar un olwg, dydw i ddim yn siŵr pa mor blês oedd Mam ar y trefniant, gan y golygai dipyn mwy o waith iddi hi. Ni chredaf fod llawer o arian yn newid dwylo, gan mai byd go fain oedd hi ar Dewi Mai hefyd. Aethai i weithio i Grimsby gyda rhyw gwmni gwerthu pysgod, ac mae'n bur debyg ei bod yn ddirwasgiad ar y diwydiant hwnnw hefyd. Fodd bynnag, drwy ryw drefniant, dôi bocsaid o *'Grimsby Fish'* acw yn achlysurol. Rwyf yn weddol siŵr mai ef, Dewi Mai, yw awdur yr englyn sy'n pwysleisio mor fain oedd hi ar gynheiliaid diwylliant Cymreig y cyfnod:

> Gwael yw byw ar glwb awen, – ie'n wir,
> > Gwael iawn, iawn fy machgen;
> > O goes las ti gei sleisen,
> > A dau droed a fydd dy drên.

Dwn i ddim oedd o'n rhan o'r cytundeb ai peidio, ond byddai Dewi Mai'n edrych ar ôl y babi pan fyddai Mam yn brysur, a chlywais mai'r gân a fyddai'n siŵr o'm suo i gysgu fyddai:

Climb upon my knee, Sonny boy,
You are only three, Sonny boy;
There's no way of knowing,
There's no way of showing
What you mean to me, Sonny Boy.
Friends may forsake you,
Never will I leave you,
You cling to me, Sonny Boy!

Byddai'n siarad Saesneg â mi, ac yn fy ngalw'n 'Jones'. Mae'n debyg i'm chwiorydd ei efelychu, a phan ddeuthum i ddechrau siarad yr hyn a ynganwn oedd 'Lons'. Glynodd yr enw, a gwn y bu'n bur anodd i rai o'm teulu agosaf newid pan ddaeth yn fater o'm cyfarch mewn cwmni y tu allan i'n cylch teuluol. Peth rhyfedd imi dyfu i fod yn Gymro twymgalon wedi'r fath gychwyn Seisnig!

Y digwyddiad cyntaf a gofiaf i fedru rhoi dyddiad arno yw eira mawr 1937. Dwn i ddim faint o eira a gawsom yn ystod y dydd arbennig hwnnw – dim digon i rwystro 'Nhad a Mam a'm chwiorydd fynd i ryw gyfarfod neu'i gilydd yn y Parc y noson honno. Cofiaf yn dda i Nain agor y drws cyn imi fynd i 'ngwely imi gael gweld yr eira. Mae'n siŵr mai ychydig fodfeddi oedd yna, ond fe ymddangosai'n uchder aruthrol i hogyn bach heb gyrraedd ei dair oed. Fore trannoeth roedd gwynder yr eira'n cael ei adlewyrchu'n ddisglair ar nenfwd y llofft, a dyna ras i godi a gwisgo i gael mynd allan i weld yr eira. Wedi mynd i lawr y grisiau i'r gegin dyna lle'r oedd 'Nhad yn bwyta'i frecwast yng ngolau'r hen lamp baraffîn. Roeddwn i ar ormod o frys y bore hwnnw, mae'n siŵr, i sylwi fod yr eira wedi lluwchio bron i uchder ffenestri'r llofft, fel mai dim ond rhyw wawr wannaidd o olau a ddôi drwy ffenestri'r llawr isaf.

Nid oedd y cwymp eira hwn yn rhywbeth anarferol; yr hyn a'i gwnaeth yn drychineb oedd y gwynt cryf a achosodd iddo luwchio'n ddidrugaredd mewn rhai mannau. Claddwyd cannoedd o ddefaid yn fyw o dan y lluwchfeydd. Codwyd llawer yn syndod o ddianaf drwy nerth bôn braich wedi i gŵn craff eu ffroeni o dan yr eira. Defnyddid ffyn hirion hefyd i brocio drwy'r eira i geisio dod o hyd i'r defaid. Y darnau hiraf o bren oedd ar gael mewn ambell le oedd coes y gribin wair. 'Ma' 'ne gribinie tu allan i'r drws 'cw fel tase hi'n gnaea gwair,' oedd sylw Robert John, Cwmtylo. Roedd gan Robin ddywediadau bachog iawn. Gofynnais iddo rywdro tua chanol y pumdegau a oedd arnynt awydd prynu *pick-up-baler*. 'I be gawn ni beth felly yng Nghwmtylo 'ma?' oedd ateb Robin. 'Tydi'n well iti hen ddafad o lawer. Mae honno'n pic-yp yn un pen ac yn fyc-sbredar yn pen arall.' Mewn rhai ffermydd uchel achosodd y lluwchfeydd golledion trymion. Bu'n ergyd greulon i lawer oedd yn dechrau gweld goleuni ar ymyl cwmwl du'r dirwasgiad.

Tŷ â llawer o fynd a dod ynddo oedd ein tŷ ni, a'm rhieni'n mynd i bob cyfarfod a gynhelid yn y Parc ac i amryw ymhellach i ffwrdd. Rhywrai'n galw acw'n aml, cerdd-dantwyr, teulu a ffrindiau. Pawb yn cael paned, llawer yn cael pryd o fwyd. Does gen i fawr o gof bod heb Nain. Daeth Nain Nant atom ym 1937. Fe fu'n bur wael yn dilyn pwl o niwmonia a rhyw gymhlethdodau eraill, a chan mai Mam oedd yr unig ferch roedd yn naturiol iddi ddod atom ni i gael tipyn o dendans. Wedi iddi wella, byddai yn ystod yr haf yn mynd at ei meibion a threulio rhyw fis gyda phob un yn eu tro, a dychwelyd atom ni dros y gaeaf. Doedd y berthynas rhyngof i a Nain ddim yn un hapus iawn bob amser. Mae'n siŵr fy mod yn gallu bod yn gorgi bach go ddrwg ar adegau – wedi fy nifetha gan Mam a'm chwiorydd medde nhw. Wrth gwrs, roedd Nain yn un handi ryfeddol i warchod. Roedd fy rhieni'n dal i gynghe rdda, a'm chwiorydd erbyn hyn yn ddigon hen i fynd hefo nhw i wneud eu pwt, a Nain yn cael ei gadael i roi'r blŵ-eid yn ei wely. Does gen i ddim cof beth oedd achos y ffrae rhyngom un noson, ond y tro nesaf y llefarwyd y geiriau '. . . mi-fyddwch-chi'ch-dau-yniawn-yn-byddwch?' dyma Nain yn mynd ar streic ac yn dweud nad oedd hi'n mynd i warchod reit siŵr, bod y 'mwnci bech yn mynd i'w gythral' hefo hi. Bu'n dipyn o helynt – digon o helynt i mi benderfynu y byddwn yn meddwl ddwywaith cyn mynd i 'nghythral hefo neb wedyn.

Ar waetha'r teimladau drwg achlysurol rhyngom, treuliodd Nain Nant oriau lawer yn darllen *Llyfr Mawr y Plant* imi. Mae'n rhaid ei bod wedi ei ddarllen drwyddo laweroedd o weithiau, oherwydd cyn cyrraedd oed ysgol gallwn ei adrodd i gyd ar fy nghof, a byddwn yn cywiro Nain os digwyddai iddi lithro gyda rhyw air. Dro arall byddem yn chwarae draffts. Ofnaf mai anaml iawn yr enillai'r hen wraig, nid oherwydd sgiliau ei hŵyr, ond oherwydd ei fod yn ifanc iawn wedi meistroli'r grefft o dwyllo. Fe ddylwn gywilyddio wrth gyfaddef hyn, ond gallaf yn onest ddweud mai lleihau a wnaeth y duedd honno ynof wrth imi dyfu.

Ugain oed oedd Nain pan briododd, a Taid yn un ar hugain, ffaith a fu'n achos tipyn o hwyl un noson pan oedd fy chwiorydd yn eu harddegau, ac efallai'n dechrau cael blas ar gwmni bechgyn. Roedd cefnder 'Nhad, Dafydd Bryngath, wedi dod heibio, a Nain yn y drws yn ddi-baid yn edrych a gwrando am ryw arwydd fod 'y merchaid 'na'n dod adra'.

'Gadwch iddyn nhw, Musus Jôns,' meddai Dafydd, 'i gial dipyn o amsar i giaru ar y ffordd adra. Roeddach chi'n ciaru'n ddeuddag oed yn toeddach?'

'Nag oeddwn wir,' meddai Nain, 'roeddwn i'n twelf-and-y-hâff.'

Os mai Taid oedd y cariad bryd hynny, bu'r ddau yn canlyn am saith mlynedd a hanner cyn dod yn ŵr a gwraig Nant y Cnidiw.

Gan nad oedd tyddyn fel y Nant yn ddigon mawr i gynnal y teulu niferus, arferai Taid gychwyn ben bore bob dydd Llun a cherdded i Wynfynydd, yng nghyfeiriad ei hen gartref, y Feidiog Isa. Gweithiai yno yn y gwaith aur, aros yn y barics tan

27

bnawn dydd Sadwrn, ac yna ei throedio hi am adref. Wedyn bu'n arddwr ym mhlas Rhaeadr Wnion, oedd ar draws y ffordd i'r Nant, ac yna'n blêt-leiar ar y lein. Digon bregus fu ei iechyd, oherwydd effaith lleithder ac oerfel Gwynfynydd yn ôl y gred, a bu farw ym 1926 yn 62 oed.

Oherwydd bod fy rhieni'n teithio tipyn i gyngherdda byddai'r sgwrs ar yr aelwyd gartref yn un eithaf difyr bob amser. Sonnid yn aml am y lleoedd yr ymwelwyd â hwy, a'r hanesion oedd yn gysylltiedig â'r lleoedd hynny. Dro arall, y bobl y cyfarfyddent â hwy fyddai testun y siarad, ambell un yn bur enwog ym myd y diwylliant Cymreig. Weithiau byddai'r daith yno neu adref yn werth sylw. Doedd moduron y cyfnod ddim cweit mor ddibynadwy ag y maent heddiw; ambell dro roedd digwyddiadau tu hwnt i reolaeth y gyrrwr yn effeithio ar bethau, a chan nad yr un oedd y tacsi bob tro byddai'r straeon hynny'n amrywio hefyd.

Drannoeth diwrnod dyrnu ym Mhantyneuadd yr oedd cyngerdd Porthmadog. Yn anffodus, roedd tipyn mwy o waith dyrnu nag a fargeiniwyd amdano, a'r dydd yn fyr, ac aeth yn bur hwyr cyn gorffen. Er mwyn dod i ben â'r gwaith crogwyd lampau stabal yma ac acw i oleuo ychydig ar y dyrnwr, a pharciwyd y car ar y buarth a'i oleuadau ymlaen i ychwanegu at y golau. Er nad oedd unrhyw undeb yn bodoli i warchod buddiannau'r gweithwyr o ffermydd cyfagos oedd yn helpu, teimlai rhai ohonynt nad oedd hyn yn deg, a phenderfynwyd yn y fan a'r lle i brotestio yn llechwraidd braidd drwy roi dyrnaid o fanus i lawr corn gwddw tanc petrol y modur. Doedd gan Ellis Davies, a ddigwyddai fod yn yrrwr tacsi iddynt i Borthmadog, ddim syniad beth oedd o'i le pan nogiodd y car cyn cyrraedd Penrhyndeudraeth. Bu cryn dipyn o wthio a stryffaglio i gyrraedd y Port, a bu'n rhaid i Ellis Davies druan dreulio holl amser y cyngerdd mewn garej yn cael nithio'r manus o'r petrol.

Wedi imi ddod yn ddigon hen cefais innau fynd i ambell

gyhoeddiad, ac i ganu neu adrodd. Dwn i ddim ai ar sail fy nawn neu oherwydd nad oedd Nain gartre i warchod y bu'r achlysuron hynny, ond mae gen i gof clir iawn o gael fy nghodi i ben cadair yn hen Ysgol y Pandy yn Llanuwchllyn i ganu 'Bwrwglawynsoboriawn, weldymabnawnanghyyynes, Mocheldanyrambarel, acherddedfelbrenhiiines' i gymeradwyaeth (weddol) wresog. Noson Lawen o dan nawdd Plaid Cymru oedd yr achlysur, a chofiaf fod Cassie Davies, oedd newydd ddod i'r gogledd yn Arolygydd ei Fawrhydi, yn siarad yno, dwn i ddim a oedd Ei Fawrhydi yn ymwybodol o hynny! Dyma'r tro cyntaf imi weld a chlywed Bob Roberts, Tai'r Felin a John Thomas, Maes y Fedw, a chael fy nghyfareddu gan y ddau. Gwnes adduned y byddwn innau ryw ddiwrnod yn canu'r 'Betrisen' mewn clos pen-glin 'run fath â John Thomas. Dydw i ddim yn siŵr beth am y clos pen-glin, ond rwyf wedi canu'r 'Betrisen' lawer gwaith yma ac acw, a synnwn i ddim nad oes rhai wedi mwynhau ei chlywed.

Fel y dois yn hŷn cefais fynd ar ambell daith hirach. Y lle pellaf imi fynd mi gredaf oedd i Altringham ger Manceinion yn ystod blynyddoedd yr Ail Ryfel Byd, a chael tipyn golêw o drafferth i fynd yno, a mwy fyth i ddod adre. Taith arall nad â'n angof yw'r un i Lanfachreth ym mis Chwefror, 1947. Roedd Dad a Mam yn mynd adre i ganol eu teuluoedd a ffrindiau bore oes. Beti fy chwaer â'i thelyn, Trebor Rowlands, Gwernbusaig, John Jones, Maesywaun a minnau oedd gweddill y cwmni y noson honno. Teithiem yn hwylus ddigon yn fen fodur y Wôr Ag. Cynigiwyd swydd i Dad yn Swyddog Maes i'r *Merionethshire War Agriculture Executive Committee* ar ddechrau'r rhyfel, swydd y bu ynddi hyd ei ymddeoliad (ond mai Y Weinyddiaeth Amaeth oedd hi erbyn hynny). Er na chaniateid i'r gweithlu ddefnyddio cerbydau'r Llywodraeth at ddibenion hyrwyddo diwylliant Cymreig, roedd hi'n bur anodd cael cludiant arall ambell dro. Y noson arbennig yma roedd hi'n lluwchio mor ddychrynllyd fel mai prin yr oeddem yn gweld ar draws y ffordd, ond roedd yn *rhaid* mynd i Lanfachreth o bob man. Trwy fyd y cyrhaeddwyd, ac wedi sylweddoli mor ddychrynllyd oedd y tywydd, y cwbl a wnaed oedd cyhoeddi yn nrws y neuadd lawn na fedrem aros gan fod y ffordd fawr yn prysur gau ar y Garneddwen. Roedd y siwrne'n ôl yn waeth, a gorfu inni adael y fan â'i thrwyn mewn lluwch eira rhyw filltir go dda o glydwch cartref, a cherdded. Synnwn i ddim nad dyna'r filltir anoddaf imi ei cherdded erioed.

Erbyn bore trannoeth doedd yna ddim golwg o'r fan, oherwydd roedd yna lathen o eira ar ei phen, a dim ond trwy brocio amdani hefo coes cribin y doed o hyd iddi. Cafwyd help cyfeillion i'w thurio allan rhag iddi gael niwed. Peth cas iawn fyddai i 'Nhad orfod cyfaddef iddi fod allan o dan y fath amgylchiadau mor hwyr y nos, a ninnau wedi anghofio gofyn am ei benthyg!

Cyngerdd arall a gofiaf yn dda, ond am resymau gwahanol, yw'r un yng Nghapel Llanfrothen. Frances Stephenson, gweddw Lloyd George, Iarll Dwyfor, oedd yn llywyddu, a chofiaf i John Jones yn ei Saesneg gorau ei chyflwyno i'r gynulleidfa fel 'Musus Lloyd George'. Y noson yma y clywais gyntaf hanes angladd un o ymneilltuwyr yr ardal ddegawdau ynghynt pan wrthodai ficer yr Eglwys ganiatáu i'r teulu gladdu'r ymadawedig ym mynwent y plwyf. Ar gyfarwyddyd Lloyd George, torrwyd y clo a roddwyd ar giât y fynwent i rwystro'r angladd, a phan erlynwyd y 'drwgweithredwyr' fe'u hamddiffynnwyd yn llwyddiannus yn y llys gan y twrne ifanc o Lanystumdwy. Dyna pam fod yr Iarlles yno'n llywyddu'r cyngerdd.

Ar ôl y cyngerdd aed i swpera i'r Wern, cartref Thomas Richards, oedd yn dipyn o borthmon gwlad, gŵr y byddem yn ei weld yn arwerthiannau defaid Meirionnydd. Yn llawer pwysicach i rai oedd yn ymwneud â'r Pethe, ef oedd awdur yr englyn buddugol yn Eisteddfod Pen-y-bont ar Ogwr i'r 'Ci Defaid'. Finnau'n teimlo fy hun yn dipyn o foi wedi cael swper yn nhŷ bardd go iawn.

Gan fod yr ymchwil am rywbeth newydd i'w ganu yn ddiddiwedd, roedd gwybodaeth fy rhieni am feirdd a barddoniaeth yn bur eang. Yn ifanc iawn deuthum innau i wybod am feirdd yr oedd eu barddoniaeth 'yn canu' – T. Gwynn Jones, Eifion Wyn, Elfed, Wil Ifan, Crwys a Chynan, a llawer o feirdd eraill, efallai llai enwog, ond wedi cyfansoddi cerdd neu ddwy fyddai'n apelio at gynulleidfa. Roedd hynny'n bwysig iawn i ddatgeiniaid y cyfnod, ac fe ddylai fod yn bwysig o hyd goelia i, wrth gyflwyno unrhyw gerdd i'r cyhoedd, ei bod yn ddealladwy ar y gwrandawiad cynta. Rhyfeddod i mi yn yr ysgol oedd fod plant tua'r un oed â mi heb erioed glywed sôn am y beirdd hyn. Ar ôl dod yn hŷn y sylweddolais fy nyled enfawr i'm rhieni am iddynt fy arwain ar hyd llwybrau mor ddiddorol.

Byddai llawer yn galw heibio ar fin nos i ddysgu canu penillion, a syrthiais i gysgu droeon yn sŵn ymarfer awdlau poblogaidd a thelynegion y cyfnod yn cael eu canu ar yr hen alawon traddodiadol yn y gegin oddi tanaf.

Roedd Mam yn eithriadol o brysur. Ofnaf mai lle main iawn a roddid i gerddoriaeth ar gwricwlwm yr ysgol gynradd leol, a chyn eisteddfod neu gyngerdd neu gyfarfod arbennig yn y capel byddai Mam yn picio i lawr ar ei beic ganol dydd am bractis hefo'r hen blant. Yn aml byddai'r beic yn bowlio i lawr am y Parc wedyn pan ddôi'n amser gorffen gwersi'r prynhawn.

Mae'n bosib y byddai dydd Sul yn brysurach iddi na'r un diwrnod arall. Ysgol Sul am ddeg, brysio adre i wneud cinio, yna i lawr yn ôl erbyn hanner awr wedi un (neu un o'r gloch weithiau) i gyfarfod â'r plant eto i'w hyfforddi yn y Sol-ffa, gyda Modiwletor John Curwen yn crogi oddi ar ffrâm bren ar gornel y sêt fawr. Pregeth am ddau, ac adre'n ôl i de ac i odro, ac i lawr y drydedd waith i wrando pregeth am chwech. Yn syth ar ôl y bregeth byddai Cyfarfod Canu. Dyma pryd y byddai Dad yn cymryd drosodd. Dysgu tonau newydd y Detholiad a pharatoi'r côr ar gyfer cystadlu oedd prif weithgarwch y

Cyfarfod Canu. Byddai rhyw lwyth car yn dod i fyny o'r Bala i helpu ar gyfer cystadlaethau pwysig, a byddai un ohonynt, Huwi Davies, yn arwain ar yr achlysuron hyn.

Cerddor dawnus iawn oedd Huwi, ond yn mynd yn bur nerfus ar lwyfan eisteddfod medde nhw. Yn wir, yn Eisteddfod y Llungwyn yn Llanuwchllyn un tro, roedd mor nerfus fel y tasgodd ei ddannedd gosod o'i geg pan oedd y côr ar ganol canu. Yn ffodus fe'i daliodd cyn iddynt ddisgyn i'r llawr, fel nad oeddynt ddim gwaeth. Yn anffodus, wnaeth y digwyddiad ddim llawer o les i ddehongliad y côr o 'Teyrnasoedd y Ddaear'.

Un gaeaf tua diwedd y rhyfel dysgwyd y *Meseia* o'i ddechrau i'w ddiwedd, a'i berfformio ar nos Sul braf ddechrau haf gyda John Hughes, Dolgellau – Trefnydd Cerdd Sir Feirionnydd ar y pryd – yn arwain.

Erbyn meddwl, doedd y Cyfarfod Canu ddim yn dechrau'n syth ar ôl yr oedfa chwaith. Byddai'r merched yn aros yn y capel, ond yn cymryd tipyn o amser i siarad wrth symud i'w hochr briodol yn sopranos ac altos. Byddai'r dynion yn mynd allan i gyd, ac yn ffurfio'n ddau neu dri chlwstwr bach i drafod pynciau'r dydd, a chodai cymylau o fwg baco, sigarét a chetyn uwch eu pennau. Yna, rhaid oedd cerdded yn hamddenol tua chwt y postman oedd ar ochr ffordd Rhydyrefail. Cefn hwn oedd toiled cyhoeddus answyddogol dynion y Parc. Wedi'r gollyngdod yma o fwg a dŵr byddai'r tenoriaid a'r baswyr mewn stad digon cyfforddus i ymuno â'r 'chwiorydd' i chwyddo'r mawl.

Ar noson waith byddai Cyfarfod Gweddi bob nos Lun cynta'r mis, Seiat bob nos Fawrth, y Gymdeithas Ddiwylliannol, Aelwyd yr Urdd a Chlwb Ffermwyr Ifanc yn eu tro bob nos Iau o fis Medi tan fis Mawrth. Os byddai cystadleuaeth yn nesu byddai ymarfer côr ar ôl rhai o'r cyfarfodydd hyn hefyd.

Yn ychwanegol at hyn, oedd yn waith amser llawn bron, byddai gorchwylion arferol gwraig fferm hefyd, a hynny mewn cyfnod pan oedd y gwaith hwnnw i gyd yn cael ei wneud â

John Pugh, Dewi Machreth Ellis, William H. Pugh, gyda'u mam, Elizabeth Ellis tu allan i Styllen. Tua 1925?

Parti Cyngerdd yn y 30au.
Yn sefyll (chwith i'r dde): Caradog Pugh, T. Llew Williams, Llanuwchllyn (adrodd), O. T. Jones, Parc (arweinydd a sioffar) Yn eistedd: W. H. Pugh, Gwen Pugh

William H. a Gwen Pugh

Teulu Nantycnidiw tua 1952.
John Morris, Dic, Gwen, Dei, Bob ac Ifan

Hefo Nain Nantycnidiw (Jane Jones)
yn Nhŷ Du tua 1940

Pan oeddwn i'n hoffi cathod

Hefo Fido a'r cwningod

Yn Ysgol Tytandomen, 1949

Cyfarfod anrhegu W. H. a Gwen Pugh, 1958. Beti Jones, Gwen Pugh, Elinor Pierce, Dan Puw, Telynores Maldwyn, W. H. Pugh

Teulu Pugh ym mhriodas Elinor (o'r dde i'r chwith): Gwen Pugh, Elinor Pugh, Beti Pugh, Dan Puw; yn eistedd: John Pugh, Mrs Ellis (mam John a W. H.), William Henry Pugh

Cychwyn i'r capel, haf 1943.
Beti, W. H., Dan, Gwen, Linor

Hefo John Owen Jones yn Nhŷ Du
tua 1937.

Plant Ysgol y Parc, mis Mehefin 1943

1. Gwen Catherine Jones, Blaencwm; 2. Margretta Elinor Evans, Tŷ Cerrig Uchaf; 3. Robert Ellis Evans, Tyddyn Du; 4. Beti Mair Roberts, Penbryncoch; 5. Marina Jones, Coed Talog; 6. Ellen Elizabeth Evans, Tyddyn Du; 7. Megan Jones, Cyffdy; 8. Kitty Haf Edwards, Llwyn Mawr Canol; 9. Eirian Morris, Dôl llechwyn; 10. Jane Gwladus Edwards, Llwyn Mawr Canol; 11. Rhiannon Evans, Cwmtylo; 12. Edward Owen Jones, Coed Talog; 13. Lewis John Roberts, Glannant; 14. Gwilym Arthur Evans, Tŷ Cerrig Uchaf; 15. John Owen Ellis, Fron; 16. Robert Morgan Jones, Blaencwm; 17. Dafydd Evan Evans, Tyddyn Du; 18. Ellen Williams, Rafel; 19. Robert Walter Eccles, Meinihirion; 20. Kitty Jones, Coed Talog; 21. Dafydd Jones Ellis, Fron; 22. Margaret Caroline Jones, Coed Talog; 23. Dafydd William Jones, Meinihirion; 24. Huw Thomas Ellis, Fron; 25. Meirion Ellis, Fron; 26. Daniel Maredudd Puw, Cystyllen Fawr.

Dosbarth 5 yn Ysgol Ramadeg y Bechgyn, Y Bala 1949.
Rhes ôl (o'r chwith): Ken Crump, Dan Puw, Myfyr Jones, Ken Trow, Elwyn Jones
Rhes ganol: E. Hywel Williams, Hefin P. Jones, Iori Evans, David Wallace Richards, H. Wyn Morris,
Dennis Wheeler, T. Meirion Wynne
Rhes flaen: John E. Lloyd, Neville Johnson, Elwyn Jones, Patrick Tweedale, Gwilym C. Evans

Cystadleuaeth holi Awr y Plant, BBC Bangor
Catrin Puw Morgan, Corwen (ar y chwith); Dewi Morris, Aberangell (3ydd o'r chwith); T. I. Ellis (yn y canol);
Dan Puw (ar y dde); Bedwyr Lewis Jones (2il o'r dde).
Catrin Puw Morgan a Dan Puw yn cynrychioli Sir Feirionnydd yn gydradd fuddugol gyda dau yn
cynrychioli Sir Aberteifi yng Nghaerdydd.

Yn Tŷ Du. John Owen Jones ac o'i flaen, Malcolm; W. H. Pugh; Gwyn Lloyd Jones; Dafydd Ellis, Llannerch; Mair Tŷ Du; Joan MacDonald; Herbert Tŷ Du; Trebor Roberts a Nia

Ar y tractor newydd, haf 1949

Walter M. Jones a finnau wrth gwt y gweithwyr, Llyn Arenig, ddechrau haf 1955.

Evan Rowlands, Dolgellau

Dan Puw a Gareth Pierce, Awst 1959

Dyrnu yn Nhyddyn Du tua 1959.
Gwilym A. Evans, Talybont; Gwilym Davies, Tŷ Cerrig; Dafydd John Evans,
Pantyneuadd; Emyr Roberts, Talybont; Dan Puw, Castell Hen; Robin E.
Evans, Tyddyn Du; Gwyn Ll. Jones, Tŷ Du; Dafydd E. Evans, Tyddyn Du.

Capel Arenig a phen y chwarel yn y cefndir.

Cyhoeddi 'Steddfod y Bala 1966

Cyflwyno rhodd i Tom Owen ar ei ymddeoliad o fod yn Arweinydd Seindorf Arian y Bala. Tua 1970.

Band y Bala, Eisteddfod Genedlaethol Llandudno, 1963.

Rhes ôl (o'r chwith i'r dde): Rodney Williams, William H. Jones, Neville Jones, Dan Puw, Berwyn Roberts, Isaac Ll. Williams, Gwynfor Thomas, Gwilym Owen, Alun Owen, ? , Elfed Roberts
Rhes ganol: Mai Jones, Mair Ellis, Dorothy V. Jones, Beti M. Rowlands, Medwen Evans, Dic Williams, Eric Evans, Myfyr Jones
Rhes flaen: Glyn Lloyd, Ifan J. Thomas, Tom Owen, Hefin Thomas, Sam Edwards
Yn eistedd: Eirwyn P. Jones, David Jones

Triawd Cerdd Dant buddugol Eisteddfod Genedlaethol Llandudno, 1963:
Gwilym Llwyn Mawr Uchaf; Daniel Castell Hen;
Bob Edwards, Llwyn Mawr Isaf.

Criw o saethwyr ar Bont y Parc ar ddydd priodas tua 1952: Phil Jones
(cefnder imi), Dan Puw, Robert Ll. Evans, Herbert Jones, Gwynn Ll. Jones,
Gwilym A. Jones, Dafydd M. Jones, Glyn Edwards, Edward O. Jones,
Huw E. Jones, Robert G. Jones.

Côr Cerdd Dant yn agor Eisteddfod Genedlaethol Meirion yn y Bala 1967.

(o'r chwith i'r dde): Bob Edwards, Parc; gwegil W. H. Pugh (arweinydd); Goronwy Richards, Rhyduchaf; Dan Puw, Parc; Grugwyn Jones, Syrior; Wyn Thomas, Tanygarth; Ifor Griffiths, Rhydycaernen; ? Roberts, Llandrillo; Lloyd Evans, Frongain; Rhys Jones, Bro Aran; ? Phillips, Llandrillo; Gwilym Jones, Stablau; Robert Davies, Cefn Nannau; Aneurin Roberts, Coedybel; Huw A. Jones, Garej; D. H. Williams, Rhydsarn; R. E. Rowlands, Hendre; John Owen, Hafod y Gân; Gwyn M. Davies, Llandrillo; Robert G. Jones, Gellioedd; Irwyn Jones, Bro Aran; Tegid Pritchard, Henblas; Dei P. Jones, Glan Twrch; Emyr Puw; Llanuwchllyn; Penri Jones, Werddon; Dei Dafis, Lôn; Foster Davies, Rhydymain; Idris Edwards, Pantclyd; Arawl Ll Jones, Llanuwchllyn; Dennis Derbyshire, Nantydelic; R. O. Edwards, Glynllifon; Elfyn Pritchard, Sarnau; Aerwyn Jones, Aeddren; Tom Evans, Gwanas; Ifor Hughes, Ystrad Fawr; Hywel Jones, Llandrillo; Iwan Griffiths, Tŷ'n Fridd; R. I. Edwards, Llwyn Mawr Canol; Trefor Jones, Brynffynnon; Ioraverth Jones, Llangam; Arthur D. Jones, Alltygwine; Wnffre Evans, Parc; Gwyn Hughes, Cynlas; Gwilym Watson, Ystrad Bach; Harri Edwards, Bryn Melyn; Glyn Williams, Rhydymain; ? Ifan Pugh, Cynythog; Robin E. Evans, Tyddyn Du; Edward Rowlands, Sarnau; Trebor Rowlans, Bryn Meredydd; ? Jones, Istayn, Llanderfel; Eirwyn Owen, Pentre; Bili Pugh, Cynythog; Emrys Jones, Llangam; John Jones, Nantybarcud; Gwilym Edwards, Bryn Celyn, Mawddwy; Eilir Jones, Aeddren; John Roberts, Rhydygethin; Vaughan Roberts, Fron Isa; W. T. Davies, Crynierth; Ifor Roberts, Tyddyn Inco; Hywel Jones, Lôn; Hefin Jones, Rhydglafes; Gareth P. Jones, Erw Feurig Telynoresau: Heulwen Roberts a Gwenllian Dwyryd

44

Dafydd E. Evans, Tyddyn Du, tua 1960, ffrind a phartner mewn llawer sgarmes!

Dewyrth Tyddyn Du, tua 1950, yn camu i'r BLX

Ylwch pishyn gafodd Lona!

Wnes innau ddim gwneud mor ddrwg chwaith!

*Puwiaid Styllen ym 1972: Iolo Maredudd, Daniel Maredudd, Ffuon,
Mererid, Guto Pryderi, Lona Wyn a Gwilym Euros.*

*Puwiaid Styllen adeg dathlu Priodas Arian: Guto, Lona, Dan, Euros, Ffuon,
Iolo a Mererid.*

Parti Brenig, Abertawe 1982 ar ôl buddugoliaeth ar y parti cerdd dant.

Côr y Puwiaid yn y Babell Lên, Eisteddfod Genedlaethol Aberystwyth 1992.
Rhys Richards, Guto Puw, Gareth Pierce, Goronwy Richards, Dan Puw, Lona Puw, Mair Richards, Mererid Puw
Elinor Pierce, Beti Richards, Sara Gwilym, Bethan Antur, Non Gwilym, Llio Wyn Richards, Carys Williams,
Euros Puw, Meurwyn Williams, Huw Antur, Iolo Puw

Parti Meibion Llywarch cyn eu taith i Ganada 2002.
Llun: Dylan Jones, Nereus

llaw, o olchi llestri i odro. Roedd dydd Llun yn ddiwrnod golchi, dydd Mercher yn ddiwrnod pobi, a rhaid oedd corddi rhyw ddwywaith yr wythnos. Byddai godro yn waith gweddol ysgafn yng ngolwg Mam, gan y câi eistedd i lawr i wneud y gwaith, a chael cyfle yr un pryd i fynd dros y gân neu'r gosodiad diweddaraf. Mam yn sol-ffeuo'r alaw, a'r datgeiniad – fy chwiorydd neu fi fel arfer – yn godro'r fuwch agosaf ati dan byncio'r geiriau. O ran hynny byddai Mam yn canu pa beth bynnag fyddai'r gorchwyl, yn enwedig wrth baratoi te dydd Sul. Emynau gwasanaeth y pnawn fyddai'r repertwâr bryd hynny.

Pur gyfyng oedd ei dawn gydag offerynnau cerdd. Byddai'n chwarae amryw o alawon 'gosod' y cyfnod gyda dau fys (neu dri ar y mwya). Bu'r diffyg hwn yn dipyn o ddraenen yn ei hystlys ac yn anfantais fawr iddi gydol ei hoes. Byddai dysgu alaw newydd yn golygu ymarfer sylweddol, ac os byddai cordiau allan o'r cyffredin yn y trefniant byddai yna hen ddweud y drefn. Roedd y Dr Haydn Morris yn ŵr amhoblogaidd iawn! Rydw i'n argyhoeddedig fod yna rhyw wrthrych ansymudadwy yn rhywle rhwng ei llygaid a blaenau ei bysedd oedd yn rhwystro'r bysedd rhag derbyn y negeseuon a ddarllenai'r llygaid.

Y rheswm y gallaf fod mor bendant ynglŷn â hyn yw fod y cyflwr yn etifeddol, ac iddi ei drosglwyddo i'w mab. Byddwn yn bur eiddigeddus o'm chwiorydd; gallai'r ddwy eistedd wrth biano neu delyn a chwarae bron unrhyw gerddoriaeth a roddid o'u blaenau. Er i mi gael mwy o wersi piano nag wyf yn fodlon ei gyfaddef, a hynny gan Llewela Roberts, un o gyfeilwyr mwyaf dawnus Cymru yn ei dydd, mae arna i ofn mai cyfeilydd *un* bys (a hwnnw'n un araf ar y naw) ydw i er na chaf unrhyw anhawster i ddarllen sol-ffa.

Rwy'n siŵr i'm methiant fel chwaraewr piano fod yn dipyn bach o siom i Mam. Cofiaf ni ar ddydd Mawrth Eisteddfod Genedlaethol Rhosllannerchrugog ym 1945 yn gwrando ar hogyn bach pengoch yn swyno pawb yn y gystadleuaeth chwarae'r piano dan ddeuddeg oed. Cefais bwniad yn fy ochr, a sibrydodd Mam, 'Fel'na ddylet ti fod yn chwarae – ti 'di cael digon o lesyns!' Chwarae teg rŵan, pa obaith fyddai i mi yn erbyn Colin Jones!

Synnwn i ddim nad dyna'r flwyddyn y rhoddwyd emyndôn o'r Detholiad yn ddarn prawf i rai dan ddeg oed yn Eisteddfod Llun y Pasg yn Nhalybont. Penderfynodd Mam yn syth y byddwn yn cystadlu. Onid oedd y gystadleuaeth wedi ei chreu ar fy nhyfer i? Cystadleuaeth lle byddai'r rhai a arferai ennill am chwarae *Dance of the Fairies* neu *Minuet in G* ar yr un gwastad â chreaduriaid meidrol fel fi. Cofiaf fy mod i gael fy nghario i'r Steddfod yng nghar Owen Tomos, Tŷ Du, a gofynnwyd imi chwarae'r darn, fel rhyw ymarfer, wedi cyrraedd Tŷ Du erbyn yr amser penodedig. Pur gloff oedd y datganiad, er bod yna gryn ymarfer wedi bod gartre, a dyma Herbert yn cynnig y sylw, 'Pan fyddi di'n chwarae yn y capel mi fydd yn rhaid inni ddechre rhyw ddeg munud ynghynt!' Enillais i ddim yn Nhalybont. Dydw i rioed wedi mentro at yr organ yn y capel chwaith!

John Ŵan

Bu'r ffaith fod 'Nhad a Mam wedi dod i'r Parc o ardaloedd eraill yn achos hwyl ddiniwed lawer tro. Er iddi fyw ym Mhenllyn am drigain mlynedd, roedd tafodiaith Dolgellau yn bur gryf gan Mam hyd ddiwedd ei hoes. Tipyn o acen Trawsfynydd oedd gan 'Nhad, felly byddai ynganiad y ddau o ambell air yn achosi i bobl y Parc wenu yn achlysurol. Un o'r geiriau hynny oedd enw canol John Owen Jones.

Pan aeth fy hen-daid, William Pugh, i fyw i Abergeirw fe osodwyd Styllen ar rent i ŵr o'r enw William Jones a arferai fyw yng Nghoedtalog. Tua'r un amser daeth teulu newydd i ffermio Tŷ Du, oedd yn taro ar Styllen. Chwarelwr oedd Owen Jones cyn iddo adael Stiniog am Gwm Glan Llafar. Ganwyd tri o blant iddo ef a'i wraig. Dibriod fu'r hynaf a'r ieuengaf ohonynt, Thomas a Lisi. Priododd John Owen ag Elizabeth (Lisi arall), merch William Jones Styllen, ac olynu ei dad-yng-nghyfraith yn y denantiaeth. Yn anffodus, ar drothwy'r ugeinfed ganrif ar enedigaeth eu cyntafanedig, Greta, bu farw'r wraig ifanc yn dair ar hugain oed. Ymhen rhai blynyddoedd ailbriododd J.O. â Mary Roberts, Maes Mathew, a ganwyd iddynt bedwar o blant: Herbert, Owen Thomas, Mair Elizabeth a Menna.

Bu Thomas a Lisi yn ffermio Tŷ Du hyd 1917, pan benderfynwyd ymddeol (yn weddol ifanc faswn i feddwl), a dychwelodd J.O. i ffermio'i hen gartref. Felly y daeth cyfle i 'Nhad ddychwelyd i hen gartref y teulu yn Styllen.

Gan na fûm yn cydoesi â'r un o'm dau daid, mae'n siŵr mai J.O. oedd yr hynafgwr cyntaf imi ddod i'w adnabod. Er bod saith deg mlynedd o wahaniaeth oed rhyngom, roeddym ein dau yn dipyn o ffrindiau, a byddwn wrth fy modd (ac yntau hefyd synnwn i ddim) pan awn i Dŷ Du ar fy ngwyliau. Cerdded i lawr y Weirglodd y byddwn i, â 'mhotel ddŵr poeth a 'mhyjamas ym mhoced J.O.; byddai wedi cerdded i fyny i'm nôl. Rhyw un noson fyddai'r 'gwyliau' fel arfer, a hynny'n hen ddigon meddai Mam, gan fod Mair Tŷ Du'n fy sbwylio'n rhacs!

'Roedd J.O. bron i bymtheng mlynedd ar hugain yn hŷn na 'Nhad, a'r arferiad bryd hynny fyddai cyfarch rhywun oedd gymaint yn hŷn fel Mistar hwn-a-hwn. Ond nid felly roedd hi yn yr achos yma – er mai John Owen Jones oedd o i fwyafrif pobl ifanc yr ardal, John Ŵan fuo o'r cychwyn i'm rhieni. Mae'n siŵr mai'r rheswm am hyn oedd ei fod yn ffrind cywir i rieni 'Nhad. Roedd tua'r un oed a'r un diddordebau â 'nhaid a fu farw'n wyth a deugain oed. Yn dilyn hyn rwyf yn siŵr iddo fod yn denant delfrydol, ac yn fawr ei gefnogaeth i Nain. A phan ddaeth Dad yn ddibriod i Styllen gyntaf byddai'n ystyried Tŷ Du fel rhyw hafan i fynd yno i drafod problemau'r dydd, a chael ambell bryd o fwyd ar fin nos. Er mai fel 'chi, William Puw' y byddai J.O. yn ei gyfarch ef, mae'n siŵr fod y 'chi, John Ŵan' a glywsai gan ei rieni wedi glynu'n rhy dynn ym meddwl llencyn ugeinmlwydd iddo ystyried galw ei gymydog newydd yn ddim arall.

Yn ddiamau roedd J.O. yn ddyn o flaen ei oes. Yn wahanol iawn i'n syniad ni am ei genhedlaeth fel rhai sych-dduwiol a di-hwyl, nid un felly oedd J.O. Mae'n wir y byddai wrth ei fodd yn trin a thrafod athrawiaethau mawr diwinyddol. Mae'n wir hefyd fod ei edrychiad dros ei sbectol yn ddigon i godi ofn ar y rhai a fyddai'n siarad a chwerthin yn seti ôl y capel yn ystod y gwasanaeth. Yn sicr ni fyddai'n brin o eiriau o gerydd i'r drwgweithredwyr chwaith – yn gyhoeddus ambell dro. Ond rwy'n amau a fyddai'n gadael i'r haul fachlud ar ei ddigofaint, gan y gwn i rai y bu'n eu cystwyo dderbyn cefnogaeth gadarn ganddo yn nydd cyfyngder. Byddai bob amser yn fawr ei swcwr i'r 'bobl ifanc' ym mhob gweithgarwch adeiladol. Os oedd o'n un o'r dadleuwyr ffyrnicaf mewn Cyngor Sir, Seiat, neu unrhyw drafodaeth arall, byddai yr un mor frwdfrydig yn dwyn i gof rhyw dro digri o'r myrdd atgofion y byddai'n eu rhannu â ni. Fy ngofid yw fy mod yn cofio cyn lleied ohonynt.

Nid oedd yn ôl o roi ystyriaeth ofalus a theg i bob datblygiad newydd a gynigid ymhob maes, y byd amaethyddol yn arbennig, ac os gwelai werth ynddo fe'i cofleidiai â'i holl nerth. Oherwydd hyn, a'i graffter cynhenid, roedd yn llwyddiannus iawn fel ffermwr, gyda graen ar ei dir a'i stoc.

Cafwyd tyrbin dŵr i gynhyrchu trydan yn Nhŷ Du yn gynnar yn y tridegau. I Richard Edwards, Glynllifon, yr ymddiriedwyd y gwaith o'i osod, fel ym mhobman arall bron drwy ran helaeth o ogledd Cymru.

'Sut rewch chi ati, Richard Edwards?'

'Wel, fydd rhaid gosod peips o'r llyn corddi i'r tyrbin, ac mi fydd hwnnw'n troi deinamo, John Owen Jones.'

'Faint wnaiff y deinamo 'ma bara', Richard Edwards?'

'Wel, mi barith am byth wchi.'

'Mae byth yn amser hir iawn Richard Edwards.'

'Wel, hwyrach 'mod i 'di deud gormod braidd – deudwch fil o flynyddoedd!'

Pan ddaeth Manweb i gyflenwi trydan i'r ardal ymhen deng mlynedd ar hugain roedd deinamo Richard Edwards yn dal i weithio!

Nid dyna unig waith y tyrbin. Roedd yno injian ddyrnu fechan yn y llofft stabal eang oedd uwchben lle y troai'r deinamo, a thrwy system o bwlis syml, y tyrbin fyddai'n troi honno. Oherwydd nad oedd uchder y gronfa na'r cyflenwad dŵr yn ddigonol, braidd yn araf fyddai'r dyrnu, ond byddai'n ateb y diben i gael grawn i fwydo'r gwartheg, a gwellt i'w falu i'r ceffylau hyd nes deuai'r dyrnwr mawr ar ei dro. Ar gynhaeaf sâl y duedd fyddai cario'r ŷd heb sychu cystal i'r llofft, ac o'r herwydd gallai fod llwch dychrynllyd yno pan ddechreuid rhoi'r ysgubau drwy'r dyrnwr. Byddai yno hen besychu a thagu – pawb ond J.O. Ymddangosai ef fel pe bai'n mwynhau 'ffidio' yr injan fach, bob amser a'i dafod allan, er mai prin y gellid ei weld yn y llwch. Bron nad edrychai braidd yn ddilornus ar y rhai iau oedd yn ymddangos mor afiach, ac yntau yn ei wythdegau yn dod allan o'r llwch heb disian. Y tyrbin fyddai'n troi'r peiriant malu grawn a'r injian falu gwellt yn eu tro hefyd.

Yr unig beth annodweddiadol o'r graen fyddai ar y fferm oedd y giatiau drain. Byddai'r rhain i'w gweld ar lawer o ffermydd eraill, wrth gwrs, ond synnwn i ddim nad yn Nhŷ Du y parodd y defnydd ohonynt hiraf. Gan eu bod wedi mynd allan o ffasiwn ers dros hanner canrif bellach, gwell egluro mai rhyw fath o giât dyn tlawd oedd y rhain. Yn lle llidiard bren neu haearn mewn bwlch yn y gwrych neu'r wal i rwystro'r anifeiliaid fynd o un cae i'r llall, rhoddid pentwr o ddrain yno. Ffordd eithaf effeithiol o gadw'r stoc yn eu lle. Yr anfantais oedd y byddai agor y 'giât' pan fyddai angen yn broses braidd yn hir, a dychrynllyd o bigog! Roedd gofalu fod y 'giât' wedi ei chau yn ddiogel yn brofiad gwaeth fyth!

Os bu'n croesawu newidiadau mewn llawer maes, glynodd yn radicaliaeth y Blaid Ryddfrydol i'r diwedd. Roedd yn Gymro i'r carn, ond pan ddaeth Gwynfor Evans yn ymgeisydd Plaid Cymru ym Meirionnydd ym 1945, croeso oeraidd iawn a gafodd gan J.O. Yn wir, roedd yna sefyllfa bur anghyffredin yn Nhŷ Du yr etholiad hwnnw – J.O. yn Rhyddfrydwr, Greta yn dipyn o Dori, a Herbert a Mair a Menna yn cefnogi Gwynfor (ac O.T. hefyd ond ei fod ef wedi gadael y nyth).

Fel y nodwyd, roedd yn llawer mwy blaengar gyda phopeth arall. Ef oedd un o'r rhai cyntaf yn yr ardal i brynu car – yn gynnar yn y dauddegau, os nad ynghynt. Roedd *Evan Williams and Sons, Coachbuilders*, o Fodolwyn y Bala wedi cael asiantaeth Ford, a'r Model T enwog, neu'r *Tin Lizzie*, oedd car cyntaf newydd sbon Tŷ Du. Mae'n rhaid fod J.O. sbel dros hanner cant oed pan ddaeth yn berchen ar y car hwnnw, a braidd yn betrus i fentro ei ddreifio. Prif bwrpas y car oedd mynd i'r Bala ar ddydd Iau, diwrnod marchnad. Nid mynd yno am sgwrs y byddai ffermwyr y cyfnod, fel y mae tuedd ambell un heddiw – na, roedd dydd Iau yn y dauddegau yn ddiwrnod mynd â basgeidiau o wyau ac ymenyn i'r dre i'w gwerthu. Byddai ambell i lond can o lefrith a llaeth enwyn hefyd yn y llwyth. Er na ddibynnid cymaint ar y siopau am fwyd ar gyfer yr wythnos i ddod, roedd ychydig o negesau i'w cario adref hefyd. Felly, roedd cael rhywbeth cyflymach a llai trafferthus na'r ferlen a'r trap yn gaffaeliad mawr i unrhyw un. I wneud y teithio a'r dysgu gyrru yn weddol ddidrafferth i'r perchennog newydd, byddai Wyn, un o feibion Evan Williams, yn dod i fyny i Dŷ Du ar ôl cinio cynnar yn y car (yn y Garej yn y Bala roedd yn cael ei gadw!) a byddai J.O. yn ei ddreifio i lawr, Wyn wrth ei ochr yn rhoi cyfarwyddiadau, a Mrs Jones yn y sêt ôl. Wedi gorffen y siopa a busnes y dydd byddid yn dod yn ôl, a chael gwers ddreifio arall 'run pryd, ac âi Wyn â'r car i'r Bala am wythnos arall.

Wedi rhai wythnosau o drafaelio felly, penderfynodd J.O. ei fod yn ddigon profiadol i ddreifio'r car adre ei hun – mater i'r dreifar a'r hyfforddwr yn unig oedd hyn, oherwydd doedd y prawf gyrru ddim wedi ei ddyfeisio yr adeg yma. Yr unig ddarn o'r ffordd oedd yn bryder iddo oedd y rhiw serth i lawr at y bont yng ngolwg Tŷ Du. Dwn i ddim p'run ai ansicr o frêc y Ffordyn, ai o'i fedr ei hun yr oedd, ond stopiwyd y car ar ben y rhiw, a gyrrwyd Mrs Jones adre i nôl y teulu a'r gweithlu – a rhaff. Clymwyd hon i echel ôl y car, a chafwyd pawb i ddal gafael ynddi fel na fyddai peryg i'r car redeg! Cyrhaeddwyd y buarth yn saff. Roedd J.O. yn glamp o ddyn tal a phraff, ac wedi gyrru'r car i mewn i'w gwt sylweddolodd fod hwnnw'n rhy gul iddo fedru agor y drws i ddod allan. Y ffordd y doed dros yr anhawster oedd bacio'r car allan a chael y teulu a'r gweithlu unwaith eto i wthio'r tro yma, gwthio'r car i mewn a rhoi sgotsien tu ôl i'r olwyn i sicrhau na fowliai allan ohono'i hun.

Daeth wythnos newydd a dydd Iau unwaith eto. Symudwyd y sgotsien, a thynnwyd y car allan, llwythwyd, a chychwynnwyd am y Bala. Bryd hynny roedd nifer o giatiau ar draws ffordd y Parc, a'r rheiny fel arfer ar gau. Roedd tair ar y goriwaered sy'n cael ei alw'n 'Rhiw Plasmadog'. Efallai y dylwn egluro ychydig am y Model T. Roedd y sbardun ar y golofn lywio, i'w weithio â llaw. Dwy gêr ymlaen ac un yn ôl oedd arno, a dim clytsh. Roedd tri pedal troed, un i'r brêc, un i'r gêr isaf, ac un i'r rifÿrs. Rhaid oedd gofalu fod y brêc llaw yn cydio cyn cychwyn yr injian. Yna rhaid oedd gollwng y brêc llaw, pwyso pedal y gêr isaf, agor y sbardun – ac i ffwrdd â chi. Wedi codi tipyn o sbîd gollyngid pedal y gêr gyntaf, a dyna'r car yn y gêr uchaf yn otomatig. I stopio, cau'r throtl, pwyso'r brêc, a dyna chi. Os byddid eisiau bacio, yr un broses yn union, ond pwyso'r pedal cywir i fynd ar yn ôl. Hawdd yntê!

Cychwynnwyd o fuarth Tŷ Du yn ddigon didramgwydd, ac aeth pethau'n iawn hyd nes cyrraedd y giât gyntaf ar Riw Plasmadog. Roedd y car yn y gêr uchaf, ac wrth nesu at y giât pwysodd y dreifar y pedal i stopio. Yn anffodus, nid ar bedal y brêc y rhoddodd ei droed, ond ar bedal y gêr isel, felly stopiodd y car ddim, dim ond tuchan ymlaen yn araf bach drwy'r giât gaeëdig – giât bren yr adeg honno wrth gwrs. Wedi'r malu fe sylweddolodd J.O. beth oedd ei gamgymeriad, a medrodd atal y cerbyd i gael hel gweddillion y giât i'r ochr. 'Gad'wch imi gerdded i agor y giât nesa ichi John Owen,' erfyniai Mrs Jones. 'Na, mae popeth yn iawn, dw'i'n gwbod be wnes i'n rong,' meddai J.O., a dringo i'r car ac ailgychwyn. *Mae* mellten yn taro'r un fan weithiau! Digwyddodd yr un peth yn union i'r ail giât, ac i'r drydedd! Siwrnai go ddrud oedd honno i'r Bala, a dim sôn am roi'r bil i'r insiwrans gan nad oedd y fath beth yn bod bryd hynny.

Gwella wnaeth safon y gyrru, ac o dipyn i beth dechreuwyd ar rywfaint o waith tacsi. Flynyddoedd yn ddiweddarach roedd y busnes wedi ehangu i gario merched i'r Ysgol Ramadeg yn y

Bala. Dywedai fy chwiorydd y byddai'n dipyn o hwyl cael eistedd yn y canol yn y sêt ôl, gan yr arferai J.O. dynnu ei dafod allan wrth yrru, a byddai'r dafod yn symud o ochr i ochr yn ôl troadau'r ffordd. Byddai ychydig o gystadleuaeth am y safle freintiedig honno i gael gweld ystumiau'r gyrrwr yn y drych! Erbyn y cyfnod yma roedd y Model T wedi dod i ben ei rawd, a char dipyn mwy modern wedi cymryd ei le. Wedi i Owen Tomos y mab ddod i oed gyrru, byddai dreifar gwahanol – a chyflymach – yn aml. Byddai'r siwrneiau hefyd yn amrywio o bicio i gwrdd y trên yn Llanuwchllyn neu'r Bala, i ymweld â lleoedd pellennig fel Lerpwl neu Fanceinion. Yr Ail Ryfel Byd a'r dogni petrol ddaeth â'r gwasanaeth hwn i ben.

Yn yr un modd, Tŷ Du oedd y fferm gyntaf yn yr ardal i brynu Ffergi Bach. Y genhedlaeth iau oedd yn ffermio erbyn hynny, ond er bod J.O. dros ei bedwar ugain oed, a ddim yn gyrru modur o unrhyw fath, roedd ei swcwr ef yn ffactor bwysig yn ymddangosiad y tractor bach llwyd ar y buarth, ac ni flinai byth ei ganmol ef a'i deulu.

Byddai'n mynd i ornestau pêl-droed Cwpan y Bragdy i gefnogi hogiau'r Parc, debyg iawn, er bod rhai ohonyn nhw'n cadw sŵn yn y capel weithiau! Ychydig iawn a ddeallai am y gêm, 'ar wahân i pan fydd rhywun yn rhoi cic golêw iddi hi', a pharodd ei gydymdeimlad – dagreuol bron – ag Arthur Gwernbusaig oherwydd bod 'y bêl yn ei hitio fo'n ei ben o hyd' dipyn o wenu yn yr ardal. Mi wn i ei bod hi'n jôc sy'n cael ei dweud am lawer un arall, ond rydw i'n dyst i J.O. lefaru'r geiriau yn bur gynnar yn y pedwardegau, felly edrychwch yn eich dyddiaduron i wneud yn siŵr pryd y clywsoch chi hi gynta! Os nad oedd o'n deall llawer, roedd o yno'n cefnogi, ac roedd hyn yn bwysig iawn iddo.

Er nad oedd yna lawer o chwarae pêl-droed ym Mhenllyn pan oedd J.O. mewn oed i wneud hynny, roedd yna un gweithgarwch cystadleuol poblogaidd ar fin nos ar ddechrau ha', sef mynd i fyny dros y Bwlch Llwyd ar hyd hen ffordd y gyrrwyr moch gynt, i gario'r garreg gamp ar draws afon Erwent. Carreg eithaf trom oedd hon, yn weddol gron o ran siâp, ac o'r herwydd yn anodd iawn cadw gafael arni i'w chario drosodd. Ystyrid y rhai llwyddiannus yn dipyn o arwyr. Yn ôl y sôn roedd J.O. yn eu plith.

Go brin fod mynydda yn rhywbeth poblogaidd gan werin y cyfnod, ar wahân i hel defaid! Ambell i drip i ben yr Arenig efallai, ond prin fod llawer yn dringo'r Arenig bryd hynny oni bai fod rhaid. Ond roedd J.O. yn wahanol, a'i orwelion dipyn ehangach. Fe benderfynodd ef a ffrind oes, John Jones arall (Y Fron), ryw fis Mehefin fynd i ben yr Wyddfa. Mi fuaswn i'n tybio mai yn weddol gynnar yn y 1880au y bu hyn. Roedd rheilffordd o'r Bala i Flaenau Ffestiniog wedi agor ym 1881, a soniai J.O. am y rhannau o'r siwrnai a drafaeliwyd ar y trên fel rhywbeth eithaf cynhyrfus a newydd. Byddai'r ddau deithiwr yn ugain oed yn haf 1884, ac yn bur debyg o gael rhyw syniadau mynyddawl yn y cyfnod hwn fuaswn i'n meddwl. Dydi'r union amser ddim yn bwysig p'run bynnag, ond mae'r stori'n un anarferol.

Gan mai dwy droed oedd y prif foddion trafaelio, rhaid oedd cychwyn yn gynnar cyn cinio, a thamaid yn eu poced ar gyfer y daith. Cychwyn dros y Bwlch Llwyd a thros afon Erwent i Flaenlliw, ac ymlaen dros y Feidiog i Drawsfynydd. I lawr yr 'Oakeley Drive' wedyn i Faentwrog, a throi i fyny drwy'r Rhyd, ac ymlaen i Feddgelert. Roedd perthynas i J.O. yn byw yno, a chafwyd swper, a chyfle i ddadflino ychydig ar ei haelwyd groesawgar cyn cychwyn tua hanner nos am ben yr Wyddfa. Mae'n siŵr iddynt gael tamaid yn eu poced hefyd ar gyfer brecwast ar y copa, ac mi fentra i ddweud nad oedd yna gymaint ar ben yr Wyddfa y bore hwnnw ag sydd y dyddiau hyn. Roedd y toriad gwawr yn brofiad bythgofiadwy, ac wedi bwyta yng ngolau haul y bore cynnar dyma gychwyn i lawr. Bu bron imi 'sgrifennu 'yn ôl', ond nid felly roedd hi i fod!

Roedd Sasiwn y Methodistiaid Calfinaidd yng

Nghaernarfon, ac felly nid yn ôl i Feddgelert ond i lawr i Lanberis y disgynnodd y ddau fynyddwr. Daliwyd trên o Lanberis i Gaernarfon mewn pryd i wrando pregeth am ddeg, a phregeth arall am ddau, a dal trên o Gaernarfon oedd yn rhedeg drwy orsaf enwog Afon-wen i Benrhyndeudraeth. Cerdded wedyn heibio Maentwrog, i fyny'r 'Oakeley Drive' hyd nes dod at orsaf fechan a elwid yn ôl arfer y cyfnod yn 'Maentwrog Road' ar reilffordd Ffestiniog i'r Bala. Dal y trên olaf i gyfeiriad y Bala, yna disgyn yng ngorsaf Arenig, a cherdded y pum milltir olaf dros Gefn Llwyn Bugail i gyrraedd adre wedi iddi nosi. Oes gennych fap yn ymyl i chi wneud rhyw fras-gyfri o'r milltiroedd a gerddwyd? O leiaf ddeugain dybiwn i, a llawer o'r rheiny'n filltiroedd oedd ymhell o fod yn rhai gwastad. Buont oddi cartref am 36 o oriau, wedi cael profiadau bythgofiadwy. Mae'n bosib iawn mai hwy oedd y ddau gyntaf o Gwm Glan Llafar i ddringo mynydd uchaf Cymru; yn sicr y nhw oedd y ddau gyntaf i wneud hynny a gwrando dwy bregeth yr un dydd yn y fargen!

Bu'r ddau John Jones yn gyfeillion oes. Lledodd John Jones, y Fron ei adenydd, ac aeth i ffermio y Berth Ddu yn Nyffryn Conwy, ac oddi yno i Birch Hall Farm, yn ymyl Altringham. Yno, collodd ei iechyd, ac yn hollol nodweddiadol ohono, bu J.O. a theulu Tŷ Du yn gefn iddo hyd y diwedd, ddau neu dri ohonynt ar y tro, yn gofalu am redeg fferm pur fawr (yn ôl safonau'r dyddiau hynny) hyd nes daeth yn amser gwerthu'r cyfan.

O wybod am ei flaengarwch fel ffermwr, a'i awydd mentro, bûm yn meddwl droeon pam tybed na ddilynodd esiampl ei gyfaill, John Jones, y Fron, a throi i diroedd brasach i geisio bywoliaeth. Dim ond unwaith, hyd y gwn, y bu iddo wneud ymgais i symud o Dŷ Du, a hynny pan oedd yn 'gyrru mlaen' mewn oedran – pan ymddeolodd R.T. Vaughan o Benisa'rllan, Llanfor. Ar stad y Rhiwlas yr oedd Penisa'rllan, a chyfrifid hi yn un o ffermydd gorau Penllyn. Yn ôl a ddywedai fy rhieni bu colli'r fferm hon yn dipyn o siom i Mrs Jones, ond ni chredent i J.O. boeni llawer am y peth. Er mai yn Stiniog yr oedd ei wreiddiau, un o bobl Cwm Glan Llafar oedd o yn bendant, a'i enw ymhlith y rhai cyntaf ar gofrestr Ysgol y Parc pan agorwyd hi ym 1874. Yr Ysgol a Chapel y Parc, C'warfod Misol Dwyrain Meirionnydd, a Chyngor yr hen Sir Feirionnydd, oedd ei brif ddiddordebau y tu allan i'r byd amaethyddol.

Y Capel yn arbennig. Ef oedd y pen blaenor, ac eisteddai yng nghornel y sêt fawr, gan wrando'n astud. Yn yr amser a gofiaf i byddai ei law am ei glust fel na chollai ddim, a phorthi'n achlysurol pan yn cytuno â sylwadau'r pregethwr. Pe medrem weld ei wyneb mae'n siŵr y byddai'n gwgu'n bur drwm weithiau hefyd os clywai rywbeth na chytunai ag o. Pan godai a throi i wynebu'r gynulleidfa i ganu mi fyddai'n morio canu bâs, nes sylwai ar rywun o ddeiliaid y seti cefn yn cambihafio. Yna byddai'n stopio canu, rhoi ei lyfr emynau ar y piano a gwgu ar y troseddwr. Fyddai ddim yn rhaid iddo wgu'n hir!

Yn anffodus, bu amryw o'r rhai a dderbyniodd ei wg yn ei gofio am hynny'n unig. Efallai fod rhyw ychydig deimlad o euogrwydd yn dod trostynt, am iddynt fod yn siarad a chwerthin, neu luchio papur fferins at ei gilydd yn ystod y gwasanaeth. P'run bynnag am hynny, J.O. gwahanol iawn a gofiaf i – y gŵr a gerddai'r ail filltir, y cymydog hael, y dadleuwr brwdfrydig, y Cynghorydd cydwybodol, yr heliwr atgofion a fyddai, yn amlach na pheidio, â rhyw gysgod gwên ar ei wyneb.

Wedi ei gerfio ar lechan dyddiedig 1704 uwchben y drws yn Nhŷ Du mae'r hen ddihareb: 'Na werth mor ne er benthig bud'. Er nad yw'r sillafiad yn berffaith rydw i'n reit siŵr fod J.O. wedi ymdrechu i fyd y ddihareb honno.

Rwyf innau'n Filwr Bychan . . .

Dydw i ddim yn cofio dechrau'r ysgol ddyddiol. Roedd ein capel ni yn groes i'r ffordd, mwy neu lai, i Ysgol y Cyngor fel y gelwid hi bryd hynny, ac ar ddiwedd gwasanaeth dechreuol yr Ysgol Sul cyhoeddai'r Arolygwr: 'Aiff y plant i'r Ysgoldy os gwelwch chi'n dda.' Byddem ninnau, rhyw dair neu bedair llond sêt ohonom, yn fechgyn a merched rhwng tair ac un ar ddeg oed, yn codi (yn ddigon swnllyd mae'n siŵr) ac yn ei chychwyn hi am y drws yn barod i ruthro ar draws y ffordd am iard yr ysgol ddyddiol. Ond ara deg bois, roedd Meri Defis, Tŷ Capel, Sali Jones, Parc Hows (ein Postfeistres) a Musus Roberts, Meinihirion, yn eistedd dipyn nes i'r drws na ni, ac yn barod i atal y llifeiriant wythnosol hwn, nid oherwydd fod yna draffig trwm a pheryglus ar y ffordd wledig a redai drwy'r pentre, ond oherwydd ei bod hi'n ddydd Sul, ac nad oedd rhedeg, heb sôn am ruthro, yn gydnaws â'r tawelwch a nodweddai'r Seithfed Dydd ar ddiwedd y tridegau. Efallai y byddai'r rhai mwyaf eofn wedi gwneud mistar ar Meri Defis – athrawes y plant bach oedd hi – ond roedd Sali Jones yn fater hollol wahanol. Bu hi'n athrawes yn ysgol Capel Celyn flynyddoedd yn ôl, a gwyddai yn iawn sut i ddisgyblu plant, hyd yn oed yn yr Ysgol Sul. Ac fel rhyw amddiffynnwr ychwanegol roedd Musus Roberts gymaint â'r ddwy hefo'i gilydd, ac i ychwanegu at ei lled byddai ei breichiau yn ymestyn allan a'i hambarél hefyd yn estynedig o un llaw, a gwae neb os mentrai hyd yn oed feddwl am roi hanner troed o'i blaen – roedd pwrpas amgenach na chadw het yn sych i'r ambarél pigfain hwnnw. Pwyll piau hi felly rhwng drws y capel a drws yr ysgol.

Yn y dyddiau heulog hynny roedd pawb o blant yr ysgol ddyddiol yn aelodau o'r Ysgol Sul, a holl aelodau'r Ysgol Sul yn dod i'r ysgol ddyddiol. Gan mai un capel oedd yn yr ardal byddem i gyd wedi arfer mynd i adeilad yr ysgol ryw flwyddyn neu ddwy cyn cael ein derbyn yn ddisgyblion swyddogol yno. Gan mai'r un oedd y disgyblion a fynychai'r ddau le, doedd dechrau'r ysgol ddim yn rhywbeth oedd yn golygu llawer o newid mae'n siŵr. Rhyw ymdoddi o un sefydliad i'r llall y byddem, a digon prin fod neb yn dioddef o ryw drawma mawr wrth ddechrau'r ysgol yn swyddogol.

Gellid cyffelybu dosbarth Ysgol Sul Meri Defis i Ysgol Feithrin y cyfnod. Byddai'r athrawes garedig yma â rhyw wên barhaol ar ei hwyneb, a thrwy ddefnyddio llyfrau bach syml byddai wedi ein dysgu i ddarllen 'Mam a mi' a 'Mi a Mam' a phethau tebyg cyn cyrraedd dosbarth yr inffants yn yr ysgol ddyddiol. Drwy lafur Meri Defis a dyfalbarhad Nain gyda *Llyfr Mawr y Plant* roeddwn i'n gallu darllen yn eitha rhugl cyn dechrau'r ysgol ddyddiol. Y sioc fwyaf a gefais wrth ddechrau'r ysgol ddyddiol oedd eistedd yn fy nesg a Miss Defis arall yn rhoi cerdyn o'm blaen gyda llun o anifail bach gwlanog gydag o-e-n wedi ei sillafu otano. Bûm yn ei astudio am amser a ymddangosai fel tragwyddoldeb cyn cael llun arall o rywbeth hynod debyg i Fflei, gyda c-i otano am dragwyddoldeb pellach, ac yna yn waeth fyth, c-a-th. Roedd yn gas gen i gathod!

Roedd Hannah Mary Davies yn ferch hynaf Ty'n Ddôl, ond yn tynnu at oed ymddeol pan ddechreuais i'r ysgol. Daethai i fyw i Dy'n Ddôl gyda'i rhieni pan benodwyd ei thad yn brifathro'r ysgol yn 1899. Bu bron imi ddweud prifathro cyntaf yr ysgol, oherwydd rhwng ei hagoriad yn 1874 a dyfodiad 'yr hen Ddefis' bu dau ar bymtheg o athrawon yn rhoi cynnig ar ofalu am addysg plant yr ardal. Amrywiodd tymor eu harhosiad o ryw bedair blynedd i ddeuddydd! Gŵr a ddaeth yma o Goleg Addysg Caerdydd oedd yr un a arhosodd am ddeuddydd, a dywedid nad oedd yn deall y plant yn siarad, ond nid oes tystiolaeth o hynny yn Log yr ysgol.

Yn ddiamau, John Davies, a oedd cyn hynny yn athro yn Llanfair ger Harlech, oedd y cyntaf i ddod â sefydlogrwydd i'r ysgol. Dywedid ei fod yn gefnder i'r John Rowlands hwnnw a fagwyd mewn tloty yn Llanelwy, ac a ddaeth yn fwy adnabyddus fel Henry Morton Stanley a lefarodd y geiriau: 'Dr Livingstone, I presume.'

Yn athro ymroddedig, roedd John Davies yn ddisgyblwr llym, a da hynny efallai, oherwydd roedd pethau'n bur ddidrefn oherwydd y newid athrawon diddiwedd. Rhoddodd bymtheng mlynedd o wasanaeth i'r ysgol, a blynyddoedd yn ychwanegol i'r ardal yn gyffredinol. Ar ei ddyfodiad ef y newidiwyd yr arferiad o ddibynnu ar y Monitors i addysgu dosbarth y plant ieuengaf, a phenodwyd athrawes babanod gyflogedig. Yr athrawes honno oedd Hannah Mary, merch bymtheg oed y prifathro. Arhosodd yn ddibriod ac yn yr un ysgol gydol ei hoes gyda'r tri phrifathro a ddilynodd ei thad. Derbyniwyd chwaer iau iddi, Jane Ann, yn athrawes yn ysgol Llanuwchllyn. Rhoddodd hithau yr un math o wasanaeth yno, gan feicio yn ôl ac ymlaen bob dydd, a thrwy bob tywydd.

Cydnabyddid y ddwy fel athrawon da, er bod eu dulliau yn bur hen ffasiwn o'u cymharu â'n dyddiau ni. Yn sicr fe ddysgodd Miss Hannah Mary ddegau o adnodau inni. Byddem yn llafarganu nifer o Salmau, a rhannau eraill o'r Beibl, bob bore, ond eu dysgu oddi wrthym ein gilydd y byddem; y cwbl a wnâi'r athrawes oedd gofalu ein bod yn cychwyn gyda'n gilydd – ar ôl hynny byddai'r rhai ieuengaf yn dysgu oddi wrth y rhai hynaf.

Byddem yn dysgu cyfrif gyda'r ffrâm bîds – clamp o ffrâm bren a deg rhes o ddeg o farblis arni. Byddai Miss Defis wedyn yn dal y ffrâm ar ei glin ac yn symud rhyw nifer o'r marblis i'r naill ochr, ac yn gofyn i bawb yn ei dro faint fyddai ar bob ochr i'r rhes. Mae'n debyg mai'r syniad oedd ein dysgu faint a faint oedd yn gwneud deg bob tro. Synnwn i ddim nad oedd hwn yn hen, hen ddull o gyflwyno mathemateg i blant bach. Hen ddull neu beidio, chefais i ddim llawer o drafferth gwneud syms wedi'r holl ymarfer hefo'r ffrâm bîds.

Does gen i ddim cof o ddysgu sgwennu – dim cof o sgwennu o gwbl yn y dosbarth bach, ar wahân i'r llechi y cyfeirir atynt yn nes ymlaen. Mae'n amau gennyf a ddysgodd Nain fi, felly mae'n siŵr mai Miss Defis fu'n gyfrifol am fy nghais cyntaf i roi llythyren ar bapur. Roedd ganddi lawysgrifen daclus ei hun, ond ofnaf mai methiant a fu ei hymdrech i drosglwyddo'r ddawn o lythrennu'n gain i nifer ohonom, a synnwn i ddim na fi oedd y truenusaf o'm cyfoedion yn y cyfeiriad yma. Ar ôl imi fynd i'r rŵm fawr o dan ddylanwad a pherswâd y prifathro y daeth rhyw ychydig mwy o raen ar fy llawysgrifen.

O edrych yn ôl mi gredaf iddi gael cam gwag hefo fi gyda'r cardiau darllen. Bu bron iawn iddi fy niflasu am byth yn fy ngadael i astudio'r rheiny am yr holl amser. Diolch byth, fe sylweddolodd yn fuan fod fy sgiliau yn ddigon i ymgodymu â darllen pethau mwy aruchel! Yn fuan daeth tair cyfrol *Haf a'i Ffrindiau* ar fy nesg, ac fe wirionais yn syth hefo storïau John Ellis Williams. Roedd gen i hen gi tegan, Carlo, yr awn â fo hefo mi i'm gwely bob nos, ac felly gallwn uniaethu gyda Haf gyda'i Grwndi-pw, Wmffi-wmff a Wi-wi. Mwy fyth o ddifyrrwch oedd y penillion oedd yn y llyfrau, oherwydd roedd amryw ohonynt bron iawn yn barodïau ar benillion a ddysgais eisoes. Y fwyaf adnabyddus oedd:

Rwyf innau'n ganwr tenor yn tyfu mwstás du,
A chennyf lais yn codi yn uwch na tho y tŷ.

Nid oedd angen athrylith i sylweddoli fod hon yn mynd yn iawn ar dôn a ganem yn bur aml gartre ac yn y capel, a fûm i fawr o dro cyn arddangos fy noniau lleisiol i Miss Defis. Yn wir, fe werthfawrogai'r athrawes fy ymdrechion, a chefais fy annog i ymarfer mwy ar y caneuon hyn, a chredwn y câi fy nghyd-ddisgyblion dipyn o ddifyrrwch o'm datganiadau.

Gwaetha'r modd nid oedd y prifathro o'r un farn. Brodor o'r Bala oedd Robert George Roberts, a chanddo radd mewn Mathemateg. Yn anffodus collodd ei iechyd ar ddechrau ei yrfa fel athro yn Llundain, treuliodd gyfnod mewn ysbyty i gael adferiad, ac wrth adael cynghorwyd ef i geisio swydd mewn ardal wledig nes byddai wedi cryfhau. Penodwyd ef yn brifathro ar ein hysgol ni yn 1926, ac fe arhosodd hyd ei ymddeoliad yn 1960!

Pe gofynnid i'w gyn-ddisgyblion ei gysylltu ag un gair, mi gredaf mai 'destlus' fyddai'r gair hwnnw. Credaf inni gael addysg dda ganddo mewn ystod eang o bynciau, er efallai fod yna duedd ynddo i fod braidd yn fyr ei amynedd gyda'r rhai arafaf yn y dosbarth, ond y pwyslais mawr oedd ar inni fod yn ddestlus. Nid taclus, sylwer. Mi greda i fod destlus yn radd uwch na thaclus, a dim ond y radd honno oedd yn dderbyniol i R.G. Ymdrechodd i'n cael i ysgrifennu'n ddestlus, i wisgo'n ddestlus, i gadw'r ystafell ddosbarth a phopeth ynddi yn ddestlus. Popeth a wnâi ei hun, roedd o'n ddestlus – a chywir! Mae yn fy llaw y funud hon hen gopi-bwc ac ynddo adroddiad ar ddiwedd pob tymor o'm gyrfa yn yr ysgol gynradd, y cyfan yn ei lawysgrifen arbennig o wastad, pob pennawd wedi ei danlinellu mewn coch, pob manylyn o'r dydd y derbyniwyd fi yn 4 mlwydd oed hyd fy ymadawiad i'r Ysgol Sir. Cynhwysa'r manylion fy mhwysau a'm taldra bob diwedd tymor, yn ogystal â'm marciau mewn arholiadau, a sylwadau ar bob pwnc, gan gynnwys fy marciau yn yr hen *'Scholarship'*. Rhoddodd o'i orau i'r Capel, gan wasanaethu fel Blaenor ac Ysgrifennydd Ariannol (nid Trysorydd, sylwer) am ugain mlynedd. Roedd hefyd yn athro Ysgol Sul cydwybodol, a phan glywodd seiniau 'Rwyf innau'n ganwr tenor' ar dôn 'Y Milwr Bychan' yn dod o'r rŵm fach fe benderfynodd nad oedd pethau felly oedd yn ymylu ar gabledd i'w caniatáu yn ei ysgol ef, a rhoddwyd stop ar y datganiadau allan o *Haf a'i Ffrindiau*.

Fodd bynnag, pwy alwodd heibio un dydd ond Cassie

Davies yn rhinwedd ei swydd fel AEF. Mae'n debyg iddi fy adnabod fel yr hogyn bach oedd yn canu 'Bwrwglawynsoboriawn' yn Llanuwchllyn, a gofynnodd imi ganu iddi. Sibrydodd Miss Defis y cawn ganu 'Rwyf innau'n ganwr tenor . . . ' yn ddistaw bach fel na byddai Mr Roberts yn clywed! Doedd Miss Defis ddim mor ddrwg wedi'r cwbwl, er gwaetha'i chardiau darllen!

Digon llwm oedd yr ysgol yn y dyddiau hynny, heb ddim o'r cyfleusterau addysgu a geir yn ein hysgolion heddiw. Dechreuais yr ysgol ryw fis cyn dechrau gwyliau'r haf, ac ar ddechrau'r tymor nesaf roedd yr Ail Ryfel Byd yn dechrau; o'r herwydd, achoswyd nifer o broblemau i lawer o ysgolion cefn gwlad yng Nghymru. Daeth llu o faciwîs i'r ardal, ac achosi i'r athrawon orfod rhannu adnoddau prin rhwng rhyw bymtheg o blant ychwanegol a ddaeth i aros yng nghartrefi croesawus yr ardal. Yn wir, rwy'n cofio inni fod yn defnyddio llechi i ysgrifennu am sbel go hir. Dwn i ddim ers faint yr oedd yr hen lechi hyn wedi bod yn gorwedd yn segur mewn rhyw gilfach yn yr ysgol, ond roedd rhai ohonynt â 'top lein' arnynt i ni geisio efelychu'r ysgrifen.

Byr iawn fu arhosiad y faciwîs. Mae'n siŵr fod dod i fyw mewn cymuned mor wahanol i'r un y magwyd hwy ynddi yn ninas Lerpwl yn gymaint o sioc iddynt, heb sôn am y gwahaniaeth iaith, fel eu bod wedi deall beth oedd ystyr y gair hiraeth cyn medru ei ynganu. Cefnu ar eu cartrefi newydd bob yn un a wnaethant, pawb ond un. Bu Robert (Robbie) Walter Eccles yn byw ym Meinihirion hefo'r 'Uncle' John ac 'Auntie' Annie nes iddo adael yr ysgol yn bymtheg oed, wedi dysgu Cymraeg bron cystal â'r brodorion. Gan fod gan bob un ohonom ni'r bechgyn ei lysenw, fuom ni fawr o dro cyn dechrau galw'n ffrind o Sais yn Picls, a dyna fu o drwy gydol ei arhosiad – pan oeddem o glyw'r prifathro! Yn nodweddiadol iawn o'i gyfnod, chlywais i erioed mo R.G. yn torri gair ag ef yn Gymraeg, a hyd y gwn chafodd Robbie erioed gyfle i ymarfer ysgrifennu gair o iaith ei fro fabwysiedig. Er hynny, Cymraeg fu'r cyfrwng cyfathrebu rhyngom ni'r plant tra bu yn yr ysgol, oherwydd roedd ein Saesneg ni'n ddigon prin. Cymraeg oedd iaith yr aelwyd ym Meinihirion. Ganwyd John Roberts y penteulu yn 1877, ac er iddo fod yn ddisgybl yn yr ysgol pan oedd Saesneg yn iaith yr addysgu, prin oedd ei afael ar yr iaith fain. Doedd gen Picls druan ddim dewis felly ond troi'n Gymro.

Cyfeiriais yn barod at y prinder adnoddau yn ein hysgol, fel pob ysgol arall yn y cyfnod mae'n siŵr. Os mai dim ond llechen oedd gennym i ysgrifennu am gyfnod, doedd yna ddim cyfarpar chwarae o fath yn y byd. Rhyw ychydig o flynyddoedd oedd ers pan gariwyd cerrig i galedu buarth yr ysgol yn hytrach na'r pridd a'r pyllau dŵr a fu yno ers dyddiau'r Parc Moch. Hyd yn oed yn fy nghyfnod i, cerrig pur anwastad oedd wyneb yr iard, a byddai chwarae pêl o unrhyw fath yn dipyn o broblem. Fodd bynnag byddem yn cicio pêl dennis, eiddo un o'r plant mae'n siŵr, ac yn galw'r gweithgarwch yn 'ffwtbol'. Byddai'r un bêl yn gwneud y tro i chwarae 'criciet', gyda'r rhan gul o wal Tŷ'r Ysgol, oedd rhwng peipen y toiled a pheipen wast y bathrwm, yn wiced. Doedd fawr ryfedd felly fod ein maes chwarae'n ymestyn yn llawer pellach na'r mymryn iard garegog oedd oddi amgylch yr ysgol, a'r chwarae'n dipyn mwy amrywiol hefyd.

Un rhan bwysig o adnoddau'r pentre oedd y tap. Cyn canol y tridegau byddai'r holl ddŵr a ddefnyddid yn y tai a'r ysgol yn dod naill ai o'r afon neu o'r ffynnon oedd wrth droed y rhiw serth, oedd fwy neu lai uwchben yr ysgol a'r mymryn pentre. Golygfa gyffredin, medde nhw, oedd gweld Miss Defis, fwy nag unwaith y dydd, â bwcedaid o ddŵr ymhob llaw yn rhywle rhwng yr afon a'r peti. Hyd y gwyddem doedd y gair toiled ddim wedi ei fathu, felly peti neu lafatri oedd yr adeilad bach yng nghefn yr ysgol oedd wedi ei rannu'n ddau, un i'r bechgyn a'r llall i'r merched. Mae'n siŵr felly fod Miss Defis ymysg y rhai mwyaf diolchgar fod y Cyngor Dosbarth wedi penderfynu gosod rhyw dri chwarter milltir o bibell o ffynnon Tŷ Du i lawr i'r pentre. Fodd bynnag, dim ond i'r ysgol a Thŷ'r Ysgol yr aeth y bibell ddŵr. I weddill poblogaeth yr wyth tŷ a ffurfiai'r pentre, gosodwyd tap ar fin y ffordd ar wal iard yr ysgol. Roedd cas pren a ddaliai rhyw ddefnydd insiwleiddio i amddiffyn y bibell rhag rhew y gaeaf a gwres yr haf. Ar ben y cas pren yma y byddai'r chwiliwr yn rhoi ei 'ben i lawr' tra'n cyfrif i gant – nage cyfrif i hyndryd – pan fyddem yn chwarae cuddio, er mwyn i weddill y plant gael amser i ddiflannu. Roedd iard yr ysgol yn rhy gyfyng i chwarae cuddio; byddai maes y chwarae hwn yn ymestyn i'r pentref cyfan, a thu hwnt.

Byddai'r broses o benderfynu pwy oedd i roi ei ben i lawr gyntaf yn cynnwys adrodd 'Cachodd Will yn ei glôs a rhoddodd y bai arnat ti', gan bwyntio bys at bob un o'r chwaraewyr fel y lleferid pob gair, a byddai'r olaf y pwyntid ato yn syrthio allan o'r cyfrif nesaf. Ac felly ymlaen nes y deuid at yr olaf un a fyddai'n cael y dasg o roi ei 'ben i lawr'.

At y tap y rhedem i 'daro' gan weiddi 'Wan-tŵ-thri-tric-stôn' pan fyddai'r chwiliwr wedi troi ei gefn i chwilio am y rhai a guddiai. Y cyntaf un y llwyddai'r chwiliwr i'w ganfod a'i daro fyddai'n rhoi ei ben i lawr y tro nesaf. At y tap hefyd y deuem i olchi'r gwaed oddi ar friw pan fyddai'r codwm ar gerrig anwastad yr iard neu'r ffordd wedi bod yn un cas.

Byddai'r tap hefyd yn gweithredu fel gwn dŵr reit hwylus. Ffordd o ofalu nad oedd yn cael ei adael i redeg, mae'n debyg, oedd y ffaith mai tap a agorid drwy bwyso nobyn ydoedd, yn hytrach nag un yn agor drwy gael ei droi. Wrth roi un llaw o dan geg y tap i anelu, a phwyso'r nobyn yn drwm gyda'r llall, gellid troi ffrwd o ddŵr am ben unrhyw un a ddigwyddai basio. Gan mai pwyso'r nobyn oedd yn agor y fflodiat, roedd y cenlli dŵr yn cychwyn yn sydyn iawn. Yn wir, roedd rhai o'r hogiau mawr wedi datblygu'r chwarae hwn i fod yn gelfyddyd gain, a gwae'r sawl oedd yn ddigon esgeulus i grwydro o fewn llai na rhyw bymtheg llath o'r tap os digwyddai un o'r pencampwyr fod yn y cyffiniau.

Rhyw ysbeidiau o bob chwarae a gaem, ac yn aml iawn byddai'r chwarae'n newid gyda'r tywydd. Un haf poeth ni ellid llyncu cinio'n ddigon buan i gael diflannu dros y bont, sgrialu ar hyd y ffordd i Lwyn Hir, ac yna dilyn Nant Hir i'r lle yr ymunai â'r Llafar. Ychydig yn is, ar gyfer Plasmadog, roedd pyllau hir roeddem y pryd hynny yn eu hystyried yn ddyfnion, ond o edrych yn ddiweddarach, prin ddwy droedfedd o ddŵr sydd ynddynt. Fodd bynnag, wedi cyrraedd y pyllau byddem oll, yn ferched a bechgyn, yn stripio'n noethlymun groen, a phlannu i nofio yn y dŵr oer. Ond rhyw nofio ag un droed ar y gwaelod y byddem bob un ohonom, er y byddai'r rhai hynaf o'r hogiau yn taeru eu bod hwy'n gallu nofio'n iawn. Fel y canodd Gerallt Lloyd Owen, 'O ddiferol ddifyrrwch!' Tipyn o ras fyddai hi bob dydd i adael y sblasio, neidio'n wlyb i'n dillad, a'i gwadnu hi'n ôl am yr ysgol cyn i'r gloch ganu. Pe byddai R.G. yn gwybod beth oedd y chwarae yn ystod y dyddiau llethol hynny, ofnaf y câi ffit.

Yn nhymor y gaeaf byddai'r dyrnwr yn dod heibio. Druan o bobol Rhydyrefail, Tŷ Cerrig a Phantyneuadd oedd â'u buarthau o fewn cyrraedd yr ysgol ar awr ginio! Byddai'r dynfa i weld y tracsion stêm o dan ofal Bob Garth Goch yn ormod, waeth faint mor ffyrnig fyddai rhybuddio R.G. Roedd hisian cyson y stêm, a'r gwres a ddôi o'r bocs lludw o dan y boilar yn destun syndod parhaus i ni'r hogiau. Byddai'r dynion i gyd yn brysur wrth eu gwaith, ond eithriad fyddai iddynt beidio dweud rhywbeth, i dynnu coes gan amlaf, wrth y llu o syllwyr a ddôi ar eu hymweliad blynyddol â'r llwch, a hymian cyson y peiriant Ransomes. Fyddai gan y merched ddim cymaint i'w ddweud wrth yr injian ddyrnu, felly rhyw aros yn yr iard i chwarae hefo'r plant bach a phrancio'n gylch gyda'u ring-a-ring-a-rosus a wnaent hwy.

Ar adegau, byddem yn ymweld â sied Huw Jones. Saer gwlad oedd Huw, yn ŵr i Sali Jones, ac roedd ei weithdy bron am y clawdd ag iard yr ysgol. Un o'r rhai caredicaf ei natur oedd Huw, ond yn wyllt fel matsien os âi rhywbeth o'i le, ac yn rhegi bron bob yn ail air! Byddem wrth ein boddau yn mynd i'r sied i weld y crefftwr wrth ei waith, a thra parhâi pawb i fihafio byddai yntau, mi gredaf, yn mwynhau ein cwmni ninnau, a châi hwyl yn tynnu ein coesau. Ond yn hwyr neu'n hwyrach byddai rhywun yn siŵr o fynd dros ben llestri – cam-drin un o'i arfau neu fusnesa hefo'r injian oel oedd yn troi'r bwrdd llif, ac yna byddai gwaedd, 'Cerwch allan y diawlied, i'r blydi ysgol 'ne'r munud 'ma.' Y peth doethaf i'w wneud oedd ufuddhau – yn sydyn iawn! Am rai dyddiau wedyn, byddai'r saer yn cloi'r sied rhyw ddau funud cyn amser chwarae, ac yn mynd i'r tŷ am baned. Yna dôi amser paned yn ôl i'r amser gwreiddiol, a mentrem ninnau'n betrus i'r sied, yn fêts unwaith eto – hyd y rheg nesaf!

Yn yr hydref, Llwybr Coed oedd y dynfa. Roedd y llwybr hwn fel pe wedi ei osod ar silff ar ganol y llechwedd uwchben afon Llafar rhwng Pantyneuadd a'r pentre. Cyll a gwern oedd y rhan fwyaf o'r coed; roedd y cyll yn rhai cynhyrchiol iawn, a thyrrid yno i hel cnau fel y byddent yn aeddfedu. Byddai'r merched cystal dringwyr â'r bechgyn, ac os oedd mantais mewn bod yn fach ac ysgafn, wrth hel cnau y dôi hynny i'r amlwg, gan y gallai'r rhai ysgafnaf gyrraedd y cnau oedd bellaf ar frigau'r canghennau. Carreg bob un ar wal yr ysgol fyddai'r arfau i dorri'r cnau, er y byddai rhai ohonom yn gallu eu hollti â'n dannedd. Ar ddiwrnod braf byddai Catrin Roberts yn eistedd ar wal yr ysgol i weu, a byddem yn ei phlesio'n fawr yn rhoi cneuen neu ddwy wedi eu torri'n barod iddi. Doedd Catrin ddim yn ôl o ofyn am gneuen, o ran hynny. Roedd hi'n dipyn o gymeriad, yn byw yn Isfryn, un o'r tai oedd yn groes i'r ffordd i'r ysgol. Roedd hi mewn oed go fawr pan gofiaf i hi, a John, un o'i gor-wyrion yn yr ysgol hefo mi, ond yn ei hieuenctid, yn ôl y sôn, gallai weithio allan yn yr awyr agored cystal ag unrhyw ddyn. Ddiwedd y tridegau, pan ddaeth gweithwyr y Post i osod y blwch ffôn cyntaf erioed wrth bont y pentre, eglurai Catrin y gallem siarad hefo Heclar o'r bocs coch hwnnw. Doedd ganddi hi ddim lawer o feddwl o Ganghellor y Drydedd Reich erbyn diwedd y rhyfel, oherwydd bu Tegwyn, un o'i hwyrion, yn garcharor yn yr Almaen o adeg Dunkirk hyd 1945. Yn dristach fyth, Bob ei frawd oedd yr unig un o'r ardal a gollodd ei fywyd yn yr heldrin.

Salfej oedd un o'r geiriau pwysig yn y cyfnod yma. Byddai eisiau hel rhywbeth i'r salfej o hyd. Papur gan amlaf, ond weithiau deuai galw am hel haearn, dro arall alwminiwm, a chaem ninnau hwyl yn canu un o gyfansoddiadau Jacob Davies oedd yn sôn am 'debot, jwg a thegil aliwminiam Anti Jane fry yn hedfan gydag Ifan, nawr yn rhan o'i eroplên'. Un tro daeth galwad am deiars i'r salfej. O edrych yn ôl, a chofio mai dim ond rhyw dri char modur oedd yn yr ardal, cafwyd pentwr anghredadwy o deiars, a chlowyd hwy yn nhoiled y bechgyn i aros i ryw gerbyd neu'i gilydd i ddod i'w nôl. Am ryw reswm cedwid toiled y bechgyn bob amser dan glo. Byddai'r gornel fach inni wneud dŵr yn agored bob amser, ond os oedd angen troi clôs byddem yn gorfod mynd ar draws y ffordd i fin y ffos a redai drwy nyrs Rhydyrefail. Rhaid bod y toiled yn cael ei gadw i storio eitemau ar gyfer y salfej!

Un awr ginio cafwyd y weledigaeth y byddai'r teiars yn ddefnyddiol iawn inni chwarae bowl, a gyrrwyd dirprwyaeth at R.G. i roi'r mater gerbron. Er mawr syndod fe gytunodd â'n cais, agorwyd clo'r toiled a chafodd y bechgyn deiar bob un. Bu chwyrnellu ar hyd ac ar draws yr iard, pawb yn gyrru ei gar neu ei lorri, tractor neu fotobeic i'w ffordd ei hun ac weithiau i ffordd pobol eraill fel y bu 'damweiniau' di-ri. Collwyd chwartiau o chwys, a sychid hwnnw oddi ar dalcen gyda dwylo oedd yn prysur dduo o ganlyniad i'w defnyddio i yrru'r teiars budron ar eu hynt. O ganlyniad roedd ein hwynebau cyn dqued â choliars yn troi i mewn i'r ysgol y pnawn hwnnw, a threuliodd Miss Defis ac R.G. weddill y dydd yn cynhesu dŵr ac yn ceisio'n hymolchi. Diamau i'r profiad fod yn hunllef i ddyn a roddai'r fath bwyslais ar ddestlusrwydd. Dyna'r unig dro i'r teiars fod allan.

Tipyn o drychineb hefyd fu'r gorymdeithio i'r sheltar. Oherwydd bod sôn am ymosodiadau o'r awyr daeth rhyw gerbyd â nifer o fagiau i iard yr ysgol, a gwirfoddolodd rhai o'n tadau i'w llenwi â graean a thywod, a'u hadeiladu'n lloches gyda tho sinc ar ei phen inni fynd yno pe deuai rhybudd o berygl. Treuliodd R.G. gryn amser yn ein hyfforddi i godi o'n desgiau yn ein tro, i ffurfio'n llinell ddestlus, ac i gerdded yn gyflym, heb ruthro, i'r sheltar. Cafodd eithaf hwyl arni, ac ymhen dim o dro roedd yr orymdaith i'r sheltar yn ffurfio'n gyflym a'r martsio yn plesio'r prifathro. Ond ow! un dydd fe ddaeth y neges hollbwysig, a dyma Sali Jones, yn rhinwedd ei swydd fel postfeistres, yn ymddangos yn y drws a'i chot dros ei sgwyddau. Sibrydodd yn gynhyrfus yng nghlust y prifathro fod neges wedi dod ar y ffôn fod awyrennau Almaenig yn agosáu, cydiodd yntau yn y ratl a'i throelli'n ffyrnig. Ratl debyg i'r rhai a ddefnyddid gan gefnogwyr pêl-droed ers talwm oedd hi, cyn iddynt ddechrau cario cyllyll. Hyn oedd yr arwydd i'r ysgol ei bod yn amser mynd i'r lloches. Synnwyd ni gymaint gan y ffaith fod Y Foment Fawr wedi cyrraedd nes inni i gyd rewi ac eistedd yn ein desgiau fel delwau – pob un ohonom. Doedd R.G. ddim yn blês!

Yn ystod y nos, yn enwedig ar olau-leuad, byddai grŵn trwm a chyson awyrennau i'w glywed uwch ein pennau. Dywedid fod bomars yr Almaen yn ceisio dod i olwg Llyn Tegid fel y gallent wedyn ddilyn afon Dyfrdwy i Gaer, ac oddi yno ddod i gyffiniau eu targedau yn Lerpwl yn rhwydd. Byddwn innau'n swatio yn fy ngwely yn dychmygu beth a ddigwyddai imi pe disgynnai un o'r bomiau ar fy nghartref a lladd pawb ond fi. Am ryw reswm byddwn yn poeni llawer am gael fy ngadael fy hun. Tybiwn un noson fy mod yn clywed ffrwydradau'r bomiau yn rhywle heb fod ymhell, a bloeddiais o ben y grisiau i rybuddio pawb. Pan aeth Mam i chwilio canfyddwyd mai achos y sŵn oedd bod ffenest un o'r llofftydd wedi ei gadael yn llydan agored a bod ychydig o wynt wedi codi – digon i symud ychydig ar ddarlun a hongiai ar y mur. Sŵn hynny oedd y 'bomio'.

Tua'r un cyfnod adroddid stori am un o dadau'r ardal wedi dod adre'n bur simsan un noson o Dafarn yr Eryrod yn Llanuwchllyn yng ngolau lamp stabal, ac ar ôl cael croeso pur ffyrnig yn y drws gan ei wraig a'r plant, wedi mynd i fyny'r bryncyn yng nghefn y tŷ, chwifio'r lamp uwch ei ben, a bloeddio ar yr awyrennau: 'Bomiwch nhw i'r diawl!'

Hyd y gwyddem ni, hwn oedd yr unig un o wŷr yr ardal a fynychai dŷ tafarn, ac yn y cyfnod hwnnw fe ystyrid hyn yn bechod gan yr oll o'r ardalwyr. Roedd dylanwad y mudiad dirwest yn gryf yn y capel, a llawer o'r aelodau, yn hen ac ifanc, yn gwisgo bathodyn dirwest bob amser. Ni chredaf fod yna neb o deuluoedd fy nghyd-ddisgyblion yn gyfoethog. Ar y llaw arall, doedd yna neb yn anghenus ychwaith, ar wahân i'r un teulu yma, ac roedd hynny oherwydd y broblem ddiod oedd gan y penteulu. Yn wir, fe welais un o'r plant yn dod i'r ysgol ar ei ddiwrnod cyntaf wedi ei wisgo'n llythrennol mewn dim ond cot ucha a phâr o welingtons, a hithau'n dywydd rhewllyd oer. Pan ddaeth amser chwarae ni fu rhai o'r hogiau mawr fawr o dro cyn sylweddoli ei sefyllfa, a manteisio ar bob cyfle i godi'r got er mawr ddifyrrwch i lawer o'r plant eraill. Rhaid imi gyfaddef i hyn gael effaith fawr arnaf ar y pryd, a byddaf yn gofidio heddiw, wrth edrych ar rai o'n pobl ifanc yn gor-yfed ac ysmygu, tybed a fydd y genhedlaeth nesaf yn dioddef yn y dyfodol oherwydd eu hafradedd?

Yr unig reswm dros imi golli'r ysgol fyddai afiechyd neu dywydd garw. Daeth y frech goch a'r clwy pennau heibio yn eu tro, ac am ryw reswm cefais ddôs o'r cryd melyn hefyd. Drwy drugaredd, fyddwn i ddim yn cael fy nharo'n drwm gan yr anhwylderau hyn – mwy nag y cawn gan blwc achlysurol o annwyd – ac felly bûm aml i dymor haf heb golli diwrnod o ysgol. Stori arall oedd hi yn y gaeaf, gan fod gennyf filltir go dda i'w cherdded yn ôl a blaen bob dydd, a rhai llecynnau ar y ffordd yn bur agored i wynt a glaw. Yr adeg honno hefyd byddem yn siŵr o gael sbel o ryw wythnos neu ddwy o eira, a chawsom ein gyrru adref cyn cinio neu ganol y pnawn fwy nag unwaith oherwydd ei bod yn bwrw eira ac yn bygwth lluwchio.

Efallai mai'r ffaith fod fy chwiorydd gymaint hŷn na fi oedd yn cyfrif am y ffobia oedd gennyf ynglŷn â chael fy ngadael ar ben fy hun. Aeth Beti, fy chwaer hynaf, yn athrawes i Landrillo yn ddeunaw oed. Oherwydd y rhyfel nid oedd raid iddi gael tystysgrif cyn cael ei derbyn yn athrawes, a dyna fu ei hanes hyd nes iddi roi'r gorau iddi ar ôl priodi yn 1948. Wedi pasio'r *Higher* aeth Lin i Aberystwyth i wneud diploma mewn llaethyddiaeth. O ryw wyth oed ymlaen, felly, roeddwn i bron â bod yn unig blentyn, ond doedd pethau ddim mor ddrwg arnaf ychwaith. Bu hogiau ardderchog yn gweithio gyda ni, yn cael eu cyfrif fel rhan o'r teulu, a bu llawer ymrafael rhyngom oddeutu'r byrddau draffts a liwdo ar finosau hir y gaeaf. Nid oedd brinder llyfrau imi ddifyrru fy hun ychwaith. Yn ogystal â'r rhai oedd gennym gartref, dôi llyfrau mewn bocsys i'r ysgol o Lyfrgell y Sir yn Nolgellau, a chyflwynodd R.G. ni i awduron megis Joseph Jenkins, G.E. Breeze, John Pierce a Meuryn. Daeth *Jones y Plisman* a *Cyfrinach yr Ogof* hefyd yng nghyfres Llyfrau'r Dryw yn boblogaidd iawn, ac roedd englynion W.D. Williams i'r Hogiau, allan o'i lyfr *Cerddi'r Hogiau* (o'r un gyfres) ar gof y rhan fwyaf ohonom mewn chwinc! Rydw i'n meddwl mai Huw'r Fron ddaeth â fersiwn Glan Llafar o'r Englynion hefo fo i'r ysgol rhyw fore, wedi rhoi'n henwau ni, hogiau'r ysgol, yn yr englynion yn lle'r enwau a ddefnyddiodd W.D. Ar wahân i un neu ddau o'r enwau oedd yn digwydd bod yr un fath â'r gwreiddiol, braidd yn ddi-gynghanedd oedd yr 'englynion' ar eu newydd wedd, pethau fel:

'. . . – Dis-dis a Coing
Yn yr Aifft yn pobi!'

Llysenwau oedd Dis-dis a Coing, wrth gwrs!

Cofiaf gael llyfr Saesneg yn anrheg gan rywun – *Winter Holiday* gan Arthur Ransome. Cefais flas anghyffredin arno, a mynnu cael llyfrau eraill gan yr un awdur. Roeddwn i'n Sais eithaf da, a hynny o ganlyniad i ddylanwad teulu Mam. Cyn diwedd y bedwaredd ganrif ar bymtheg aethai dau frawd a chwaer Nain Nant i Lundain – Dewyrth Bob a Dewyrth Ted yn seiri, a Dodo Catrin i'r busnes llaeth. Pan ddaeth yn ddigon hen aeth Mam i Lundain hefyd, i weini. Naturiol ddigon oedd iddi ymwneud llawer iawn â'i hewythrod a'i modryb, yn enwedig gan fod ganddynt, rhyngddynt, gyfanswm o wyth o blant, cefndryd a chyfnitherod tua'r un oed â hi. Cymraeg oedd iaith y tair aelwyd yn Llundain, ond fel yr âi'r plant i'r ysgol troi i siarad Saesneg a wnaent oddigerth Idwal a Jane, plant Bob. Priodi Saeson fu hanes y chwech arall, a phan ddaeth y rhyfel ar eu gwarthaf gwelais gymaint â thri theulu'n dod am bythefnos yn eu tro i aros hefo ni yn yr haf, i osgoi'r cyrchoedd awyr ar Lundain. Y canlyniad oedd y byddai iaith tŷ ni yn newid i Saesneg am y rhan fwyaf o wyliau'r haf bob blwyddyn, ac o ganlyniad dysgais innau fy ail iaith yn hynod o ddidrafferth. Synnwn i ddim nad un o gyfnitherod Mam a ddaeth â'r *Winter Holiday* imi.

Roedd llyfrau fel *Cyfres Chwedl a Chân* a *Darllen a Chwarae* yn cael eu darllen yn awchus gartre ac yn yr ysgol, ond roedd y rhelyw o'r llyfrau oedd ar y silffoedd gartre ar gyfer darllenwyr hŷn, a llawer ohonynt yn llyfrau barddoniaeth. Cofiaf imi ddarllen *Rhys Lewis* a *Gwen Tomos* cyn gadael yr ysgol gynradd, a braf iawn oedd cael ailafael yn Rhys Lewis fel un o'r llyfrau gosod ar gyfer arholiad yr hen CWB. Bûm yn pori drwy *Cerddi Crwys* a *Telynegion Maes a Môr* hefyd, oherwydd bu R.G. yn sôn amdanynt yn yr ysgol, ac yn gosod rhai o'r cerddi inni yn waith dysgu.

Am ryw ddau dymor yn ystod y rhyfel aeth R.G. i ddysgu Mathemateg yn Ysgol Tytandomen, a daeth Mrs Catherine Davies o Gefnddwysarn yn brifathrawes dros dro arnom. Un diwrnod bu'r athrawes newydd yn egluro inni sut y ffurfiwyd glo o dan y ddaear, fel yr oedd coed a phlanhigion eraill wedi cael eu gwasgu dan bwysau creigiau i'r fath raddau fel eu bod wedi troi yn danwydd o fath gwahanol, du ei liw. Dechrau Mehefin oedd hi, oherwydd rhyw ddiwrnod neu ddau yn ddiweddarach roedd Gwil Tŷ Cerrig Ucha'n cael ei flwydd, ac amryw ohonom ni hogiau wedi ein gwadd yno i de. Ein brwdfrydedd wedi ei danio gan eglurhad Mrs Davies, aed ati ar ôl te i gynhyrchu'n glo ein hunain. Torrwyd twll yn un o'r caeau wrth y tŷ, a chariwyd iddo bentwr enfawr (debygem ni!) o goediach a rhedyn. Ar ben y coed gosodwyd cerrig mor fawr ag y gallem eu symud, a gadael y cyfan am flwyddyn gron pan fyddem yn cael te ar y pen-blwydd nesaf. Rhybuddiwyd Gwil nad oedd i gyffwrdd yn y cynhwysion rhag i'r resipi fynd yn rong.

Roedd hi'n ddiwrnod braf iawn pan ddaeth hi'n amser agor y pwll glo, a phrin y medrem lyncu'r te pen-blwydd yn ddigon buan, gymaint oedd yr ysfa i weld y wyrth y tybiem oedd yn aros amdanom. Tybed a oeddem, ynghanol dogni amser rhyfel, wedi arloesi ffordd newydd i gynhyrchu tanwydd?! Tybed a oedd ffortiwn yn ein haros? Dwn i ddim ai Mrs Davies oedd heb sôn am ran Amser yn y broses, ai ni oedd heb wrando'n ddigon gofalus, oherwydd pan dreiglwyd y meini oddi ar gynhwysion y glo, dim ond coed crin a nythaid o forgrug oedd yn y pwll! Yr holl chwys a aeth i'r fenter flwyddyn ynghynt yn ofer! Does gen i ddim cof beth oedd y geiriau a lefarwyd i roi mynegiant i'n teimladau, ond faint bynnag oedd ein siomedigaeth ar y pryd, mae'n bur siŵr i ambell dro chwithig gwaeth ddod i'n rhan dros y blynyddoedd, ac erbyn hyn medrwn i gyd wenu wrth gofio am y golled fawr gyntaf honno a gafodd yr *entrepreneurs* deng mlwydd oed.

Er mai trwy gyfrwng y Gymraeg y dysgai R.G. bob pwnc, hyd yn oed Saesneg, inni, fel llawer o'i gyfoeswyr, yn Saesneg y byddai'n llenwi Log yr ysgol bob amser. Pwy wêl fai arno, oherwydd dyna sut y dysgwyd ei genhedlaeth ef. Fodd bynnag, pan ddaeth Mrs Davies i lenwi'r Log yn ystod ei chyfnod hi fel prifathrawes, dechreuodd ei lenwi yn Gymraeg. Parhaodd R.G. yr arferiad pan ddychwelodd, a Chymraeg yw iaith y Log byth oddi ar hynny.

Mae'r hen ysgol yn dal yn agored, a tho newydd eto o blant y fro yn derbyn addysg o'r radd flaenaf ynddi. Mae dulliau addysgu wedi newid, ac mae nifer y disgyblion gryn dipyn yn llai nag ydoedd drigain mlynedd yn ôl. Mae'r rhieni presennol sydd â'u gwreiddiau'n ddwfn yn naear yr ardal i gyd yn ddigon doeth i sylweddoli mor ffodus yw eu plant yn cael derbyn addysg gan athrawon dawnus mewn dosbarthiadau mor fychain o ran rhif, a lle mae bron pob disgybl o gartref Cymraeg ei iaith. Rhaid talu teyrnged hefyd i Awdurdod Addysg Gwynedd a'i swyddogion am gefnogaeth ar hyd y blynyddoedd i ysgolion bach cefn gwlad. Gobeithio na welwn fyth golli sefydliadau sydd wedi gwasanaethu'r cymunedau gwledig yn addysgol ac yn gymdeithasol am dros ganrif a chwarter.

Huw Dafydd

Rydw i'n meddwl fod fy hen-hen-daid, Daniel Pugh, Styllen, yn frawd i Dafydd Pugh, Cynythog Bach. Gor-ŵyr i'r Dafydd hwn oedd Caradog Pugh, tad Bet (Richards) a Carys (Williams) a Wil, neu Bili, eu brawd. Roedd Caradog yn un o'r bobl a ddechreuodd gymryd diddordeb mewn canu penillion pan oedd fflam y rhan yma o'n diwylliant yn llosgi'n bur isel. Trwy ei ymdrechion ef a'i gyd-oeswyr yr ailgynheuwyd y grefft tua ail chwarter yr ugeinfed ganrif. Gan fod fy rhieni ac yntau yn bur agos i'r un oed, ac yn rhannu'r un diddordebau, bu llawer o gyd-drafod a chyd-weithio rhyngddynt dros y blynyddoedd. Chydig bach o gystadleuaeth hefyd, synnwn i ddim, fel y daethant yn fwy profiadol fel gosodwyr a hyfforddwyr. Diamau mai'r bwrlwm yma fu'n bennaf gyfrifol i Beti, Carys a Wil a'm chwiorydd a minnau ddilyn ymlaen gyda'r traddodiad.

Yn ogystal â bod yn ganwr (a chyfeilydd ar yr organ fach – a'r piano yn ddiweddarach) roedd Caradog hefyd yn glocsiwr penigamp, ac enillodd yn yr adran honno yn yr Eisteddfod Genedlaethol pan oedd dros drigain oed. Yr oedd eisoes wedi ennill ar ganu penillion yn y tridegau. Gan ei fod yn hyddysg iawn yn rheolau Cerdd Dafod a Cherdd Dant roedd yn naturiol iddo ddatblygu yn osodwr a hyfforddwr llwyddiannus iawn. Bu ei wasanaeth i'w fro enedigol yn Llidiardau ger y Bala, a chylch ehangach, yn amhrisiadwy.

Roedd Elizabeth (Betsi) ei fam yn ferch Cynythog Bella. Teulu hynod ddawnus, yn feirdd, dawnswyr a chantorion, a chanddynt eu ffordd unigryw eu hunain o edrych ar fywyd.

Aeth Rhys Lewis, brawd Betsi, i'r weinidogaeth, a'i fam (nad oedd cweit mor dduwiol â'r mab) yn brolio'i wybodaeth Feiblaidd pan oedd yn y coleg; 'Rhys bach ni, yn ole fel lantar – gweddïo fel diawl!' Dro arall, ar gynhaeaf gwair roedd dau o drigolion y Bala yno'n helpu, un yn gymeriad braidd yn frith a'r llall yn bostman rhan amser, a Rhys hefyd adre ar wyliau. 'Mi ddylen ni gael y gwair yn ddidrafferth iawn leni,' meddai'r hen Fusus Lewis, 'mae gwas y diafol, gwas y frenhines a gwas yr Arglwydd yma'n helpu.'

Dafydd Lewis, ewythr arall i Garadog, yn ffermio Hafod y Garreg yn yr un ardal, ar ddiwrnod o gynhaeaf gwair poeth yn cael rhyw hoe fach o dan goeden yn y cae, ac yn torri ei syched o botelaid o gwrw cartre. Pwy ddaeth heibio'n sydyn ar alwad i ymweld ond y gweinidog. Roedd hyn pan oedd mynd mawr ar ddirwest, ond chynhyrfodd Dafydd ddim. 'Gym'wch chi lymed, Mr Jones bach?' gofynnodd, gan lyfu ceg y botel yn ddigon helaeth fel na fyddai'r gweinidog yn ystyried cymryd llymaid, 'sdim byd tebyg i de oer i dorri syched ar y tywydd poeth 'ma.'

Ddegawdau'n ddiweddarach roedd hi'n ddiwrnod cneifio yn Hafod y Garreg. Roedd hynny flwyddyn neu ddwy wedi i Garadog gael ei ladd mewn damwain gyda'r tarw, a Wil wedi cymryd yr awenau yng Nghynythog Bach, a Hafod y Garreg wedi dod yn rhan o'r daliad. Hen fore digon diflas oedd hi; roedd y defaid yn rhy wlyb i'w cneifio – dim ond rhyw wlithyn oedd arnyn nhw, ond doedd hi ddim yn sychu digon i hwnnw hyd yn oed godi. Rhan bwysig iawn o ddiwrnod cneifio pob oes ydi'r bwyd, ac roedd y merched, druan ohonynt, y diwrnod hwnnw wedi eu gyrru i baratoi'r bwyd i'r llofft stabal, a honno'n llofft stabal go fach. Flynyddoedd ynghynt fe osodwyd y tŷ ar rent i rhyw hen gnawes o Saesnes oedd yn cadw siop ddillad yn y Bala, ar yr amod fod mynediad i'w gael i baratoi bwyd fel y byddai angen pan yn trin y defaid. Braidd yn grintachlyd fu'r mynediad hwnnw, a mynnodd y tenant maes o law fod y briws (lle bragwyd cwrw Dafydd Lewis mae'n bur debyg) yn ddigon da i'r bugeiliaid, ond iddynt gael tegellaid o ddŵr berwedig i wneud eu te. Erbyn y diwrnod cneifio yma, fodd bynnag, roedd hyd yn oed drws y briws ar glo. Afraid dweud fod y merched allan o'u hwyl oherwydd yr anhwylustod yma, a'r dynion allan o'u hwyl o achos y tywydd.

Ond, mae ymyl olau i bob cwmwl. Darganfyddodd rhywun o blith y cneifwyr nad oedd drws cefn y tŷ ynghlo, a phenderfynodd fynd i ymchwilio beth oedd cynnwys y tŷ, a chael fod seler pur gynhwysfawr yno. Trodd y diwrnod cneifio diflas i fod yn un hwyliog i ryfeddu! Cododd y cymylau, a daeth yr haul i wenu mewn mwy nag un ffordd. Dwn i ddim a oedd a wnelo'r seler â'r peth, ond gorffennwyd cneifio yn rhwydd iawn – ymhell cyn i'r tenant ddod adre o'i siop. Yn anffodus, pan ddaeth hi adref, trodd yn ôl i'r Bala i brepian wrth y glas, a bu hwnnw o gwmpas yn gwneud ymholiadau. Credaf i Wil druan gael amser pur galed, ond synnwn i ddim nad oedd o, yn gyfleus iawn, wedi anghofio pwy fu yn ei helpu i gneifio y diwrnod hwnnw!

Rydw i wedi crwydro yn o arw rŵan. Mynd i sôn am Huw Dafydd, brawd hynaf Caradog, yr oeddwn i. O fewn fy nghof i byddai Caradog yn dod acw rhyw ddwywaith y flwyddyn – i ladd moch, a thrannoeth i dorri'r moch. Byddwn wrth fy modd gyda'r ymweliadau hyn, yn enwedig diwrnod y torri. Joban ar ôl te oedd honno. Byddwn innau wedi dod adre o'r ysgol, a byddai Caradog yn dangos gwahanol rannau'r mochyn imi, yn egluro ei bwrpas, a dweud mor debyg oedd ein cyrff ni i gorff y mochyn. Seremoni arall fyddai rhoi gwynt yn swigen y mochyn, a gweld pwy fyddai'n medru ei tharo'n llwyddiannus heibio i bawb arall. Wedi gorffen byddai acw ganu, a sôn am ganu nes byddai hi'n amser gwely, a byddai'r sgwrsio yn dal i fynd ymhell wedi i mi fynd i glwydo mae'n siŵr.

Erbyn i mi ddod yn ddigon hen i'w gofio'n dda aeth ymweliadau Huw yn bethau prin. Cyn cof i mi byddai'n picio draw gryn dipyn yn amlach. Deuddeg oed oeddwn i pan fu farw, ac ymhen blynyddoedd, fel y cawn ei hanes gan fy rhieni, a chlywed am ei gynnyrch y sylweddolais y golled a gefais na ddeuthum i'w 'nabod yn well. Chlywais i 'rioed ei fod yn gerddor fel Caradog; barddoniaeth oedd rhagoriaeth Huw, a barddoniaeth oedd testun y sgwrs yn ddi-feth pan ddôi acw. Fel y crybwyllwyd eisoes roedd barddoni yng ngwaed Lewisiaid Cynythog Bella. Dwalad, un arall o frodyr ei fam, oedd awdur yr englyn i'r Bedd Gwag:

Wele fedd oleua fyd, – Iesu droes
    Ei dranc yn borth gwynfyd;
  Clâdd feiau, coledd fywyd,
  Mewn bedd gwag mae'n budd i gyd.

Roedd gan 'Nhad lawysgrifen daclus iawn, a phrif bwrpas ymweliadau Huw oedd rhoi ei gynhyrchion yn dwt ar bapur i'w hanfon i gystadlu mewn eisteddfodau lleol. Fe gyrhaeddai acw ar fin nos gyda'i linellau wedi eu sgwennu mewn pensel biws ar gefn paced sigaréts neu hen amlen fel y doent i'w ben wrth ei waith yn ystod y dydd. Byddai yna drafod ar y campweithiau, newid ambell air i gryfhau'r gynghanedd neu wella'r mynegiant. Byddai'n bur beryg gyda'i englynion ac ambell gywydd a hir-a-thoddaid, ond dim ond unwaith, hyd y gwn, yr enillodd gadair, a hynny yn Eisteddfod y Groglith, Llandderfel tua chanol y tridegau. Yn aml byddai penderfynu ar ffug-enw yn cymryd llawer mwy o amser na rhoi'r gwaith wrth ei gilydd. 'Hawdd iawn i rywun gael hen enw wnaiff sticio' oedd rheswm Huw dros fod mor ofalus beth i'w roi ar odre'i ymdrechion.

Weithiau byddai rhywbeth a welsai ar ei ffordd wedi ysgogi cwpled neu englyn. Byddai ei lwybr o Gynythog i Styllen yn croesi afon Llafar lle roedd honno'n marcio'r terfyn rhwng y Fron a Thŷ Du. Rhywsut roedd coeden yno wedi tyfu'n gam ar draws yr afon, ac fe ddechreuwyd ei defnyddio fel pont. Fe ychwanegodd rhywun ganllaw braidd yn amrwd arni, ac ysgol fer i ddringo i'r pen pellaf i'w gwneud yn fwy diogel. Dyma'r englyn a adroddodd Huw wedi cyrraedd Styllen un noson:

Pont hynod mewn pant inni, o goeden
    Gydiol heb sylfeini
Uwch bâr y Llafar a'i lli';
Na fydded i neb foddi!

Roedd John Owen Jones, Tŷ Du, ac Owen Tomos ei fab â'u trwynau dan fonet y car pan basiai un noson. 'Pwy welsoch chi ar eich ffordd yma, Huw?' A'r ateb:

'John Owen a'i Owen o, –
Riwmatic ar y moto!'

Dro arall englyn neu ddau i dro trwstan rhywun o'i gydnabod fyddai achos yr ymweliad, a'i arfer bryd hynny fyddai rhoi'r farddoniaeth mewn amlen, er mwyn i un o'i ffrindiau oedd yn gweithio ar y lein ei bostio yn rhywle fel Corwen, Dolgellau neu Stiniog, fel na fyddai gan y gwrthrych lawer o syniad pwy oedd y bardd.

Diamau mai ei englyn i'r *Death Rider* yw'r un mwyaf adnabyddus i bobl Penllyn. Erbyn heddiw mae'n bur debyg mai ychydig iawn sydd o gwmpas a welodd y bod rhyfeddol yma yn mynd drwy ei gampau, ond drigain mlynedd a mwy yn ôl byddai yna faril enfawr yn cael ei chodi mewn rhai o'n ffeiriau. O fewn hon roedd dyn ar foto-beic yn mynd rownd a rownd, gan wneud campau a ymddangosai bryd hynny yn anhygoel, fel eistedd yn wynebu at yn ôl, neu reidio â mwgwd am ei lygaid a phethau tebyg. I ychwanegu at y wledd byddai merch rannol noeth yn cael ei chario mewn gwahanol ddulliau ar y beic, gan ddiweddu fel arfer ar ysgwyddau'r beiciwr.

Roedd y gynulleidfa'n dal ei gwynt o le diogel ym mhen uchaf y faril, pawb wedi talu rhyw swllt am weld rhyfyg y reidar gwyllt a'i gynorthwy-ydd. Fel hyn y gwelodd Huw o:

Ar ingol lwybrau angall anturia
    Ar hynt wrol, gibddall;
  O! ddyn gwych, hawdd iawn y gall
  Foduro i fyd arall.

Bu car yng Nghynythog yn gynnar yn y dauddegau. Hen Ffordyn Model T, siŵr o fod, a synnwn i ddim nad hwn oedd y car cyntaf yn yr ardal. Oherwydd hyn roedd tuedd i bawb ordro Caradog neu Huw i'w sioffro yma ac acw yn y car newydd, ond heb gofio fod angen cydnabyddiaeth am y petrol. Fe glywais mai mewn gwrthdrawiad ar ryw drip i Lundain y daeth diwedd yr hen gar, a phenderfynwyd ffarwelio ag o yn y fan a'r lle, ac mai ffon fyddid yn gael yn ei le. P'run bynnag am hynny, fe gafwyd englyn:

Ffarweliais â'r ffôr-wîlar, hapus wyf
    Heb pwsh-on na denjar.
  Gwell dau droed a choed na char, – mi wna lw
  Na chlywa i tenciw a chloi tincar.

Erbyn dyddiau Hufenfa Meirion, a sefydlwyd yn y Fronwydd, Rhydymain, tua diwedd y tridegau, roedd Caradog wedi priodi a symud i Fryn Newydd, Llidiardau, gan adael Huw a'i fam yng Nghynythog Bach. Yn y dyddiau cynnar hynny byddai unrhyw lefrith nad oedd i fyny â'r safon yn cael ei yrru'n ôl i'r ffermwr. Yn yr haf yn arbennig nid oedd 'cael y llaeth yn ôl' yn beth dieithr, ac ymddengys nad oedd llaeth Cynythog Bach yn ddim eithriad. Roedd Huw yn anfodlon iawn ar y sefyllfa, ac yn honni mai diffyg golchi'r caniau llaeth yn yr hufenfa oedd i gyfrif am y trafferthion. Y diwedd oedd i H.R. Jones, y rheolwr, dderbyn pwt o gywydd i gwyno am yr holl fusnes yn cychwyn:

> Tost iawn y llu sy'n testio'n llaeth,
> A gwael am fuddugoliaeth!

ac englyn ar ei ddiwedd:

> Amen, Jones, fel manijâr Rhydymain,
> Troedia i mewn i'th siambar;
> Mae tuniau ugeiniau 'rhen gâr
> Yn loesion heb sterileisar!

Roedd 'Nhad rywdro wedi addo mynd i Gynythog i ddyrnu, ond pan ddaeth y diwrnod roedd o'n diodde o glwy'r pennau, felly gyrrwyd y sawl oedd acw'n gweithio ar y pryd yn ei le, gyda nodyn o eglurhad. Roedd y dirprwy adre'n ôl cyn cinio gyda diolch Huw ac englyn:

> Ow! poenus yw'r clwy' pennau, – hen ofid
> Annifyr ei stranciau;
> O'ch oed chwi, digri gweld dyn
> Gwydyn o dan ei godau.

Rhan o waith 'Nhad fel Swyddog Maes gyda'r Wôr Ag oedd gofalu fod y ffermwyr i gyd yn aredig eu cwota o'u tir, ac yn plannu eu cwota o datws. Gallai hyn fod yn waith pur anodd ambell dro. Anos fyth pan oedd y ffermwr yn berthynas pell a ffrind. Ond rhaid oedd perswadio Huw hyd yn oed. Ei broblem fwyaf oedd prinder llafur, ond addawodd y swyddog y byddai merched y land armi yn dod i godi'r tatws. Llwyddwyd i blannu'n weddol ddidrafferth, ond aeth pethau ddim cweit mor esmwyth adeg y codi. Yn anffodus bu'n dymor gwlyb ddychrynllyd, a dim hanes o'r gweithlu'n cyrraedd Cynythog Bach. Daeth y Nadolig, a'r tywydd wedi oeri'n enbyd – a'r tatws yn dal yn y ddaear. Yn y flwyddyn newydd derbyniwyd llythyr ar ffurf englyn:

> Pwr ditw! Puw a'r daten; – a rynnodd
>   Dy rianod fachgen?
>   Rhyddha Ella a Heulwen
>   O wyll oer y Castell Hen.

Fel mewn llawer fferm arall bu carcharorion rhyfel yn gwasanaethu yng Nghynythog Bach. Caent groeso cynnes gan Betsi Pugh, llond eu boliau o fwyd, a llifeiriant o Gymraeg rhywiog Penllyn, gan mai go brin oedd ei Saesneg. Boscolio oedd enw un o'r Eidalwyr, ond Mistar Rhos'gwalie fyddai Betsi'n ei alw. Un diwrnod allai hi yn ei byw gofio'i enw, a beth ddaeth allan ond 'Mistar Llangywer', yr ardal agosaf i Rosygwaliau! Byddai'n parablu rhyw rwtsh ryfedda wrthynt, na wnâi synnwyr mewn Cymraeg, Saesneg nac Eidaleg. Roedd hynny'n bryder mawr i Huw, 'Peidiwch wir, Mam, be tasech chi'n digwydd deud bod chi'n mynd i ladd un ohonyn nhw?'

Pe byddai Huw wedi ei eni hanner canrif yn ddiweddarach rwy'n sicr y byddai wedi dod yn adnabyddus i gylch ehangach. Diamau y byddai wedi cael hyfforddiant amgenach, a chyfle i droi ymysg beirdd o ddoniau amlycach na'r rhai oedd o gwmpas Penllyn yn hanner cyntaf yr ugeinfed ganrif. Erbyn yr amser yr wyf i'n ei gofio, un o'i wendidau oedd y stondin saethu yn y ffeiriau. Dwn i ddim faint o les i'w anel a wnâi ambell i ymweliad â'r Llew Gwyn, ond yn ffeiriau'r Bala, a ffeiriau ymhellach o gartref, fe dreuliai'r rhan fwyaf o'r pnawn a'r min nos gyda'r gwn awyr yn tanio at dargedau crwn y ffair. Roedd y saethu yma (am wobrau digon pitw hefyd) fel clefyd gamblo yn ei gyfansoddiad. Er ei fod yn ymwybodol o'i wendid methai yn lân â'i drechu ar waethaf ei gynghorion i rai o ieuenctid y fro – 'Saethwch a cholli. Saethwch ac ennill, wedi colli y byddwch chi wedyn.' Ac er i Huw ennill yn sylweddol mewn llawer cylch, colli wnaeth o yn y diwedd, gwaetha'r modd, ac yntau ond yn 56 mlwydd oed.

Ar ben y domen?

Galwch hi be liciwch chi. Ysgol Tytandomen, Ysgol y Bechgyn, Bala Boys Grammar School neu'r Cownti Sgŵl – pa beth bynnag ei henw, tipyn o sioc oedd symud iddi o ysgol fach wledig ar derfyn yr Ail Ryfel Byd pan lwyddais i basio'r Sgolarship. Er na wyddwn hynny ar y pryd, roeddwn i wedi pasio yn un o'r pedwar â marciau uchaf yn nalgylch yr ysgol. Ein gwobr am hynny oedd i'r pedwar ohonom, Richard Hughes o Rosygwalia, Ken Trow o Lanfor, Ifor Baines o Garrog a minnau, gael ein rhoi yn nosbarth yr ail flwyddyn yn union wedi'r gwasanaeth dechreuol ar ein bore cyntaf yn ein hysgol newydd. Ymddengys fod ystafell ddosbarth y flwyddyn gyntaf yn rhy fach i'r criw a dderbyniwyd i'r ysgol, felly fe'n taflwyd ni'n pedwar i mewn i ben dyfnach nag y dymunem efallai. Nid bod hynny wedi gwneud llawer o wahaniaeth, oherwydd yn arholiadau diwedd ein tymor cyntaf roedd Ifor yn bedwerydd yn y dosbarth a finnau'n chweched. Fûm i erioed yn is na hynny tra bûm yn Nhytandomen. Nid i frolio fy hun y cofnodaf hyn, ond i dynnu sylw at y ffaith y derbynnid addysg dda iawn mewn rhai o'n hysgolion cynradd yn y cyfnod yma.

Os cefais sioc yn neidio i'r dwfn yng nghanol disgyblion oedd flwyddyn yn hŷn na mi, roedd y ddisgyblaeth, neu'r diffyg disgyblaeth, yn sioc llawer mwy. Er nad oedd R.G. yn ein hysgol fach yn gawr o ran corffolaeth, roedd arnom ychydig o'i ofn – parchedig ofn efallai – a hefyd y ffaith ei fod yn un o'r gymuned leol, ac yn dod i gysylltiad â'n rhieni ddwywaith neu dair yr wythnos yn y capel. Os byddem wedi mynd dros ben llestri yn yr ysgol, yr hunllef yng nghefn y meddwl wedyn oedd – beth petai o'n deud. Wel, mi fyddai hi'n ddrwg wedyn, reit siŵr. Ond roedd athrawon Tytandomen yn fodau hollol wahanol. Chlywais i fawr o sôn amdanynt o'r blaen, ar wahân i'r prifathro a J. Gwyn Griffiths. Fe apwyntiwyd H.J. Pugh yn bennaeth ar ddechrau tymor yr haf, 1945, cyn imi eistedd y Sgolarship. Yn ystod y tymor hwnnw cynhelid Etholiad Cyffredinol, a hysbysebwyd mai un o'r siaradwyr yng nghyfarfod y Rhyddfrydwyr yn yr ardal oedd y prifathro newydd. Crefais am gael mynd yno i'w weld – rhag ofn imi basio'r Sgolarship! Roedd Mr Pugh yn swnio'n dipyn cleniach yn gofyn am bleidleisiau ein rhieni nag oedd ambell dro pan yn ein hannerch ni yn yr ysgol!

Dôi Gwyn Griffiths i'r Parc i bregethu ar y Sul weithiau. Ef oedd yn ceisio dysgu Hanes a Lladin inni, dau bwnc nad oedd gennyf fi, mwy na llawer o'm cyd-ddisgyblion, fawr o ddiddordeb ynddynt mae arna i ofn; prysuraf i ddweud nad bai'r athro oedd hynny, ond y ffaith ein bod yn y gwersi hanes yn gorfod ymgodymu â hanes Lloegr o 1485 ymlaen. O adnabod Gwyn Griffiths, a dod i wybod mwy amdano wedi iddo gael ei benodi'n ddarlithydd ym Mhrifysgol Abertawe, sylweddolaf nad ei ddewis ef oedd hyn. Ef oedd tad Robat a Heini Gruffudd, sydd wedi llafurio yn ddygn dros y bywyd Cymreig drwy wahanol ddulliau ac mewn cylchoedd gwahanol. Gwaetha'r modd, byr fu arhosiad Gwyn Griffiths wedi imi ddechrau'r ysgol, ond rwy'n siŵr nad oedd unrhyw gysylltiad rhwng y ddwy ffaith.

Roedd Kenneth Lloyd, yr athro Lladin a'i dilynodd, yn athro poblogaidd iawn, ond rhoddwyd dewis inni rhwng Lladin ac *Agricultural Science*. Yr olaf oedd fy newis i wrth gwrs er mawr siomedigaeth i 'Nhad. Buaswn yn dweud ei fod o wedi gwirioni ar Ladin pan oedd yn yr ysgol, a gallai adrodd darnau o farddoniaeth Virgil ar ei gof yn ystod y cyfnod yma.

Ond yn ystod fy wythnosau cyntaf yn yr ysgol roedd yn

dipyn o argyfwng staffio. Cawsai rhai athrawon eu galw i'r lluoedd arfog ar ddechrau'r rhyfel, a chan mai newydd ddod i ben yr oedd yr ymladd ar ddechrau fy nhymor cyntaf, nid oeddynt wedi dychwelyd at eu dyletswyddau addysgu. (Yn drist iawn collwyd un athro poblogaidd, Glyn Thomas, yn yr heldrin.) Roedd yn anorfod felly fod nifer yn athrawon dros dro, rhai ohonynt wedi eu galw'n ôl o ymddeoliad synnwn i ddim, o leia roeddynt yn ymddangos yn ddychrynllyd o hen i ni, blant un ar ddeg oed. Dyna'r hen Andi – R.C. Andrews oedd ei enw iawn, a cheisiai ddysgu *Agricultural Science* a *Scripture* inni. Dim ond un ffaith a ddysgais mewn tymor o'i wersi *Agricultural Science*, sef fod modfedd o ddŵr dros arwynebedd o acer yn pwyso can tunnell. Ffaith a fu o help anfesuradwy imi yn ystod fy ngyrfa fel ffermwr! Ar fy adroddiad ar gyfer *Scripture* ar ddiwedd fy nhymor cyntaf mae'n ysgrifenedig: *Israel in Wilderness. Good.*

Roedd Mrs Rice yn hŷn fyth – wel roedd hi'n edrych yn hŷn na Nain Nant! Mathemateg oedd ei phwnc hi, a threuliais dymor cyfan yn gwmni i Israel druan, yn yr anialwch, a Ma Reis fel y gelwid hi, yn ceisio sôn wrthym am ryw anifeiliaid yn dwyn yr enwau aljibra a jiometri. Gan fy mod yn un o'r rhai olaf i ddod i'r ystafell ddosbarth y diwrnod cyntaf hwnnw, eisteddwn ym mlaen y dosbarth; roedd hogiau'r Bala a drwgweithredwyr eraill wedi dod i'r ysgol tua wyth o'r goch y bore, synnwn i ddim, er mwyn bachu'r desgiau oedd yng nghefn yr ystafell, i bob ymddangosiad er mwyn sefydlu rhyw gymdeithas ddethol oedd â'i phrif amcan i darfu hynny oedd bosib ar y gwersi a gyrru athrawon o'u co'. Rhag ofn i chi feddwl fod bois y Bala yn waeth na neb arall, fe sylweddolais cyn hir nad oedden nhw cynddrwg. Yn wir, maes o law fe ddeuthum yn ffrindiau mawr hefo amryw o'r dwsin neu fwy oedd yn y dosbarth, ond fel arall yr ymddangosai pethau i mi yn y dyddiau cynnar hynny. Prin yr oeddwn i na thri chwarter y dosbarth yn clywed dim gan y sŵn, ac mae'n bosib nad oedd neb ond Mrs Rice druan yn poeni llawer am hynny.

Er ei bod gryn dipyn yn iau (yn ei hugeiniau faswn i'n deud), pur ddi-drefn hefyd oedd dosbarthiadau Miss Shibko, yr athrawes Daearyddiaeth. Mae'n bosib fod rhai o'r disgyblion wedi methu'r Sgolarship unwaith neu ddwy, ac felly'n tynnu at bymtheg oed, ac yn llafnau pur dal, digon i godi ofn ar athrawes oedd gryn dipyn yn llai yn gorfforol na hwy.

Mae stori amdani yn cael profiad pur anfelys un waith mewn gwers gyda'r chweched dosbarth. Roeddynt yn cyfarfod yn y llyfrgell, ystafell pur dywyll ar draws rhyw bwt o goridor i ystafell yr athrawon, a'r unig olau yno yn union uwchben bwrdd gweddol helaeth. O amgylch y bwrdd roedd cadeiriau ar gyfer y disgyblion a'r athrawes. Yn ôl un fersiwn o'r stori bu trafod ymysg y Chweched a oedd Miss Shibko'n gwisgo nicyrs i ddod i'r ysgol. Penderfynwyd mai'r ffordd orau i brofi'r mater oedd i un ohonynt guddio dan y bwrdd drwy'r wers gan obeithio y medrai gael cipolwg ar y rhannau cuddiedig. Câi ddigon o gyfle hefyd i astudio coesau'r athrawes, oedd yn rhai eithaf siapus medde nhw – roeddwn i'n rhy ifanc a diniwed i sylwi ar bethau felly yr adeg honno! Roedd y wers bron iawn â dirwyn i ben pan ganfyddodd Miss Shibko y pyrfyn, a thorri i lawr i wylo dagrau hallt. Does gen i ddim co' clywed beth oedd y gosb a dderbyniodd y troseddwr.

Hi oedd yr unig un i roi ditension imi. Yn yr ysgol newydd, dau beth a arswydwn – bwlis a cholli'r bws! Rydym fel teulu wedi bod yn araf yn dechrau prifio, ond oll fel ein gilydd, ar ôl bod yn bur eiddil nes cyrraedd tua phymtheg oed, yn neidio wedyn i faintioli cymedrol. Newydd gael fy un ar ddeg oeddwn i yn dechrau yn Nhytandomen, ac yn ôl cofnod R.G., yn mesur 4'5^1/4", ac yn pwyso 74^1/2lb, ac yn mynd i ddosbarth oedd wedi cael o leiaf flwyddyn yn fwy o amser na fi i brifio a grymuso. Credwch fi, roeddwn i'n teimlo'n ddychrynllyd o fach, ac os gwelwn gawr yn dod i'm cyfeiriad, beth bynnag fyddai ei gymhelliad, gwnawn fy ngorau i'w osgoi! Am yr un rheswm wnes i erioed ddisgleirio ar y meysydd chwarae; roedd ambell grymffast mawr ddau ddosbarth yn is yn fistar corn arna i mewn tacl pêl-droed neu gyda phêl gricied.

Fodd bynnag, deuthum i sylweddoli toc werth yr hen ddihareb: 'Iacha' croen, . . . ' Wel na, dim troi'n gachgi deud y gwir, ond rhyw geisio cytuno hefo'r heriwr mawr, a cheisio cael fy hun ac yntau i chwerthin am ben ei fygythiad neu ei eiriau difrïol. Yn aml cyfeirid atom ni hogiau'r wlad fel joscins. Dwn i ddim beth yw ystyr y gair, a dydi o ddim yng Ngeiriadur yr Academi, hyd yn oed hefo'r 'k', ond fe'i defnyddid yn aml i daflu sen arnom. 'Be fues di'n neud dros y wîc-end, joscin?' gofynnodd un o'r crymffastiaid yn ddigon sarrug un bore dydd Llun. Bu'n rhaid iddo wenu pan atebais mewn un gair 'Joscinydda.' Felly, fu bwlis ddim yn broblem fawr imi erioed.

Yr unig reswm dros golli'r bws oedd ditension. Golygai hynny fy mod wedi bod yn hogyn drwg, a byddai'r gosb eiriol a geid gartre am unrhyw fisdimanars yn brifo llawer mwy nag unrhyw gosb y gallai cyfundrefn Ysgol Tytandomen ei gweinyddu.

Y drwg hefo ditension Miss Shibko oedd nad oeddwn wedi gwneud dim byd o'i le – ar fy ngwir rŵan. Gwers olaf y pnawn oedd hi, ac wedi bod yn un eithriadol o swnllyd, ac erbyn hanner awr wedi tri mae'n debyg fod yr athrawes wedi colli hynny o amynedd oedd ganddi, felly dyma gyhoeddi fod y dosbarth i gyd yn aros i mewn ar ôl i'r gloch fynd. Bu banllefau o anghymeradwyaeth, yn enwedig gan hogiau'r dre, oedd yn gyfarwydd â'r fath gosb mae'n siŵr, ond crynu a wnawn i wrth feddwl fod gennyf bron i chwe milltir i'w cerdded adre, ac andros o row yn fy nisgwyl ar ben y daith! Yr unig gysur oedd bod Gwil Tycerrigucha yn gwmni imi, ac y byddai hynny'n help i fyrhau'r siwrne. Fodd bynnag, wedi rhyw ddeng munud o ymdrechu i gael distawrwydd, ac yna o ddweud sut yr oedd pethau i fod, cawsom i gyd ein gollwng allan, ond yn rhy hwyr – roedd y bws wedi mynd. Wrth i ni ryw geisio paratoi'n hunain ar gyfer siwrnai o ddwy awr o gerdded, a hynny heb fwyd,

91

sylweddolodd Gwil a minnau ei bod hi'n nos Fawrth, noson Seiat, ac y byddai'r gweinidog yn mynd i fyny erbyn saith. Braidd yn hwyr fyddai hynny, ond aed i weld y Parchedig Arwyn Parry, a chael fod ganddo ddosbarth derbyn am bump, ac y caem reid ond inni fod o gwmpas ei lety tua chwarter i bump. Doedd 'na ddim ffôn yn ein cartrefi, nac yng nghartref neb arall bron y dyddiau hynny, fel mae'n siŵr fod ein teuluoedd yn methu deall ymhle yr oeddym. Dwn i ddim ai oherwydd bod Mam mor falch o weld ei hogyn bach yn fyw ac yn iach ar ôl poeni amdano am awr a hanner oedd y rheswm, ond fu yna ddim llawer o helynt wedi imi egluro beth a ddigwyddodd. Fel arfer os prepiwn gartref am unrhyw gosb, deuai'r cwestiwn: ' . . . a be oeddet ti wedi wneud?' Y tro yma fodd bynnag, y dyfarniad oedd ei bod yn iawn inni gael cosb am ein camweddau, ond mai ar amser chwarae neu awr ginio y dylai plant y wlad gael eu cadw i mewn. Synnwn i ddim na chafodd y prifathro wybod beth oedd safbwynt fy rhieni.

Ymhen rhyw dymor daeth John Saer yn ôl o'r fyddin. Daethai i'r ysgol ar ddechrau'r tridegau yn athro ifanc, ac ar wahân i'w gyfnod yn y lluoedd arfog rhwng 1940 a 1945, gwasanaethodd yn y Bala hyd ei ymddeoliad, ac yntau erbyn hynny'n brifathro Ysgol y Berwyn. Ef, hyd y cofiaf, oedd yr unig un o'r athrawon na chafodd lysenw ar hyd yr amser y bu'n gwasanaethu yn yr ysgolion. *Agricultural Science* oedd ei bwnc, ac roedd ei ddealltwriaeth o fywyd y wlad yn ei wneud yn ffefryn gennym ni hogiau'r ffermydd yn syth. Ef, mewn rhyw wers rydd, a eglurodd wrthym sut yr oedd yr *'internal combustion engine'* yn gweithio, rhywbeth yr oeddwn wedi bod yn ysu am ei wybod ers tro byd! Roedd ei ddawn gyda chwaraeon yn ei wneud yn boblogaidd hefyd gyda'r rhelyw o'r rhai swnllyd a eisteddai yng nghefn y dosbarth, a bu ei ddylanwad tawel arnom, a'i ddisgyblaeth garedig, yn fendith fawr i'r ysgol gyfan. Yn y dosbarthiadau isaf ef oedd yn rhoi gwersi *Algebra* a *Geometry* inni, a rywsut, roeddynt yn hollol wahanol i'r pynciau a ddysgid gan Mrs Rice. Yn ddiweddarach daeth Eurog Davies adref o'r fyddin i gymryd gofal am holl bynciau Mathemateg, a chefais i fawr o drafferth i ddeall rhifau na siapiau wedi dod o dan ddylanwad y ddau athro athrylithgar yma. Ar y cyfan, o hynny ymlaen am tua phedair blynedd doedd bywyd ddim yn rhy ddrwg yn ysgol Tytandomen.

Yr unig aelod o'r staff a siaradai Gymraeg yn weddol gyson â ni oedd Ellis Evans, yr 'Hen Êl'. Gan fod portread D. Tecwyn Lloyd ohono yn ei lyfr *Lady Gwladys* yn dweud y cyfan amdano, nid oes diben imi ychwanegu dim ar wahân i gadarnhau fod iddo le cynnes iawn yng nghalonnau ei gyn-ddisgyblion. Rwyf yn bur siŵr mai'r rheswm pennaf am hyn yw'r ffaith mai yn Gymraeg y caem ein cyfarch ganddo yn y gaer yma o Seisnigrwydd. Fy nghof cyntaf amdano yw ei weld ar fore fy ail ddiwrnod yn yr ysgol mewn rhyw gilfach dywyll yng nghyffiniau'r stôr-rŵm ger ystafell y prifathro, yn ffwdanus werthu capiau ysgol a bathodynnau i roi ar gotiau inni. Capiau du gyda chylch coch a bathodyn BGS oeddynt. Rwy'n cofio'n iawn mai ei eiriau ef yn gofalu am y pentwr capiau oedd y Cymraeg cyntaf a glywais o fewn muriau Ysgol Tytandomen, ac i greadur bach a ddaeth yno o ysgol gwbl Gymreig, dyna'r gerddoriaeth felysaf a glywais erioed.

Bu Ellis Evans yn hynod weithgar gydag enwad yr Annibynwyr a Phlaid Cymru yn y cylch. Bu'n aelod o'r staff ers tua cyfnod y Rhyfel Mawr. (Fe'i gwelir mewn darlun o dîm pêl-droed yr ysgol yn llyfr atgofion J.E. Jones, *Tros Gymru*.) Mae'n ddigon tebyg mai dyma ei swydd gyntaf, a bu yno hyd ei ymddeoliad. Cafodd radd BA yng Ngholeg Prifysgol Bangor, wedi bod yn astudio Cymraeg yn nosbarthiadau Syr John Morris Jones. Byddai'n hoff iawn o gyfeirio at 'Syr John' yn ei wersi Cymraeg. Er mor boblogaidd ydoedd gan bawb, ofnaf na chefais erioed fy ysbrydoli ganddo yn y gwersi Cymraeg na'r Arlunio yr oedd yn gyfrifol amdanynt. Y duedd oedd i'n dysgu fel rhyw griw o barotiaid. Iawn gyda gramadeg – ni wn am ffordd arall o gofio'r holl reolau – ond does gen i 'rioed gof iddo agor fy llygaid i weld prydferthwch darn o farddoniaeth na rhyddiaith, na darlun ychwaith o ran hynny. Fodd bynnag, gwnâi i fyny am hyn yn ei garedigrwydd tuag atom a'i gonsýrn amdanom. Mae'n debyg mai dyna pam yr edrychem ymlaen at ei weld ymhob gwers, ac yr oedd cael cerydd hyd yn oed gan yr Hen Êl yn ymylu ar fod yn ddigri ac yn bleser. Ac efallai ei fod yn athro da iawn ond mai fi oedd yn dwp.

Os nad oedd y gwersi Cymraeg yn codi i dir uchel, ofnaf na chefais i fawr ddim blas ar y gwersi Saesneg. Un o'n hathrawon cyntaf oedd Major J.F. Bolland – yn syth o'r fyddin, ac ar adegau heb sylweddoli ei fod wedi gadael y sefydliad hwnnw. Sais rhonc, ac un nad oedd yn ôl o'n gwawdio fel Cymry os byddem yn drwsgwl yn ein hymdriniaeth o iaith y British Empyiyr. Mewn gair, bwli. Ac ar ôl y diflastod gyda'r Major, er na fu ei arhosiad yn hir, roedd gofyn cael athrylith i ennyn diddordeb ynof at y pwnc pwysig yma. Efallai 'mod i erbyn hynny'n hollol ragfarnllyd – ond ddaeth yna 'run. Rwy'n dal i gredu'n gydwybodol i'r olaf o'r pum athro Saesneg a gefais mewn pedair blynedd lwyddo i wneud y cam mwyaf posib â hogiau cefn gwlad wrth geisio'n paratoi ar gyfer arholiadau'r hen *Senior*. Y flwyddyn honno rhoddid dewis o ddau lyfr i'w hastudio, naill ai *Eothen*, sef hanes teithiau (digon difyr efallai) rhyw Imperialydd o Sais drwy rai o wledydd y Dwyrain Canol yn oes Fictoria, neu *Farmer's Glory*, oedd yn hunangofiant colofnydd y *Farmer's Weekly*, Arthur G. Street. Yn y llyfr hwn ceir cipolwg ar ddulliau amaethu yn ne Lloegr ar ddechrau'r ugeinfed ganrif, hanes difyr yr awdur pan yn llanc yn gweithio ar un o ffermydd grawn y *prairies* yng Nghanada, ac yna hanes ei ddychweliad i'w hen gartref, a'r newid trist a achosodd dirwasgiad y dauddegau i batrwm y gymdeithas amaethyddol a chymdeithasol yn Lloegr, oedd yn rhyfeddol o debyg i'n cymdeithas wledig ni ym Mhenllyn. Er bod dylanwad amaethyddol sylweddol yn yr ysgol – ar hogiau'r dref hyd yn oed – *Eothen* oedd dewis Llewelyn Williams ar ein cyfer, a does gen i ddim amheuaeth mai'r dewis hwnnw a barodd imi fethu fy arholiad Inglish Lit. Ofnaf na chefais erioed fawr o flas ar ddramâu'r hen Shakespeare chwaith, a fedrais i erioed ddeall pam fod rhai Cymry pybyr yn gwirioni'n bot arnyn nhw. Deuthum o Dytandomen heb glywed enwau Dafydd ap Gwilym na Thwm o'r Nant yn cael eu crybwyll mewn gwers erioed.

Rhaid i mi gyfaddef fy mod bob amser wedi cael fy nghyfareddu gan olwynion yn troi, a chocos yn danheddu i'w gilydd. Gallaf edrych am hydion ar beiriant yn gweithio, ac edmygu rhwyddineb y symud, bob amser i reol a threfn. Mi fedraf hefyd eistedd am hydion ar lan afon, neu ffos hyd yn oed, yn gwylio'r cerrynt yma a'r grym acw yn eu rhediad, a rhyfeddu at yr ynni gwyrthiol a chyson sydd mewn peth mor syml â dŵr! Does fawr ryfedd felly imi wirioni'n lân ar wyddoniaeth yn yr ysgol uwchradd, a byddwn wrth fy modd yn mynd i'r labordai Cemeg a Ffiseg. Diamau mai cyntefig ddychrynllyd oeddynt o'u cymharu â'r hyn a ddarperir ar gyfer disgyblion heddiw, ond roedd yr arbrofion a wneid hyd yn oed yn yr oes honno yn rhoi pleser di-ben-draw imi. Mae'n debyg mai'r ffaith fod yr holl bethau yr ymdriniem â hwy yn gweithio i reol, fel yr olwynion a'r cocos a llif yr afon, oedd achos y dotio yma. Wedi'r cyfan, roedd posib i farciau am draethawd neu atebiad arall mewn arholiad mewn llawer pwnc arall amrywio, yn dibynnu ar safbwynt (neu hwyl) yr athro, ond roedd eich atebion mewn Mathemateg neu Wyddoniaeth yn reit neu'n rong – deg marc neu ddim! Am ryw reswm roedd hynny'n bwysig iawn imi yn y cyfnod yma.

Bernard Roderick, brodor o un o gymoedd y de, oedd yr athro Ffiseg. Er iddo ein tywys i gyd yn llwyddiannus drwy arholiadau'r hen *Senior* gynt, fel tipyn o lolyn yr ystyrid ef. Llysenwyd ef yn Boliog, am reswm amlwg! Ceisiai fod yn ffrindiau â hogiau'r ffermydd, oherwydd roedd hi'n gyfnod dogni, a mynych y sibrydodd yng nghlust rhai ohonom: *'Has your mother got some eggs or bacon to sell?'* Does fawr ryfedd fod ei siâp wedi achosi iddo gael y llysenw! Cais arall fyddai: *'Has your father any petrol coupons to spare?'* Roedd yn berchen Vauxhall 10 oedd yn sgleinio fel swllt!

Credai rhai nad oedd yn hyddysg iawn yn ei bwnc ond, o'm profiad i, pan oedd ar ei orau gallai fod yn ddifyr iawn yn y lab, ac mae'n siŵr mai'r ffefryn o'r holl arbrofion yn y blynyddoedd cynnar oedd *The Experiment of the Collapsing Tin*. Arbrawf oedd hwn i ddangos yr ynni sydd gan ager yn cyddwyso. Yn y cyfnod cyn-blastig hwn gwerthid olew ar gyfer ceir mewn tuniau metel cryf, sgriw-top, yn dal peint neu chwart, ac fe ymddangosai fod gan Boliog stôr o'r rhain wrth law (wedi eu begio yn un o'r modurdai lleol, mae'n siŵr). Rhoddid ychydig bach o ddŵr mewn tun, a'i godi i ferwi. Yna cyn i'r stêm gael cyfle i ddod allan ohono fe sgriwid y caead yn dynn, a'i roi dan y tap i oeri. Yn fuan iawn byddai'r stêm wedi ei gyddwyso'n ddŵr, gan achosi gwactod yn nhu mewn y tun. Yna, gan fod pwysedd yr awyr gymaint mwy na'r pwysedd y tu mewn i'r tun, byddai ochrau cryfion y tun yn cael eu sugno i mewn nes edrychai fel pe wedi bod yn y feis.

Fel y nodwyd, roedd diben gwyddonol i'r arbrawf, sef dangos sut y cymhwysid yr ynni rhyfeddol yma i yrru peiriannau stêm. Ei ddiben i ni oedd bod yr athro, am ryw reswm, yn gweld y ffordd y crebachai'r tun mor sydyn mor ddychrynllyd o ddigri nes y byddai'n chwerthin bron yn aflywodraethus, a byddai ei fol yn ysgwyd i fyny ac i lawr, er mawr hwyl i'r holl ddosbarth. Yna, ymhen rhyw ychydig wythnosau, byddai un o'r dosbarth yn fwriadol yn ymddangos yn anwybodus iawn ynglŷn â'r mater. Parai hynny i'r athro ebychu geiriau tebyg i: *'... surely, you remember the experiment of the collapsing tin.'* Byddai'r ymateb: *'No sir, I must have been absent that day'*, yn golygu y byddai tun arall yn cael ei gyrchu o'r stôr i oleuo'r disgybl a honnai fod mor anwybodus, ac i beri difyrrwch mawr i ninnau am wers arall.

Achos digrifwch arall i'r athro, ac ysgwyd sylweddol ar y bol, fyddai'r stori am yr hen Archimedes yn neidio allan o'i fath ac yn rhedeg allan i'r stryd yn noethlymun groen gan weiddi *'Eureka'* dros y lle!

Er y ceisiai roi'r argraff ei fod yn cymryd popeth yn ddychrynllyd o ddifrifol (er mwyn cadw disgyblaeth, efallai) gŵr yn byrlymu o hiwmor oedd yr athro Cemeg, Elwyn Jones. Roedd y lab Cemeg ar ben y grisiau uwchben y lab Ffiseg. Ar wahân i'r sbectol ffrâm ddu a wisgai, nid oedd unrhyw nodwedd anarferol yn perthyn i'r athro, felly Jôns Cem oedd ei enw yn ei gefn. Brodor o Benrhyndeudraeth ac athro cydwybodol, a gwae unrhyw un nad oedd yn gwrando. Yn ffodus, ei gyfarthiad oedd waethaf, a digrifaf, o ddigon. *'The last boy I threw out of this room didn't touch those stairs,'* a *'Keep quiet, you Bala gang* (hogiau'r dre eto!); *you're like a gang of auctioneers, all your strength in your jaws!'* Cymro Cymraeg, wrth gwrs, a ddefnyddiai dipyn o Gymraeg yn y gwersi Cemeg. Ymboenai'n fawr i'n cael i sillafu geiriau gwyddonol yn gywir. Un peth a gamsillefid yn gyson gan amryw o ddisgyblion oedd y ddiweddeb ' . . . *ous'*. Felly, i bwysleisio'r ffurf gywir o'r sillafiad, gwenwynig oedd 'poisynows', am rhywbeth ddi-dŵr, 'anhyidrows', i fynegi syndod, 'Gwd gresiows' – ac yn y blaen! Achosai hyn hwyl fawr inni, a chystadlu brwd yn ein plith i ffurfio brawddegau a mwyaf o ' . . . *ous'* ynddynt!

Gan ei fod hefyd yn gerddor dawnus, ef a gâi'r hunllef o roi gwers gerddoriaeth inni. Mae'n amlwg nad oedd cerddoriaeth yn uchel ar restr blaenoriaethau'r ysgol, oherwydd un wers a gaem bob wythnos. Fel pe na bai hynny'n ddigon tila, roedd y ddau ddosbarth isaf yn uno ar gyfer y wers honno. Felly, yr hyn a wynebai Elwyn Jones ar bob pnawn dydd Llun oedd criw afreolus o bron i bedwar ugain wedi ymgasglu i neuadd yr ysgol. Doedd dim golwg na siâp cantorion ar rhyw dri chwarter

97

ohonynt, ac erbyn y wers olaf doedd ar amryw o'r gweddill ddim awydd canu beth bynnag. Y cyfan y medrai'r athro druan ei wneud oedd ceisio ein cael i gyd-ganu ambell emyn, ac ambell ddarn mwy uchelgeisiol fel 'Pwy yw Sylvia?', 'Largo' (Handel) a phethau cyffelyb ar gyfer eu canu mewn cyfarfodydd rhannu tystysgrifau a'u tebyg. Byddai Emyr Francis Roberts, Eric Evans o'r Bala neu Emyr Wyn Jones, Llandrillo, disgyblion o ddosbarthiadau uwch, yn dod i gyfeilio inni. Synau ansoniarus a glywid gan y cantorion, ond nid bai'r athro oedd hynny.

Yn wahanol i lawer o'm cyd-ddisgyblion, mae'n siŵr, byddwn wedi hoffi cael mwy o hyfforddiant mewn cerddoriaeth, ond gan y câi'r pwnc cyn lleied o sylw yng nghwricwlwm fy hen ysgol ni chefais erioed awr o wers mewn elfennau Cerddoriaeth. Bûm yn ystyried droeon sôn wrth fy rhieni, neu'r prifathro hyd yn oed, yr hoffwn gael gwersi cerddoriaeth yn yr ysgol, ond roedd dau beth yn fy atal rhag gwneud – fy anallu i chwarae'r piano, a'r ffaith y byddai'n rhaid imi fynd i gael gwersi yn Ysgol y Merched. Ond yn sicr, er nad oedd y dewis yn bod, byddai Cerdd wedi bod yn fwy o ddefnydd imi na Hanes drwy lygaid Sais!

Yn ystod y cyfnod yma byddai mynd mawr ar raglenni Awr y Plant ar y radio. Dyma gyfnod Gari Tryfan, rhaglen a wnâi inni fod yn ddistaw a llonydd am hanner awr o leiaf bob wythnos. Darlledwyd hefyd raglen gwis rhwng hen siroedd Cymru a elwid yn 'Am y Gore'. Tua 1948, os cofiaf yn iawn, dewiswyd Catrin Puw Morgan (Davies wedyn) o Gorwen a minnau i gynrychioli Sir Feirionnydd. T.I. Ellis oedd yr holwr, a daethom drwy'r rownd gyntaf yn fuddugol, er bod doniau disglair fel y diweddar Bedwyr Lewis Jones yn un o'r rhai a gynrychiolai Sir Fôn. Wedi imi ddod yn gybyddus â'r Athro Bedwyr yn ddiweddarach yn ei yrfa, byddwn yn cael ei atgoffa weithiau o'n buddugoliaeth drosto flynyddoedd ynghynt. 'Ydi'r llun yn dal gen' ti?' gofynnodd un tro, 'er mwyn T.I. Ellis y tynnwyd y llun yna!' Ni wnaethom cweit cystal yn y ffeinal, daethom yn gydradd fuddugol â thîm Sir Aberteifi. Ein gwobr oedd pensel arian fechan (*propelling pencil* oedd enw'r BBC arni) gyda *BBC Children's Hour* wedi ei stampio ar ei hochr. Mae'r bensel fach yn dal o gwmpas, ond ychydig iawn o ddefnydd a gaiff heddiw yn oes y cyfrifiadur.

Credaf fy mod wedi cyrraedd y chweched dosbarth pan gyhoeddodd y prifathro ein bod yn mynd i ddathlu Gŵyl Ddewi drwy gael Eisteddfod. Codwyd pwyllgor, a dewiswyd Trefor Williams o'r Bala a finnau'n gyd-ysgrifenyddion. Does gen i ddim cof na chofnod o ddim o'r gweithgareddau, ar wahân i'r ffaith fod Glenys Hughes, athrawes Gymraeg yn Ysgol y Merched, yn beirniadu Llenyddiaeth. Roedd yn wybyddus ei bod hi a Jôns Cem yn dipyn mwy na ffrindiau, ac aeth nifer ohonom i gyfansoddi stori fer ar y cyd. Ni chofiaf ddim o'r manylion, ond mai stori oedd hi am athro Cemeg yn gwenwyno'i wraig. Chafodd y stori ddim gwobr. Chafodd hi ddim effaith o gwbl ychwaith, oherwydd fe briododd y ddau yn fuan wedyn. Daethant i fyw i'n hardal ni, a chawsom ychydig flynyddoedd o'u gwasanaeth ac o'u cwmni hwyliog nes i Elwyn Jones gael ei benodi'n brifathro ar Ysgol Uwchradd Llanfyllin. Daliasom mewn cysylltiad, gan ei fod yn holi am ychydig o gyfarwyddyd cerdd-dantaidd gan 'Nhad yn achlysurol, a gofid mawr inni oedd ei farw yn llawer rhy ifanc. Bu Mrs Jones yn athrawes Gymraeg yn Ysgol Llanfyllin. Flynyddoedd yn ddiweddarach bu'n olygydd *Y Wawr*.

Tua chanol fy nghyfnod yn ysgol Tytandomen cefais un profiad pur ddiflas. Pe byddai hyn wedi digwydd heddiw mae'n bosib y gallwn honni fy mod wedi fy ngham-drin yn rhywiol, a byddai'r heddlu wedi bod yn ymchwilio i'r mater. Pur ddiniwed oeddwn yn y maes yma, a minnau ond tua phedair ar ddeg oed. Fel pob plentyn a fagwyd ar fferm roeddwn yn ymwybodol o ffeithiau bywyd ers yn ifanc iawn, ac yn gwybod fod mab a merch yn syrthio mewn cariad.

Gwyddwn hefyd beth a ddigwyddai os byddent yn 'caru gormod' fel y byddai rhai o'r rhai hŷn yn ei ddweud! Pan ddeuthum i gysylltiad â gŵr oedd yn bur amlwg yn y bywyd Cymreig ar y pryd, ac yntau'n cymryd tipyn o ddiddordeb yn fy ngyrfa addysgol, freuddwydiais i erioed y gallai fod ganddo unrhyw ddiddordeb arall ynof. Yn wir, yr adeg honno doeddwn i ddim yn ymwybodol o'r ffaith y gallai dyn fod yn ffansïo hogiau bach, ac er i'r dyn yma ymweld â ni gartre fwy nag unwaith, rwyf yn bur siŵr nad oedd fy rhieni yn amau unrhyw ddrwg chwaith. Ymhen peth amser gwahoddwyd fi i aros yn ei gartref. Doedd dim o'i le yn hynny – roeddwn i wedi arfer mynd at deulu a ffrindiau dros y Sul – a derbyniwyd y gwahoddiad. A dweud y gwir, yng ngeiriau un o feirdd y Talwrn, 'yr oedd mam ofyr ddy mŵn' fy mod yn cael cyfle i dreulio amser yng nghwmni dyn mor bwysig.

Pan gyrhaeddwyd y tŷ y dywedodd wrthyf fod ei wraig wedi mynd i ffwrdd am rai dyddiau, ac y byddem ein dau yn cysgu gyda'n gilydd y noson honno. Doedd dim o'i le yn hynny chwaith; roeddwn i wedi arfer cysgu hefo 'Nhad yn achlysurol, ac roedd cariad fy chwaer yn cysgu hefo mi bob nos Sadwrn – roedd hynny yn yr oes cyn i gariadon ddechrau cysgu gyda'i gilydd! Ond noson pur anghysurus a dreuliais gyda'r cywely yma. Fedra i ddim dweud iddo *ymosod* arnaf yn rhywiol, ond roedd o'n cyffwrdd rhannau o'm corff na fyddai 'Nhad na'm darpar frawd-yng-nghyfraith yn eu cyffwrdd. Yr unig ymateb o'm tu i hyd y cofiaf yw imi rewi yn ei gwmni, a phur unochrog fu'r sgwrs am weddill fy arhosiad. Mae'n debyg iddo yntau sylweddoli ei fod wedi methu ei dderyn, oherwydd rwy'n bur siŵr mai ffugio a wnaeth fore trannoeth fod rhywbeth yn bod ar ei gar, a dweud y byddai'n well imi fynd adre ar y trên y pnawn hwnnw yn hytrach nag aros y ddwy noson arall arfaethedig, ac iddo yntau fy nanfon i'r ysgol fore dydd Llun. Ac adre ar y trên yr es i, diolch byth!

Ddwedais i yr un gair am y profiad wrth neb, ddim yn yr

ysgol, rhag i bawb chwerthin am fy mhen, na gartre chwaith; meddyliwn, yn anghywir mae'n siŵr, nad oedd unrhyw obaith i neb dderbyn fy ngair i yn erbyn cymeriad dyn mor bwysig. Ymhen ychydig iawn o amser, pan ddois i wybod yn well am y cyfryw bethau, clywais o le arall nad fi oedd y cyntaf (na'r olaf chwaith) i'r dyn yma gymryd 'diddordeb' ynddo. Dydw i ddim gwaeth wedi'r profiad, ond fedra i ddim llai nag arswydo wrth feddwl fod yna filoedd ar filoedd o hogiau wedi cael profiadau llawer iawn gwaeth na fi, a heb ddweud gair wrth neb. Yn wir, dydw i fy hun erioed wedi sôn gair o'r blaen wrth undyn byw – tan rŵan.

Fedra i ddim dweud i'r profiad, er mor ddiflas ar y pryd, amharu llawer arnaf – aeth bywyd ymlaen yn yr un hen rigolau – ond wedi symud i'r chweched dosbarth fe aeth pethau'n bur flêr arnaf. Fel y crybwyllwyd eisoes, roeddwn i wedi gwirioni ar wyddoniaeth, a'm dewis cyntaf ar gyfer yr *Higher* oedd Cemeg a Ffiseg. Roedd angen dewis un pwnc arall. Yn anffodus roedd Eurog Davies, yr athro Mathemateg, wedi ymadael rhyw ddau dymor ynghynt, ac nid oedd yr athro a orffennodd gwrs y *Senior* gyda ni yn codi i'r un uchelfannau. Yn ogystal, rhybuddiwyd fi gan rai oedd eisoes yn gwneud Maths yn y chweched ei fod o'n anodd iawn. Wel, os oedd o'n anodd, a finnau wedi dechrau colli fy nhraed y flwyddyn cynt, gwiriondeb fyddai rhoi cynnig arno. Y dewis arall oedd Bioleg. Y drwg gyda hwn oedd nad oeddem yn cael cyfle i'w astudio ar gyfer y *Senior*, felly byddai'n rhaid gwneud y cwrs hwnnw mewn blwyddyn, ac yna gwneud cwrs yr *Higher* yn yr ail flwyddyn. Tipyn o waith! Ond John Saer oedd yr athro, ac roedd hynny'n atyniad mawr. Felly dyma roi cynnig arni.

Roedd y Cemeg a'r Ffiseg yn dod yn eithaf da. Tipyn o ymdrech oedd y Bioleg, a gwaeth fyth, roedd yn rhaid mynd yn ôl i'r pumed dosbarth i ail-wneud yr Inglish Lit, oherwydd y pryd hynny doedd Sgŵl Syrtifficet ddim yn *School Certificate* heb Inglish Lit. Golygai hyn i gyd weithio diddiwedd, a dechreuais gael digon ar waith, gwaith, gwaith, a hwnnw'n waith ysgol o hyd. Am y tro cyntaf yn fy mywyd, erbyn gwyliau'r Nadolig roedd yn gas gen i fynd i'r ysgol. Mi wnawn unrhyw beth i osgoi mynd at fy llyfrau. Yn ddiweddarach, wrth gwrs, sylweddolais fod y ffordd yna o feddwl yn gwneud fy sefyllfa yn llawer iawn gwaeth, ac mai bwrw iddi fwy-fwy gyda'm llyfrau y dylwn fod wedi'i wneud. Er fy mod yn helpu gyda phob math o waith amaethyddol ar wyliau a thros y Sul, chefais i erioed fy nghynnwys gan fy rhieni i fynd yn ffarmwr. Erbyn cyrraedd pymtheg oed, oherwydd eu bod am imi gael pob cyfle gyda'm haddysg, rhyw wirfoddoli i helpu gartref y byddwn yn hytrach na chael fy ngwysio i wneud swydd. Dywedwyd wrthyf fwy nag unwaith eu bod ofn iddi ddod yn fyd drwg eto, ac imi orfod wynebu caledi tebyg i'r hyn a brofasant hwy. Pwysleisiwyd bob amser fod yn well imi 'sticio iddi tua'r ysgol 'na er mwyn mynd yn dy flaen'. Er imi pan yn iau, fod yn ffansïo fy hun yn saer neu yn of (brodyr Nain Nant a Dewyrth Dic, brawd Mam oedd yr arwyr), y drwg oedd nad oedd gen i yr adeg honno unrhyw syniad i ble'r hoffwn i fynd yn fy mlaen. Pan ddaeth y cyfnod diflas yma yn yr ysgol i'm rhan fe ddaeth godro yn bleser, a gorchwylion fel chwalu tail (hefo fforch, cofiwch!) a hel cerrig yn rhywbeth i edrych ymlaen atynt – unrhyw beth i ohirio'r artaith o agor y llyfrau Bioleg – a'r Inglish Lit. mwyn tad.

Yna, ar ddiwedd gwyliau'r Sulgwyn yn fy mlwyddyn gyntaf yn y chweched dosbarth, penderfynais fy mod wedi cael digon, ac am y tro cyntaf hyd y cofiwn, dyma fi yn bendant yn anufuddhau i fy rhieni, a gwrthod mynd i'r ysgol. Roedd 'Nhad yn ceisio ymresymu hefo fi yn ei ffordd dawel ei hun, a Mam yn dweud y drefn, bobol bach! Bu H.J. Pugh hefyd yn ceisio perswadio a chynghori mor bwysig oedd ymatal rhag diogi meddyliol – doedd ganddo ddim amheuaeth na lithrem byth i ddiogi corfforol! Gresynai fod 'y ffarmwrs 'ma yn cadw eu plant adra i weithio, pryd y medran nhw fynd yn eu blaena.' Ychydig a wyddai na fu yna erioed un gronyn o berswâd arnaf i aros adre i weithio. Ond adref yr arhosais i.

Bu bron imi anghofio nodi hefyd fod 'Nhad, rhyw flwyddyn ynghynt, wedi prynu Ffergi Bach newydd sbon, FF 7466. Ac roedd yn hwnnw lot fawr o olwynion a chocos!

Dewyrth

Robert John Evans oedd ei enw bedydd o, ond roedd ganddo lu o enwau eraill – Bob neu Rhobet John oedd y mwyaf cyffredin, ac yn aml iawn deuai Tyddyn Du ar ei ôl, gan mai yn Nhyddyn Du y bu'n byw ar hyd ei oes. Rydw i bron yn siŵr mai dim ond fi oedd yn ei alw'n Dewyrth, a hynny wedi cychwyn yn fwy o jôc na dim arall, oherwydd mai go bell oedd y berthynas. *Roedd* o'n perthyn, ei nain yn chwaer i William Pugh, fy hen-daid, felly roedd Dewyrth yn gyfyrder i 'Nhad, ond llawer pwysicach i mi oedd fod Dafydd (neu David Evan a ddirywiodd i fod yn Dei If cyn ei fod o wedi bod yn yr ysgol am awr, siŵr gen i) ei fab hynaf, rhyw dri mis yn hŷn na mi, ac rydym ein dau wedi bod yn dipyn o fêts ers inni gyfarfod gynta rioed, pryd bynnag oedd hynny rywdro cyn diwedd y tridegau.

Braidd yn eiddil o gorffolaeth fu Dewyrth erioed, ond gwnâi i fyny am hynny mewn gwytnwch a phenderfyniad. Mae'n bur debyg iddo ddioddef o ryw anhwylder tebyg iawn i'r polio pan oedd yn blentyn pur ifanc, gan iddo dreulio'i oes â mymryn o hob gloff yn ei gerddediad gan fod un goes yn llawer iawn meinach na'r llall.

Mab Talybont, fferm gyfagos, oedd Dafydd Evans, tad Dewyrth. Priododd Elen Roberts, Maesgwyn – fferm arall oedd yn taro ar Dyddyn Du a Thalybont – a dechrau ffermio Tyddyn Du. Wel na, ddim yn syth chwaith. Buont ar fis mel i ddechrau. Wedi priodi aed i'r Bala i ddal y trên i Arenig (mae'n debyg fod y rheilffordd o'r Bala i Flaenau Ffestiniog newydd agor), a cherdded dros y gweundir a elwir yn Gefn Llwyn Bugail yn ôl i dop Cwm Glan Llafar. Wedi'r mis mêl hwnnw y dechreuwyd ffarmio Tyddyn Du. Mae lle i rywun ofni fod merched yr oes yma'n cael eu sbwylio'n rhacs!

Credai Dafydd Evans yn gydwybodol mai achos cloffni ei fab oedd fod Pegi Ty'n Twll wedi ei witsio. Y stori oedd fod yr hen Ddafydd wedi ffraeo hyd at daro hefo Lias Hughes, Cefn y Maes, o achos corlan ddefaid ar odre'r Arenig Fawr. Aeth yn achos llys rhyngddynt, a gwysiwyd y ddau i'r gwrandawiad yn Nolgellau. Ifanc iawn oedd Robert John ar y pryd, a chan fod Elen eisiau bod yno naill ai'n dyst neu'n gefnogaeth i'w gŵr, gofynnwyd i Pegi Ty'n Twll warchod y babi. Yn union wedyn yr aeth yr hogyn bach yn sâl ac i fethu sefyll.

Bu George Roberts, y Ceunant, yn gweithio yn Nhyddyn Du yn fuan wedi'r cyfnod yma, ac arferai ddweud y byddai Dafydd Evans yn ffraeo hefo Pegi ar gownt y witsio honedig bob cyfle a gâi. Yn wir, âi George Roberts mor bell â dweud fod yr hen Ddafydd yn mynd allan o'i ffordd i groesi dau gae i ddod i olwg Ty'n Twll bob dydd, yn y gobaith y deuai Pegi i'r golwg. Yna byddai'r ddau'n mynd dros yr un hen ffrae bron air am air bob tro, a geiriau olaf Dafydd yn ddi-ffael fyddai '. . . hen bitsh wyt ti yn witsio'r hogyn bach – pam na faset ti'n trio'n witsio fi?'

Witsio neu beidio, gallai Dewyrth, yn ei ddydd, wneud cystal diwrnod o waith â llawer un oedd â'i goesau'n dipyn cryfach – yn wir gallai wneud yn well mewn llawer maes. Yr oedd yn driniwr pladur heb ei ail, a doedd neb tebyg iddo am dorri gwair rhos. Rhan bwysig o'r ddawn honno oedd ei allu i hogi. Oherwydd natur feddal y gweiryn yma, a'i duedd i blygu o flaen y bladur, dywedid ei fod yn dyfiant na ellid ei dorri heb fin yn deifio. Hyd yn oed pan ddaeth y peiriant torri gwair i gymryd lle'r hen bladur byddai llawer yn dal i'w defnyddio i dorri gwair rhos. Heblaw fod pladurwr medrus yn torri gwair rhos yn well hyd yn oed na pheiriant, roedd y rhos fel rheol yn dir pur wlyb, a byddai traed ceffylau ac olwynion y peiriant yn pwyso'r gwair sych i wlybaniaeth wrth drafaelio drosto, tra byddai'r pladurwr yn gallu bod yn ofalus iawn i beidio rhoi troed ar y gwair wedi ei dorri.

Roedd hanes am bedwar pladurwr un haf wrthi'n torri ar Ros Maesgwyn. Y pladurwr mwyaf medrus a gâi'r anrhydedd o fod ar y blaen bob amser, felly Dewyrth oedd y cyntaf yn y rhes, yn siafio'r gwair oddi ar y ddaear. Tom, ei frawd iau yn ail, yntau'n torri'n daclus iawn hefyd. Emwnt y Llannerch, cefnder iddynt, oedd y trydydd; yn torri'n weddol, ond yn gadael ambell i weiryn ar ôl. Defi, brawd hynaf Dewyrth oedd yn y gynffon, oedd, medde nhw, jest yn slapio'r gwlith i ffwrdd!

Ni fendithiwyd Defi â sgiliau ei frodyr. Dyn caib a rhaw oedd ef, ac heb lawer o amynedd i bonsian hefo gwaith oedd yn gofyn am ryw lawer o gywreinrwydd. Roedd mymryn o atal ar ei leferydd, a wnâi i rai o'i sylwadau swnio'n ddigri iawn, er na fwriedid iddynt fod felly bob tro. Un o nifer o fedrau Dewyrth oedd lladd moch. Pan yn llefnyn bu'n mynd yn selog i helpu Bob Tŷ Nant, tyddyn yn Llidiardau, oedd yn dipyn o fwtsiar gwlad. Wedi cael prentisiaeth go dda gan Bob penderfynodd ei fod yn ddigon profiadol i ladd mochyn adre yn Nhyddyn Du ar ei liwt ei hun – gyda help Defi, wrth gwrs. Llwyddwyd i gael y mochyn ar y car lladd, a rhwymwyd ei goesau. Gadawyd Defi i ofalu fod y pen hwnnw'n ddiogel, ac aeth Dewyrth ati i sticio'r mochyn. Dyma drywanu, ond methodd ganfod y wythïen fawr yng ngwddw'r mochyn. Fu'r ail ymgais yn fawr fwy o lwyddiant chwaith, ond y trydydd tro dyma ganfod ffrwd o waed. Yn anffodus, fe dorrodd beipen wynt y mochyn yn ogystal, a phan anadlodd y mochyn druan allan fe chwistrellodd y gwaed am ben y bwtsiar a'i frawd, oedd yn dal i ofalu fod y mochyn yn gorwedd mor llonydd â phosibl ar y car lladd. Ebychodd Defi mewn dychryn o ganol y gwaed, 'D . . . d . . . d . . . diaw, mi ll . . . ll . . . ll . . . lladdi o!' Gwella wnaeth crefft y bwtsiar o hynny 'mlaen, a bu galw mawr am ei wasanaeth yn y gymdogaeth.

Byddai tymor wyna hefyd yn amser prysur iawn i Dewyrth,

a llawer o ffermwyr yr ardal yn mynd â mamogiaid ato pan fyddent yn cael trafferthion esgor. Hyn wrth gwrs pan fyddai'n amser prysura'r flwyddyn iddo yntau fel ffermwr defaid ei hun. Waeth beth fyddai'r prysurdeb byddai Dewyrth yn siŵr o ffeindio amser i helpu. Yr un modd pan fyddai buwch yn cael trafferth lloio, ond mai ar yr adegau hynny y ffariar gwlad fyddai'n trafaelio at ei gleifion. Byddai'n llwyddiannus iawn yn y gwaith, er mai ysgol brofiad oedd yr unig hyfforddiant a ddaeth i'w ran. Eto, pan ddôi profedigaeth i deulu byddai Dewyrth wrth law i gysuro'r trallodus ac i 'ddiweddu' yr ymadawedig.

'Peidiwch â sôn,' fyddai'r ymateb pan fyddid yn crybwyll tâl, ac mae'n beryg na fyddai 'na sôn yn llawer rhy amal.

Ar droed yr âi i'r holl alwadau hyn yn y dyddiau gynt, fel llawer arall o'i gydoeswyr. Does gen i 'rioed gof ei weld ar gefn beic. Efallai nad oedd y goes fain yn ddigon cryf i gampau felly. Efallai hefyd ei fod wedi pasio oedran reidio beic pan gofiaf ef gyntaf, ond rwy'n ei gofio'n prynu ei gar cyntaf. Austin 12 aill-law yn dwyn y llythrennau BLX, oedd yn awgrymu, os oedd coel ar lyfr yr AA, mai yn Llundain y cychwynnodd y peiriant hwnnw ei yrfa. Mae lle i gredu fod ei berchennog cyntaf wedi cael gwerth ei bres ohono, gan mai hynod drafferthus fu'r hen gar tra bu yn Nhyddyn Du. Doedd y ffaith fod Dewyrth o gwmpas y trigain oed pan brynodd y car tua diwedd yr Ail Ryfel Byd ddim llawer o fantais i hirhoedledd y BLX, a'r gred gyffredinol oedd iddo fod yn hynod ffodus nad oedd y prawf gyrru mewn bod yr adeg honno oherwydd y rhyfel. Dim ond codi trwydded dros dro ddwywaith oedd raid, a rhoddid trwydded lawn i'r gyrrwr pan geisiai un y trydydd tro.

Bu llu o droeon trwstan. Ar ambell ddydd Sadwrn byddai Mrs Evans (am ryw reswm wnes i 'rioed ei galw hi'n Fodryb, Dodo nac Anti, dim ond Musus Ifans) yn cerdded i groesffordd y Llannerch i gyfarfod y bws i fynd i'r Bala i siopa. Roedd Mr Crosville yr adeg honno yn gofalu fod bws yn mynd a dod i lawer o'n hardaloedd gwledig. Fel arfer byddai cymdoges, Dodo Lora, Tŷ Cerrig Ucha yn mynd hefo hi. Synnwn i ddim nad un o'r siwrneiau cyntaf wedi prynu'r car oedd i groesffordd y Llannerch i gyfarfod y siopwyr ddôi'n ôl o'r Bala ar fws hwyrach. Roedd y ffordd o Dyddyn Du i'r groesffordd yn un dawel, ddi-draffig y dyddiau hynny. Un noson, a hithau wedi lled dywyllu, roedd y BLX ychydig yn hwyr yn cyfarfod y ddwy wraig lwythog. Pan gyfarfu'r cerddwyr y car aethant i eistedd i'r set ôl, a'u basgedi neges gyda hwy, ac aed ymlaen i'r groesffordd i droi'n ôl. Yn anffodus, fe fagiodd y sioffar i'r ffos, a bu raid i'r pasinjyrs ddod allan i wthio. Pan lwyddwyd i gael y car allan, i ffwrdd ag ef fel mellten. Ymhen rhyw filltir go dda fe hanner drodd y gyrrwr ei ben yn ôl a dweud, ''Dech chi'n ddistaw iawn y tu ôl ne'ch dwy'. Distawrwydd. Dyna pryd y sylweddolodd Dewyrth nad oedd wedi stopio i ailgodi ei deithwyr wedi'r gwthio o'r ffos! 'Pam na fasech chi wedi deud nad oeddech chi wedi dod i mewn?' meddai, pan aeth i groesffordd y Llannerch i gyfarfod y siopwyr yr ail waith y noson honno.

Ar y ffordd i Ddolgellau rywdro methodd y dreifar â stopio, ac aeth trwyn y BLX yn sownd o dan din lorri wartheg. Y fath lwc, sylwodd Dodo Lora, fod dreifar y lorri wedi dallt fod car Robet John yno, neu does wybod i ble base fo wedi'i lusgo fo.

William Roberts, Cynythog Ganol, oedd ei gyd-deithiwr pan drodd i un o strydoedd cefn y Bala yn bur gyflym, a hynny ar yr ochr anghywir. Roedd hogyn ysgol yn reidio beic i'w gyfarfod, a phan welodd hwnnw'r BLX yn dod amdano, dyma fo'n dechrau woblo. Ebychodd Dewyrth yn reit bifis, 'Tase'r cythrel acw'n dod yn syth yn 'i flaen mi faswn i'n gwybod ffordd mae o'n trio mynd!'

Yn Eisteddfod y Tai yn y Parc un flwyddyn gosodwyd 'Hunangofiant Car' yn destun yn adran y llenyddiaeth. Y buddugol oedd William Roberts, wedi ysgrifennu hunangofiant car Tyddyn Du. 'Ty'd imi weld dy draethawd di, William,' meddai Dewyrth. Roedd y dagrau'n bowlio wrth iddo'i ddarllen, a rhyfeddai at ddychymyg William Roberts yn medru sgrifennu am y fath ddigwyddiadau digri, heb sylweddoli mai ei hanes ei hun a roddai'r fath ddifyrrwch iddo.

Fel gyda'r gwaith pladur, roedd graen ar bopeth a wnâi ar y fferm, a loes iddo oedd i amgylchiadau yn y byd amaeth adeg y rhyfel ei orfodi, yn groes i'w ewyllys, i fynd ar ofyn peiriannau'r Wôr Ag i'w helpu i ddod i ben â'r gwaith. Synnwn i ddim nad Musus Ifans a ofynnodd i 'Nhad yrru beindar yno i dorri ŷd y tro cyntaf. Dydw i ddim yn meddwl i hynny blesio, ond o dipyn i beth aeth ymweliadau'r Ffordson Bach gwyrdd a'i deulu yn fwy aml. Byddai yna dipyn o chwythu bygythion os na fyddai'r gwaith i fyny i safon, a gair reit grafog hyd yn oed os byddai wedi ei blesio. Bob Edwards aeth yno i droi un gwanwyn. Roedd Bob yn grefftwr pa un bynnag ai ceffyl neu dractor a dynnai'r arad, ac yn benderfynol na fyddai'r cwsmer yn gweld unrhyw fai yn ei waith. Cymerodd fwy o ofal hyd yn oed nag arfer yn Nhyddyn Du'r tro hwnnw, gan fod y cae yn un reit ffeind. Wedi dod i ben talar fe deimlai'n reit falch o'r cwysi gwastad, fel mai braidd yn annisgwyl, os annisgwyl hefyd, oedd y sylw, 'Mi faswn i wedi gwneud yn well wysg 'y nhin'. Wrth lwc, barnai Bob fod ei wên yn bradychu ei wir deimladau!

Pan ddaeth y genhedlaeth nesaf yn Nhyddyn Du i ddylanwadu arno fe fu'n llawer parotach i dderbyn y newid, a chodai gwên ar wyneb llawer o'i weld yn eistedd ar y beindar ar gynhaeaf ŷd yn ymddangos fel pe bai'n mwynhau ei ddyletswyddau newydd. Ac yn anghofio symud ambell i lifar weithiau, er mawr ddifyrrwch i'r gwylwyr!

Y drwg hefo'r genhedlaeth iau oedd y byddent ambell dro yn tynnu ei goes yn ddidrugaredd. Gosododd drap llygod yn y twll dan grisiau un noson cyn mynd i'w wely. Roedd o'n glwydwr cynnar, digon cynnar i griw ohonom fod yno yn cael torri gwallt wedi iddo noswylio. Tynnwyd y caws, rhoddwyd rhyw binsiad bach byr o'r gwallt yn y trap, a'i gau. Y drwg oedd fod y gynulleidfa yn llawer llai niferus bore trannoeth i glywed ei ebychiadau am y 'llygoden' oedd wedi dianc heb adael ond ychydig o'i blew ar ôl!

Pan fyddai buwch ym min llo, yr arferiad fyddai i rywun 'aros ar ei draed' i gadw llygad arni. Rywdro wedi iddo gyrraedd oed yr addewid bu Dewyrth o gwmpas drwy'r nos yn ôl a blaen i'r beudy i weld y fuwch. Tua phump o'r gloch y bore penderfynodd roi'r gorau iddi, a galwodd ar Dei If i fod ar ddyletswydd o hynny ymlaen. Ganwyd y llo toc iawn wedyn yn ddigon didrafferth, ac wedi ei roi i sugno ychydig ar ei fam fe'i symudwyd i'r cwt yn ymyl, a gofalwyd golchi pob arwydd o waed oedd o gwmpas wedi i'r fuwch fwrw ei brych. Synnwn i ddim na roddwyd ychydig o faw ar ei thethi hefyd i guddio'r ffaith fod yna dipyn o lyfu wedi bod arnynt. Cyn cinio fe gododd y giaffar, ac i'r beudy â fo i edrych y fuwch. Mawr ei syndod nad oedd byth olwg o lo, a bu'n teimlo'r fuwch gan fynd i fwy o benbleth gyda phob ymweliad. Wrth gwrs, wnaeth yr is-gowmon mo'i oleuo ar y mater. Roedd hi bron yn amser te pan deimlodd y llo ei bod yn bryd iddo gael llymaid arall, a datgelu'r gwirionedd drwy roi bref o'r cwt! Bu'n achos i dynnu coes y ffariar gwlad am sbel.

Rywbryd wedi i mi adael yr ysgol clywais iddo brynu tarw du moel. Roedd hyn pan ddechreuodd yr arferiad o dynnu cyrn gwartheg ddod yn ffasiwn. Gan fod gennym ninnau un neu ddwy o fuchod du moelion trefnwyd i fynd â hwy at darw Tyddyn Du pan ddôi'r amser, i geisio sicrhau y byddai eu lloi yn sicrhau'r olyniaeth. Daeth yn dro i un ohonynt ofyn tarw, ac i ffwrdd â fi a'r fuwch ar draws y caeau i Dyddyn Du. Braidd yn siomedig oeddwn i pan welais y tarw. Mae'n wir mai un ifanc oedd o, ac un digon del hefyd, ond roedd o'n ddychrynllyd o fach. Synnwn i ddim nad oedd y fuwch yn fwy siomedig na fi, oherwydd wnaeth hi fawr iawn o gwentans â'i darpar gariad, a phan gâi yntau ddigon o blwc i godi ar ei ddwy goes ôl roedd ei gyfarpar yn bur brin o gyrraedd y nod. Ceisiwyd gwella'r sefyllfa drwy fynd â'r fuwch i sefyll ar fymryn o lechwedd fel y gallai'r tarw bach edrych i lawr arni, ond i ddim pwrpas.

Ond cyn hir cafodd Dewyrth weledigaeth. Aeth i'r sgubor i nôl caib a rhaw, a gorchymyn i Dei If gloddio twll tua troedfedd o ddyfnder yn y buarth. Os oedd y fuwch yn anfodlon cynt, synnwn i ddim nad ystyriai fod rhoi ei thraed ôl mewn twll i gael cariad y sarhad eithaf. Wedi ei pherswadio (wel na, efallai bod gorfodi yn nes i'r gwir) lawer gwaith i wneud hynny, cyn gynted ag y synhwyrai fod y tarw bach moel yn nesu ati doedd hi fawr o dro cyn neidio allan. Rydw i'n siŵr fod y fuwch yn llawer hapusach na fi yn troi am adre, a'r tarw potel yn hapusach fyth ymhen rhyw dair wythnos!

Peth ardderchog yw cymdogaeth dda. Chefais i byth fil am agor twll yn y buarth. Nac am ei gau o chwaith!

Gwyn Tŷ Du

Alias Gwyn yr Hengaer, Gwyn Plasmadog, Jones Gwalia, dewiswch chwi, yn dibynnu ar pa gyfnod yn ei fywyd y daethoch i gysylltiad ag ef. Ganwyd Gwynn Lloyd Jones yn yr Hengaer Uchaf, Glan'rafon. Yn ifanc bu'n dioddef o'r *tuberculosis* yn ei glun dde, a chollodd oddeutu tair blynedd o'i lencyndod yn cael triniaeth yn ysbytai Llangwyfan i drin y diciáu, a Gobowen i gloi'r glun ddrwg.

Wedi gwella'n ddigon da i fedru mynd a dod ychydig, daeth at ei fodryb Beg i Blasmadog yng Nghwm Glan Llafar am sbel fach i orffen gwella. Arhosodd yn yr ardal am dros ddeugain mlynedd! Merch Plasmadog, chwaer i Beg, oedd ei fam, a'i dad yn hanner brawd i fam D. Tecwyn Lloyd. Fel 'Tecwyn fy nghefnder', gyda mymryn o falchder mi dybiwn, y cyfeiriai Gwyn at y gŵr dawnus hwnnw bob amser. O adnabod y ddau gellid gweld rhai pethau hynod o debyg ynddynt, nid o ran a pryd a gwedd efallai, ond o ran eu ffordd a'u hanian – dau siaradwr rhwydd, a dau hynod ddifyr i fod yn eu cwmni, dau wrth eu boddau'n ymwneud â'r Pethe, ond fod Gwyn wedi penderfynu gadael yr ysgol i weithio ar y ffarm yn bymtheg oed a Thecwyn wedi troi ei olygon tua'r Brifysgol ym Mangor. Roedd y ddau'n dynnwyr coes heb eu bath, ac yn medru rhoi rhyw wedd wahanol i bethau rhagor y rhelyw ohonom.

Tua diwedd y tridegau y cyrhaeddodd Gwyn ym Mhlasmadog. Ychydig o amser oedd ers iddo golli ei fam, a bu Dodo Beg fel mam iddo yn ystod ei arhosiad yno gyda William, ei gŵr, a hithau. Sadler, yn enedigol o Bentrefoelas oedd

William Williams, a ddaethai i Blasmadog i ffermio wedi i rieni Beg roi'r gorau iddi. Gellid yn bendant ddweud mai sadler yn ffermio ydoedd, ac nid ffermwr yn gwneud gwaith lledr. Ymddangosai fel pe bai wedi dysgu ffermio allan o lyfr, gan ei fod yn gwybod y theori yn fanwl, ond ddim cystal o dipyn gyda'r gwaith ymarferol. Synnwn i ddim na fyddai gweddill y teulu'n ystyried weithiau ei fod yn rhy flaenllaw ei syniadau, gan mai hwy oedd yn gorfod gwneud y gwaith fyddai Williams yn blanio, a hynny'n aml ar garlam. Yn y gweithdy fodd bynnag roedd y theori a'r ymarferol yn berffaith, a chyfrifid ef y crefftwr gorau'n y wlad. Byddwn wrth fy modd yn mynd yno ar neges pan yn hogyn, a'i wylio wrthi; doedd dim gwahaniaeth pa mor fawr na pha mor fach y gwaith – trwsio harnais un o'r ceffylau gwedd, taro pwyth mewn bag ysgol, neu wneud bag siopa o'r newydd – fe'm cyfareddid gan y ffordd rwydd y triniai'r mynawyd a'r nodwydd.

Gallai fod yn fyr ei amynedd weithiau, ac oherwydd rhyw gamddealltwriaeth digon diniwed, aeth yn bur boeth rhyngddo ag un o'i gymdogion, William Evans, y Cyffdy. Rywdro, pan oedd Williams yn bwrw ei fol amdano wrth gymydog arall, dywedodd hwnnw, i geisio lliniaru tipyn ar yr arabedd, 'Wel, dydi hi ddim yn ddrwg iawn arnoch chi, mae'r afon rhyngddo chi a fo,' a chael yr ymateb fel ergyd, 'Dydi hi ddim hanner digon llydan, machgen i'.

Dro arall, rhyw ddydd Gwener, cawsai reid yng nghar Dic Ffridd Isa i Ddolgellau, Dic yn mynd i'r Mart, a Williams i ordro lledr. Wrth Garej Llanuwchllyn fe safai William Evans, yn aros am lifft, mae'n bur debyg, gan ei frawd-yng-nghyfraith oedd yn byw yn Llangywer. Arafodd Dic, ac ofnai Williams y gwaethaf, 'Richard Ifans, machgen i, os 'dech chi'n codi'r hen ddiawl acw mi rydw i'n cerdded. Euswn i ddim ar yr un trên â fo!'

Dwn i ddim pa bryd y newidiodd Gwyn o fod ym Mhlasmadog er mwyn ei iechyd i fod yno'n weithiwr amaethyddol cyflogedig, ond felly y bu hi, ac ni fu erioed

113

weithiwr mor gydwybodol er gwaetha'r mymryn anabledd o achos y glun. Roedd Dodo Beg ac yntau'n deall ei gilydd i'r dim, a'r ddau yn ddigon hirben i fedru tawelu Williams pan ddigwyddai yntau ffrwydro. Ar wahân i un tro!

Yn ystod y tridegau daethai llawer o bobl Glan'rafon o dan ddylanwad eu gweinidog, y Parch. Robert Roberts, oedd yn sosialydd mawr. Mae'n bur debyg fod teulu'r Hengaer yn bur flaenllaw i dderbyn ei athrawiaeth, gan i Gwyn ddod â dogn o'r syniadau gwleidyddol yma gydag ef i'r Parc, yn gymysg â thipyn o genedlaetholdeb Plaid Cymru. Rhyddfrydwr mawr oedd Williams, ond i sosialydd ifanc fel Gwyn roedd o'n Dori rhonc! Un noson roedd Dodo Beg ac Eira'r ferch wedi mynd oddi cartref, a Gwyn a Dewyrth William gartref wrth y tân. Ymddengys i'r sgwrs droi i gyfeiriad gwleidyddiaeth, ac o dipyn i beth aeth yn ddadl go boeth, ac aeth Williams o'i go'n lân, gan ddweud pethau na ddylai wrth ei nai. Pan oedd y ddadl ar ei phoethaf dyma gnoc ar y drws. Cymydog wedi galw heibio am dro. Tawelodd yr anghydweld yn bur sydyn, a daeth tangnefedd i'r aelwyd. Bu Gwyn yn ddigon doeth i fynd i'w wely cyn i'r cymydog adael, ac ni soniwyd gair am y peth fore trannoeth. Ond roedd yr helynt yn poeni tipyn ar Williams, oherwydd pan welodd O.T. Jones mewn ychydig ddiwrnodau, holodd, 'Owen Tomos, machgen i, 'dech chi ddim wedi clywed yr hen Gwyn bach yn sôn dim am fynd odd'cw?'

'Naddo wir, William Williams, be sy?'

'Wel, mi euson ni i drafod politics y noson o'r blaen, ac mi a'th hi'n reit boeth rhyngon ni, ac ro'n i ofn ei fod o wedi digio. Ond calla dawo, Owen Tomos, calla dawo, ac mi dawes i.' Dim sôn am y cymydog!

Bu Gwyn ym Mhlasmadog nes i Dewyrth a Dodo ymddeol tua 1947. Bu John, oedd yn gweithio ym Mhantyneuadd, ac yntau yn ystyried cymryd tenantiaeth Plasmadog ar y cyd, ond nid felly y bu, a daeth Gwyn yn gymydog inni, i weithio yn Nhŷ Du.

Fel ym Mhlasmadog roedd ei arhosiad yn Nhŷ Du yn enghraifft ddelfrydol o bartneriaeth hapus rhwng gweithiwr a'i gyflogwr. Roedd John Owen Jones sbel dros ei bedwar ugain erbyn hyn, yn dal yn reit fyw i amgylchiadau'r byd amaethyddol er mai Greta a Herbert, y ddau yn ddibriod, oedd â chyfrifoldeb rhedeg y ffarm. Pan ddaeth Gwyn yno gellid dadlau mai cymryd partner newydd i 'J.O. Jones & Sons' a wnaed. Gan mor siaradus fyddai Gwyn bob amser, gellid maddau i ddieithryn pe bai'n camgymryd pwy oedd y bòs! A gwerthfawrogi yn hytrach na beirniadu a wnâi teulu Tŷ Du wrth i sgwrs rhwng y giaffar a'r gwas fynd rhywbeth yn debyg i hyn:

'Be fuoch chi'n 'neud heddiw, Gwyn?'

'Mi fues i lawr yn Nyffryn Clwyd yng ngolwg fy nefed, John Owen Jones. Doedd hi ddim ffit i 'neud dim arall ar y glaw 'ma.'

Wyn benyw (a elwid fel arfer yn hesbinod) yn treulio eu gaeaf cyntaf ar lawr gwlad oedd y defaid yma.

'Wel nag oedd siŵr, mi wnaethoch yn iawn. Sut roedden nhw'n edrych, Gwyn?'

'Roedden nhw'n edrych yn dda iawn, John Owen Jones. Roedden nhw'n edrych llawn gwell na defed er'ill oedd i'w gweld o gwmpas. Deud y gwir wrthach chi, roeddwn i'n teimlo'n reit falch o 'nefed!'

Yn ogystal â gwasanaethu ar y ffermydd rhoddodd Gwyn wasanaeth diflino i'r ardal hefyd, mewn Clwb Ffermwyr Ifanc ac Aelwyd yr Urdd yn ei ddyddiau cynnar, ac yna, wedi gadael oed y mudiadau ieuenctid, daliai i weithio'n ddiflino gyda'r Capel a'r Gymdeithas Ddiwylliannol, Côr, Cwmni Drama a Dosbarth Nos ac unrhyw weithgarwch arall gwerth ei gefnogi. Wedi imi ymadael o'r ysgol cefais lawer mwy o'i gwmni, gan y byddai llawer iawn o gydweithio rhwng Tŷ Du a ninnau, nid yn unig yn amaethyddol, ond ym mhob cylch o fywyd fel y nodwyd.

Noson bwysig oddeutu'r flwyddyn newydd fyddai noson

gwneud cyfleth. Fel arfer dôi nifer o ffrindiau acw i swper, ac ni fyddai'r noson yn gyflawn heb gwmni Herbert a Greta, gan mai hwy oedd yr arbenigwyr ar y gweithgarwch difyr yma. Wedi mwynhau'r swper byddai rhyw un neu ddwy o'r merched yn golchi'r llestri, un neu ddau o'r dynion yn esgus eu helpu, a'r gweddill o'r gwahoddedigion yn neilltuo i'r parlwr i eistedd yn gylch i siarad ac i chwarae gêmau megis 'Pws-pws' a 'Plu'. Gan fod y ddwy gêm yn ddiarth i bawb bron erbyn hyn, efallai mai gwell egluro mai'r ffordd y chwaraeid Pws-pws fyddai dewis un o'r criw i roi mwgwd am ei lygaid a chlustog yn ei law. Byddai pawb wedyn yn newid cadair i eistedd, a'r un â mwgwd yn teimlo'i ffordd o gwmpas drwy ddefnyddio'r glustog yn unig. Pan ddeuai at un o'r eisteddwyr rhoddid y glustog ar ei lin, eistedd arni, a dweud 'Pws-pws'. Byddai'n rhaid ateb drwy ddweud 'Miaw'. Byddai'r un â mwgwd wedyn yn dyfalu enw'r sawl yr eisteddai ar ei lin. Os byddai'n gywir câi drosglwyddo'r mwgwd a'r glustog i'r person hwnnw iddo ef neu hi geisio ei lwc. Os yn anghywir câi ei wthio i ffwrdd yn ddiseremoni i chwilio am well adnabyddiaeth ar lin rhywun arall. Ac felly ymlaen.

Byddai llwyddiant y 'Plu' yn dibynnu ar arabedd a chyflymdra'r un a benodid yn rhyw fath o 'Alwr'. Gwaith y Galwr fyddai eistedd yn y cylch ac enwi rhesi o adar ar ôl y gair plu, '. . . plu iâr, plu ffesant, plu robin, plu estrys . . . ' ac yna'n sydyn enwi anifail heb blu, '. . . plu twrci, plu brân, plu mochyn . . . ' Byddai'n taro ei ddwy law ar ei bengliniau wrth enwi pob aderyn ac anifail. Byddai gweddill y cylch yn gwneud yr un peth ar enwau'r adar yn unig. Os tarawai'r 'chwaraewyr' eu gliniau ar fuwch neu forfil byddai'n rhaid taflu fforffid ar lawr a mynd allan o'r gêm. Yna, ar y diwedd, braint y Galwr (a fyddai wedi troi ei gefn) fyddai dweud beth oedd y gosb pan ddelid fforffid pawb i fyny yn eu tro. Afraid dweud mai Gwyn fyddai'r Galwr bob amser.

Ond byddai Mam a Greta yn dal yn y gegin wedi bod yn

116

pwyso a mesur cynhwysion y cyfleth i'r hen sgelet bres. Deubwys o driog du, yr un faint o driog melyn, ac o siwgr gwyn hefyd. Pwys o fenyn, a throi'r cyfan yn ddi-stop yn y sgelet uwchben y tân agored gyda llwy bren a choes gwddol hir iddi. Wedi i'r gymysgedd fod yn berwi'n gyflym am oddeutu hanner awr byddai'n rhaid rhoi diferyn neu ddau ohono mewn cwpanaid o ddŵr oer. Pan fyddai'r cyfleth yn caledu'n gyflym yn y dŵr, a bod modd ei gnoi heb iddo gydio yn y dannedd, byddai'n barod. Byddai'r bwrdd llechen yn y bwtri wedi ei iro'n dda ag ymenyn, a thywalltid y cyfleth arno i oeri ychydig. Deuai'r chwaraewyr o'r parlwr i olchi dwylo, a chymryd rhyw ychydig o ymenyn i'w hiro. Yna, pan fyddai'r cyfleth wedi oeri digon i gydio ynddo, fe'i rhennid rhwng rhyw ddeg o'r gwesteion i'w dynnu. Efallai mai Greta oedd y berwr, ond yn bendant Herbert oedd pencampwr y tynnu. Byddai wrthi'n ddistaw, yn aml mewn cornel ar ei ben ei hun, ei ddwylo sicr yn tynnu'r gymysgedd frown nes byddai'n ymddangos fel pwt o raff. Yna fe'i troai'n ôl fel y byddai'r rhaff yn ddwbl, a thynnu hwnnw, a'i droi'n ôl wedyn, ac ailadrodd y broses ugeiniau o weithiau nes byddai'r cyfleth brown yn troi'n felyn o flaen ein llygaid.

Amrywiol fyddai llwyddiant gweddill y cwmni, a chynigid sylwadau pur smala gan rai o'r tynnwyr gweddol am ymdrechion y rhai anobeithiol. Gwenu a dweud dim fyddai'r pencampwr wrth dynnu ei gyfleth yn rhaff aur ar y bwrdd llechen, ei dorri'n dameidiau hwylus i ffitio ceg gyda'r hen gyllell fara, a throi i helpu ambell un o'r rhai llai llwyddiannus i dynnu ei raff frown ar y bwrdd, ei thorri a'i rhoi mewn bag papur yn cynnwys ychydig o beilliad gwyn i rwystro'r darnau rhag cydio yn ei gilydd.

Mae'n fwy na thebyg mai'r teledu fu'n gyfrifol am y trai ar chwarae Plu a Pws-pws a phethau tebyg, ond daliodd y gwneud cyfleth yn rhyw fath o draddodiad ar ôl colli Herbert a Greta, ac mae'r bedwaredd genhedlaeth yn dechrau trio'u llaw ar y gwaith yn Styllen erbyn hyn. Daeth yn arferiad gennym i fynd ati i'w wneud ein hunain yn gynnar ym mis Rhagfyr fel bod gennym rhyw lond dwrn i'w roi i hwn a'r llall erbyn y Nadolig. Disodlwyd y bag papur gan yr un plastig, sy'n llawer mwy effeithiol i gadw aer llaith y gaeaf rhag meddalu'r cyfleth. Mae ei gadw'n oer hefyd yn help mawr iddo beidio glynu yn ei gilydd. Ac i deulu o bedwar, bydd hanner y cynhwysion a nodwyd yn hen ddigon, ond gwyliwch, bydd raid mynd am y cwpan a'r dŵr oer ar ôl rhyw chwarter awr o ferwi.

Gellir dweud i Gwyn fod yn rhyw fath o frawd mawr imi tra bu yn Nhŷ Du. Gan y byddai 'Nhad i ffwrdd bron bob dydd gyda'i waith fel Swyddog Maes y Weinyddiaeth Amaeth, byddai angen help neu gyngor yn sydyn weithiau. Hyn cyn bod ffôn yn y tŷ, heb sôn am ffôn mewn poced! Er paroted i helpu oedd Herbert a Greta, at Gwyn y rhedwn os byddai angen help. Fyddai o fawr o dro yn datrys unrhyw broblem, a choroni'r cyfan â sylw digon bachog a digri.

Un noson eithriadol o stormus chwythwyd llechi oddi ar y to. Yn anffodus roedd gan 'Nhad ryw alwadau gwaith yr oedd yn rhaid mynd ynglŷn â hwy drannoeth, felly Gwyn ddaeth i helpu i gau'r twll sylweddol oedd yn nho'r tŷ. 'Mi wnaethom job reit dda, Jôns,' meddwn, wrth ddiolch iddo fel y cychwynnai'n ôl i lawr y weirglodd am Dŷ Du. 'Wel do,' meddai yntau, 'biti na fase dy dad adre. Beryg na choelith o ddim mai ni'n dau fu wrthi.'

Wedi cael Ellen Tyddyn Du yn wraig, cartrefodd y ddau yn Gwalia, a bu drws agored yno am flynyddoedd i lu o'u perthnasau a'u ffrindiau. Hwy oedd y cyntaf yn yr ardal i gael set deledu. Wel, mi roedd ganddynt fwy fyth o ffrindiau wedyn! Ond amharodd hynny ddim ar y cymdeithasu, y sgwrsio a'r tynnu coes, a pharatoi at Steddfod a Phabell Lên. Yn wahanol i lawer o setiau teledu heddiw roedd ar un Gwalia fotwm a gâi ei bwyso i gau ceg yr hen beth pan ddôi diwedd y rhaglen yr aed yno i'w gweld.

Cyn hir gadawodd Gwyn Dŷ Du, ac yn ystod y blynyddoedd dilynol bu'n gweithio i ddwy Gymdeithas Gydweithredol wahanol, gan brofi unwaith eto yn hynod boblogaidd gyda'i gyflogwyr a'u cwsmeriaid. Yn drist iawn, daeth yr hen elyn, y darfodedigaeth, i'w boeni ef ac Elen. Er cael gwellhad yr eildro cymhlethwyd pethau ymhellach gan ddiffyg ar ei arennau, ac fe'i collwyd o'n plith yn llawer rhy gynnar.

Bu'r Parc yn lle llawer mwy lliwgar a hapus oherwydd inni gael ei fenthyg.

Addysg Bellach

Fel y nodwyd eisoes, fe glywais lawer o drin a thrafod barddoniaeth gartref ar yr aelwyd. Er imi gael fy magu yn y fath awyrgylch, fe ymadewais â'r Bala Boys Grammar School yn hollol anwybodus o beth oedd cynghanedd – mewn barddoniaeth yn ogystal â cherddoriaeth. Doeddwn i ddim yn ôl o drio fy llaw ar wneud pennill pan oedd angen hynny, a chawn i fawr o drafferth i gadw at fydr ac odl; roedd y rhain fel cocos mewn peiriant, yn ffitio ac yn troi i mewn i'w gilydd yn rheolaidd. Cawn hefyd bleser o glywed cytseiniaid yn clecian, ond roedd gwybod sut i sgrifennu llinell gynganeddol gywir yn fater cwbl wahanol.

Ymhen llai na hanner blwyddyn ar ôl gadael Ysgol Tytandomen roeddwn i'n ôl yno, fel disgybl Ysgol Nos yn dysgu'r cynganeddion wrth draed y Prifardd Euros Bowen. Roedd y Prifardd newydd ennill ei ail goron yn Eisteddfod Genedlaethol Caerffili am bryddest ar y testun 'Difodiant', ac yn y dosbarth cyntaf o'r gyfres bu'n darllen ei bryddest fuddugol inni, gan ei hegluro wrth fynd ymlaen. Cyn inni gael esboniad arni roedd hi'n dywyll fel bol buwch ddu, ond roedd cael eglurhad Euros yn agor drysau newydd inni i gyd. Am y tro cyntaf erioed, hyd y cofiwn, dangoswyd imi grefft trin geiriau. Er hynny, mae arna i ofn nad wyf yn hoff iawn o'r Wers Rydd, hyd yn oed wedi ei chynganeddu – rhowch gocos mydr ac odl yn gymysg â'r gynghanedd i mi bob tro!

Roedd tri ohonom yn cyd-deithio i'r gwersi – Robert Gruffydd, Llwynmawr Isa; Gwyn, Tŷ Du, a minnau. Ni'n tri a rhyw hanner dwsin arall o'r Bala a'r cyffiniau oedd y dosbarth i gyd. Braidd yn dawedog oedd y disgyblion ar y cyfan, ond byddai Gwyn wrth ei fodd yn ceisio codi dadl gyda'r athro, yn arbennig parthed ei arfer o ysgrifennu cerddi nad oedd neb yn eu deall, ond dadleuai Euros nad oedd rithyn o bwys ganddo am hynny, cyn belled â'i fod ef ei hun wedi cael y pleser o'u creu, a chael ei fodloni ynddynt.

Ymdriniwyd yn fanwl â'r cynganeddion i gyd, a chyn diwedd y tymor fe ddylai aelodau'r dosbarth i gyd fedru gwneud englyn cywir. Yn ffodus iawn inni, dyma'r cyfnod y dechreuodd Llwyd o'r Bryn drefnu Ymryson y Beirdd ar lefel leol. Cychwynnodd grwsâd i berswadio rhywun ym mhob ardal a phentref mewn cylch pur eang i hel tîm o feirdd at ei gilydd. Roedd llawer iawn yn wrandawyr cyson ar y rhaglen radio dan ofal Ifan O. Williams a Meuryn, ond yn awr dyma gyfle i lunio pwt o bennill neu gwpled o gywydd ein hunain, a chael rhai o feirdd amlwg y cylch, fel Ifan Rowlands y Gistfaen, Tomi Rowlands y Bylan, a'r Llwyd ei hun i feirniadu. Dïau mai'r un a dynnai fwyaf o dyrfa i'r Ymrysonau oedd John Ifans, Llanegryn – gwelais bobl yn gorfod sefyll yn yr Hen Ysgol yn Llanuwchllyn pan fyddai John Ifans wrthi, a chyn diwedd y noson byddai'r gynulleidfa'n rowlio chwerthin, a holid yn frwd ymhle y cynhelid yr Ymryson nesaf. Byddai Robert Eifion (Jones) o dîm Llanuwchllyn yn ei chael hi gan John Ifans bob amser oherwydd ei fod yn cario tipyn golêw gormod o bwysau. Y dyddiau hynny byddai'r capeli'n gwneud casgliad tuag at y Symudiad Ymosodol (*The Forward Movement*) a chyfeiriai John Ifans yn aml at Robert Eifion fel 'Dyn y Fforward Mŵfment'.

Er imi ddod yn ail i Dic Jones unwaith yn Steddfod yr Urdd, mae arna i ofn mai prin iawn fu fy ymgeision yn yr adran barddoniaeth mewn eisteddfodau, ond bu'r hyfforddiant a gafwyd gan Euros, a'r ymarfer a ddilynodd yn yr ymrysonfeydd, yn hynod o werthfawr imi yn ddiweddarach wrth fynd i'r afael â gosod ar gyfer Cerdd Dant.

Y gaeaf canlynol trefnwyd dosbarthiadau yn Ysgol y Parc, gyda'm cyn-athro Cemeg, Elwyn Jones, yn darlithio ar wyddoniaeth. Yn anffodus cynhelid y dosbarth ar yr un noson â dosbarth Euros Bowen, ac o ddyletswydd tuag at y dosbarth lleol, ac o barch i'r athro, i'r dosbarth gwyddoniaeth yr es i. Yn llenyddol bu hyn yn gryn golled imi rwy'n siŵr, oherwydd erbyn hyn roedd mwy yn mynychu'r dosbarth barddoniaeth. Daeth Jâms Niclas yn athro i'r Bala, yn aelod pybyr o'r dosbarth, oedd erbyn hyn yn ymdrin fwyfwy â barddoniaeth yn gyffredinol.

Nid oedd dosbarthiadau nos yn ddieithr i Gwm Glan Llafar ychwaith. Yn ystod y tridegau bu R.G. yn cynnal dosbarthiadau yn gyson ar gyfer y rhai oedd wedi gorfod gadael yr ysgol yn iau nag y dymunent, yn bennaf oherwydd galwadau ariannol y cyfnod. Bu'r athro yn trafod pob pwnc o ddiddordeb yn y sesiynau hyn, a bu sôn am yr Ysgol Nos am ddegawdau wedi iddi ddod i ben, yn enwedig am rai o'r troeon digri a fu'n gysylltiedig â hi. Ar ddiwedd pob tymor fe drefnid swper, ac yn un o'r swperau hyn roedd Miss Jane Ann, Ty'n Ddôl, yn gofalu am y tebot. Pan gyrhaeddodd y te y lefel briodol yn ei ail gwpaniad, 'Wê,' meddai Harri Roberts. Roedd llawer o'r Sgŵl Miss yn Jane Ann hyd yn oed mewn Ysgol Nos, ac arthiodd, 'Wê wrth geffyl!' yn bur sarrug wrth Harri. 'O, ia, ia,' meddai yntau, 'a wê wrth gasag hefyd!' Wrth Miss Davies o bawb!

Cynhaliwyd nifer o ddosbarthiadau WEA yn fy nghyfnod i, a bu amrywiaeth helaeth o diwtoriaid yn dod atom i drin a thrafod llawer o bynciau diddorol. Fy hun, cefais flas eithriadol ar Peris Jones Evans yn ein goleuo ar hanes Cymru, a phwy all anghofio ymweliadau'r Dr D. Tecwyn Lloyd â ni am ddau neu dri thymor. Erbyn hyn roedd y Doethor wedi ymddeol (os bu iddo ymddeol!) a chanddo amser i ddod heibio hwn a'r llall am gwpanaid o de ar ôl i'r sesiynau swyddogol ar lenyddiaeth ddod i ben. Byddai'r un mor fyrlymus ar aelwydydd y fro ag ydoedd yn y dosbarth, a hynny ar bob pwnc dan haul, ac nid oedd dim a'i plesiai'n fwy na chael clywed am droeon digri rhai o drigolion yr ardal. Roedd ganddo rhyw grap o adnabyddiaeth ar lawer ohonom, gan fod amryw o frodorion Cwm Glan Llafar wedi mynd i fyw i ardal Llawrybetws yn gynnar yn y ganrif. Bu'n piffian chwerthian am hydoedd wedi i O.T. Jones ddweud hanes trychinebus cwmni drama'r 'Tarw Coch' yn Rhuthun wrtho.

Rywdro yn ystod blynyddoedd y rhyfel y perfformiwyd 'Y Tarw Coch'. O.T. oedd y cynhyrchydd, ac fe dynnwyd y lle i lawr yn y Parc, a bu galw am ail berfformiad oherwydd fod cynifer wedi methu cael lle yn yr ysgol yn y perfformiad cyntaf. Penderfynwyd mynd i berfformio yn Rhuthun mewn Gŵyl Ddrama go iawn. Cwmni'r Parc fyddai'r olaf i berfformio, ond wedi cael golwg ar y llwyfan ar y dechrau roedd yr actorion i gyd yn teimlo'n reit hyderus. Yn anffodus, erbyn i'w tro hwy ddod roedd cwmni neu gwmnïau eraill wedi newid cryn dipyn ar y llwyfan, gan gynnwys drws yr oedd un o'r cymeriadau i fod i ruthro allan drwyddo. Gan ei bod wedi mynd yn bur hwyr ni thrafferthwyd i newid y set yn ôl, a phan ddaeth y foment i'r actor ruthro i'r drws doedd yna 'run yno, a threuliodd amser a ymddangosai fel tragwyddoldeb yn troi yn ei unfan fel topyn sgwrs cyn symud ar hyd ochr y set, gan ymbalfalu am y drws fel dyn wedi colli'i olwg.

Soniwyd eisoes am yr Ysgol Sul, a dosbarth Meri Defis. Uchelgais fawr pob un ohonom yn naturiol oedd graddio'n araf drwy'r dobsarthiadau, ac ymddangosai fel darn oes cyn inni gael dyrchafiad i'r dosbarth nesaf o hyd. Diamau mai'r dyrchafiad yr edrychid ymlaen fwyaf ato oedd i ddosbarth O.T. Hwn oedd y dosbarth i rai dros ddeunaw oed, ac ef oedd yr arwr. Fo oedd gyrrwr car gorau'r ardal. Fo oedd yn cynhyrchu dramâu ac yn arwain cyfarfodydd cystadleuol a chyngherddau, a chanddo fo roedd y ddawn dweud stori. Yr unig ddrwg pan fyddai O.T. yn mynd trwy ryw hanes oedd na allai rhywun fod yn sicr bob tro ymhle'r oedd yr hanes yn gorffen a'i ddychymyg ef yn dechrau!

Nid oedd Herbert, brawd O.T. yn 'ddyn cyhoeddus' fel ei frawd a'i chwiorydd, ond difyr iawn yw galw i gof rai o'i ddywediadau. Cerdded adref o'r capel yr oeddem rhyw bnawn Sul ym mis Medi. Roedd hyrddod Pantyneuadd i gyd yn Rhosfedw, y cae ar fin y ffordd, amryw ohonynt yn bur gloff, ac yn pori ar eu gliniau. 'Hy, cwarfod gweddi sydd gan rhain pnawn 'ma ddyliwn,' oedd sylw braidd yn ddilornus Herbert.

Gelwais heibio rhyw fore dydd Gwener iddo gael dod hefo mi i'r Mart i Ddolgellau. Roedd ar ganol yfed ei baned ddeg, ac yn slyrpian mor swnllyd ag oedd posibl gwneud. 'Wel rho chwaneg o laeth yn y te 'na, Hyrbun,' meddai Greta ei chwaer. 'Wel na wna siŵr, neu mi fydd gen i chwaneg o waith yfed,' oedd yr ymateb.

Mi fyddai arnom ni dipyn bach o ofn y Parchedig William Jones. Ef oedd y gweinidog, yn enedigol o Fodffari. Dim ond un gweinidog cyflogedig a fu ar yr eglwys o'i flaen, sef y Parchedig T.R. Jones (Clwydydd) o Lanelidan, a dim ond rhyw dair blynedd fu ei arhosiad. Cyn hynny, Robert Roberts, Rhydyrefail, yr 'Hen Barch', fu'n bugeilio am dros hanner can mlynedd, a hynny'n ddi-dâl. Ffermwr oedd ef, ond mae'n rhaid fod help ar y fferm yn haws ei gael, ac yn gryn dipyn rhatach, yn y dyddiau hynny nad yw yn awr, oherwydd nid anarferol oedd iddo fynd gydag eraill ar daith bregethu i Dde Cymru. Yn ôl *Hanes Methodistiaeth Dwyrain Meirionnydd* roedd ei nain, Beti Ty'n Ddôl, 'yn dra chyfeillgar' â William Williams Pantycelyn, ac arferai ei 'letya yn groesawgar', beth bynnag yr oedd hynny'n ei olygu! Nid oedd yr Hen Barch wedi ei eni pan fu Williams farw, ond mae'n siŵr iddo glywed llawer amdano gan ei nain.

Daethai William Jones yma'n syth o'r coleg ar droad y ganrif, a gwasanaethodd yr achos a'r aelodau yn ffyddlon hyd ei farw yn 1943. Hen lanc ydoedd, yn lletya yn y Bala, a thra medrodd cerddai i fyny i gynnal gwasanaethau yn ôl y gofyn, a chael tacsi yn bur aml i lawr yn ôl wedi gorffen ei ddyletswyddau. Roedd ei gymwynasgarwch a'i haelioni yn ddihareb. Os byddai'n aros oddi cartref pan yn pregethu'r Sul, byddai wastad yn rhoi chwechyn i forwyn ei lety am lanhau ei esgidiau, rhyw dair ceiniog yr un i'r plant os byddai yno rai, a chydnabyddiaeth i bwy bynnag fyddai wedi ei gyfarfod yn y stesion os byddai wedi trafaelio ar drên. Roedd yn yr ardal wraig wedi ei gadael yn weddw ym mlynyddoedd llwm y dirwasgiad, a chanddi deulu i'w magu, a ffarm i'w rhedeg. Âi William Jones yno bob haf i helpu gyda'r cynhaeaf gwair, a phan fethodd oherwydd henaint arferai gyflogi rhywun i fynd yno yn ei le. Agorodd perthynas iddo siop gwerthu weiarles, a theimlai ar ei galon y dylai wneud rhywbeth i'w gefnogi. Nid oedd arno angen set radio ei hun, ond fe brynodd un er mwyn rhoi hwb i fusnes ei nai, a'i chyflwyno yn anrheg i 'Nhad a Mam fel cydnabyddiaeth o'u llafur gyda'r canu yn y capel, anrheg a werthfawrogwyd yn fawr iawn.

Roedd ei lety yn Heol Ffrydan, bron yng ngolwg Coleg y Bala, a dywedid y byddai allan ar ben y drws ar fore dydd Llun i dynnu sgwrs â'r myfyrwyr fel yr aent i fyny o'u lletyau yn y dre am y coleg. Yn y dyddiau hynny, pan fyddai llawer mwy o bregethwyr nag o bwlpudau, byddai ambell un llai ei ddawn na'i gilydd heb gael cyhoeddiad, ac o ganlyniad yn wynebu wythnos braidd yn llymach oherwydd na chafodd dâl am wasanaethu. Dywedir y byddai W.J. yn gofalu y byddai rhyw goron yn gwneud ei ffordd i goffrau'r myfyriwr anffodus hwnnw cyn diwedd yr wythnos. Hyn oll yn ôl y cyfarwyddyd na wyddai ei law aswy beth a wnâi ei law ddehau.

Ar y llaw arall, nid oedd yn ôl o dynnu blewyn o drwyn ambell un oedd a thuedd ynddo i fynd yn rhy fawr i'w sgidiau. Clywais y diweddar Barchedig John Williams, Dyffryn Ardudwy, yn dweud gyda chryn hwyl iddo ef, wedi cael ei holi am gyhoeddiad y diwrnod cynt, ateb braidd yn ymffrostgar iddo fod yn pregethu yn Princess Road. Hon oedd prif deml y Presbyteriaid yn Lerpwl, ac uchelgais holl ddarpar-bregethwyr y cyfnod oedd cael cyhoeddiad yno. 'Wel ie,' oedd ymateb W.J., 'rhaid i rywun fynd i fanno, decini.'

Cadwai ddyddiadur gofalus, yn wir roedd yn fwy na dyddiadur cyffredin. Mewn llyfr nodiadau bychan cadwai nid yn unig ddyddiadur, ond hefyd gofnod o'r holl gyfarfodydd niferus yr âi iddynt, a nodiadau manwl o'r gweithrediadau. Daeth pawb i wybod amdano fel cofnodwr, a cheisiodd un o ynnau mawr y Cyfundeb gael ychydig o hwyl am ei ben mewn un cyfarfod yn y Bala. Wedi bod wrthi am rai munudau fe arhosodd, 'D'udwch chi, William Jones,' meddai, 'os ydw i'n mynd yn rhy gyflym ichi.' 'Popeth yn iawn, frawd,' meddai yntau, 'dydw i ddim wedi clywed dim byd gwerth ei sgwennu lawr eto.'

Drwy ei oes bu'n fawr ei ddylanwad ar bobl ifanc y ddwy eglwys oedd o dan ei ofal. Digon prin y byddai ieuenctid heddiw yn gwerthfawrogi ei ddulliau. Gellid dadlau mai cam yn ôl yw ymwrthod â phob disgyblaeth, a'n lle ni fel eglwysi'r cyfnod helbulus hwn yw tynnu sylw at hyn. Fel y dywedodd Gweinidog arall o gyfnod ychydig diweddarach na W.J., 'Mae'n iawn ichi gael ffling, ond byddwch yn ofalus lle 'dach chi'n landio!'

Arwyn Jones Parry, o ardal Padog ger Betws-y-coed, a ddilynodd William Jones, ac fe fyddaf i a'm cyfoedion yn dragwyddol ddiolchgar iddo am ein hyfforddi i fod yn aelodau cyflawn o Eglwys Iesu Grist, ac am ymdrechu i'n cael i sylweddoli beth oedd hynny'n ei olygu. Brysiaf i ychwanegu na fyddai yntau ychwaith wedi gweld y rhai sydd yn eu harddegau heddiw gan lwch pe byddai o gwmpas gyda'r un dulliau hyfforddi ar eu cyfer hwy! Tybed a fu newid yng nghefndir 'ymgeiswyr am gyflawn aelodaeth' ers fy amser i? Rwy'n hynod falch, pan ddaeth ein tro ninnau i fagu plant, i Lona a finnau fod yn ffodus iawn fod rhieni ifainc eraill yr ardal, bendith arnynt, yn credu yn yr un gwerthoedd, ac yn dod â'u plant i Ysgol Sul ac Oedfa yn gyson. Dagrau pethau yw ei bod yn eithaf posibl na fyddai rhai o rieni heddiw yn poeni pe byddai eu plant wedi ffoi o'r 'Cwarfod Derbyn'. Rhy boring, efallai! A dyna ni'n ôl hefo disgyblaeth eto.

Fel y cyfeiriwyd eisoes, roedd cysylltiad agos rhwng y capel a cherddoriaeth, ac ar derfyn pob oedfa nos Sul cynhelid Cyfarfod Canu. Wedi i'r llais dorri roedd hi'n dipyn o ddyrchafiad cael mynd i eistedd hefo'r baswyr ar ôl blynyddoedd o fod dan adain Mam ymysg yr altos. Golygai hyn hefyd ganu ym Mharti Cerdd Dant y dynion ac yn y Côr Meibion yng Ngŵyl Ysgolion Sul Penllyn. Byddai weithiau barti yn mentro ymhellach i gystadlu.

Roeddwn i'n llawer rhy ifanc i berthyn i'r Parti Cerdd Dant a enillodd ym Mae Colwyn, ac i'r Côr a fu'n cystadlu yn Eisteddfod Genedlaethol Dolgellau yn 1949, ond erbyn Llanrwst ym '51 roeddwn i ymhlith rhyw ddeg ar hugain oedd wedi dysgu rhan o Awdl Rolant o Fôn i'r 'Graig' ar gyfer cystadleuaeth y Côr Cerdd Dant. Chawsom ni ddim llwyfan, ac efallai mai uchafbwynt yr Eisteddfod honno i rai ohonom oedd y ddadl a fu rhwng John Owen Jones a Ioan Dwyryd ar derfyn y rhagbrawf. Yno fel syportar oedd J.O., ac roedd Ioan Dwyryd ac yntau'n adnabod ei gilydd oherwydd eu bod ill dau wedi gwasanaethu eu gwahanol ardaloedd fel Cynghorwyr yr hen Sir Feirionnydd yn Nolgellau.

'Prî-lum da, Ioan Dwyryd.'

'Da iawn, John Ŵan Jones, a Gwenllian ni yn chwarae'n dda iddyn nhw.'

Gwenllian Dwyryd oedd un o delynorion swyddogol yr Eisteddfod.

'Oedd wir, yn dda iawn chwarae teg iddi.'

'Mi fydda i'n meddwl w'chi mai Gwenllian ydi'r delynores ora yng Nghymru heddiw.'

'Wel nage wir, mae Nansi Richards yn well na hi.'

Ac fe ffraeodd y ddau yn gaclwm!

Bûm hefyd yn cystadlu yn unigol ar hyd fy oes, ond heb rhyw lwyddiant ysgubol. Cyrhaeddais y llwyfan yn yr Eisteddfod Genedlaethol ac Eisteddfod Genedlaethol yr Urdd fwy nag unwaith, ond rhyw foddi yn ymyl y lan fyddai fy hanes bob tro, ar wahân i ennill ar y gystadleuaeth Canu ar y Pryd yn Aberafan yn 1966. Bu fy chwiorydd yn fwy llwyddiannus mewn steddfodau bach a mawr. Enillodd Beti ar yr Unawd Cerdd Dant dan ddeunaw yn y Genedlaethol yn Ninbych yn 1939, a Lin ar yr Unawd Cerdd Dant Agored yn Nolgellau ym '49, a daeth y ddwy yn ail ar y ddeuawd yn yr un eisteddfod. Yn ddiweddarach daeth rhyw ysfa mynd am gystadleuaeth y triawd, a dod yn fuddugol ein tri yng Nghaernarfon ym '59. Ymddengys mai bob deng mlynedd yr oedd ein teulu ni yn dod i'r brig!

Erbyn 1963 yn Llandudno roedd Lin wedi symud i fyw i'r De, a minnau felly wedi newid fy mhartneriaid, ac ennill y wobr gyntaf am driawd gyda Gwilym Jones, Llwynmawr Uchaf, a Bob Edwards, Llwynmawr Isaf, am ganu rhan o'r 40ed bennod o Esaia. Credaf mai hwn oedd un o'r gosodiadau cyntaf imi ei wneud. Roeddwn wedi priodi erbyn hyn, a 'Nhad a Mam ar fin symud o'r ardal, a phan ddaeth yr Ŵyl Ysgol Sul nesaf chefais i ddim llawer o ddewis ond cymryd gofal o'r cystadlaethau cerddorol ar ei chyfer. Nid oeddwn yn hollol newydd i'r gwaith, gan fod y Gymdeithas Ddiwylliadol oedd yn gysylltiedig â'r capel yn cael ei rhedeg ar ffurf tri thŷ, a byddai brwdfrydedd mawr ar gyfer Eisteddfod y Tai bob blwyddyn, gyda Bob a Gwil a finnau yn gwneud ein rhan i ofalu bod y tri chôr yn canu mewn tiwn.

Yn dilyn ymddeoliad 'Nhad a Mam bu amryw yn dod i gysylltiad â mi eisiau gosodiadau Cerdd Dant ar gyfer llawer o eisteddfodau, ond at Steddfod yr Urdd yn fwyaf arbennig. Roedd hwn yn waith pleserus iawn, yn enwedig os byddai'r disgyblion yn llwyddiannus. Wrth fod yn llwyddiannus golygaf gyrraedd safon gweddol dda, nid o angenrheidrwydd ennill gwobr gyntaf. Er mai fi a gâi'r clod am unrhyw lwyddiant, golygai'r gosod a'r hyfforddi lawn cymaint o waith i Lona, fel cyfeilydd. Wedi taro rhyw lun o gyfalaw ar bapur, byddai'n rhaid wrth gyfeiliant i fynd dros y gosodiad, a newid nodau yma ac acw pan ddôi gweledigaeth ar y ffordd orau o roi mynegiant i'r geiriau. Yn dilyn hyn fel rheol, pan fyddai'r disgyblion wedi meistrioli eu gwaith, doent draw imi eu clywed, i roi ychydig o sglein ar y perfformiad, gwaith diddiwedd eto i'r cyfeilydd, yn ogystal â gwneud paned i bawb cyn iddynt gychwyn adre – a'r unig gydnabyddiaeth a ddôi i'w rhan oedd cael cysgu hefo'r bòs. Daeth Mererid, Ffuon a Guto yn ddiweddarach i roi tipyn o help gyda'r cyfeilio, ond erbyn hyn mae'r cyfrifiadur wedi cymryd drosodd, ond dydw i ddim wedi dechrau mynd â hwnnw hefo mi i'r gwely eto!

Erbyn hyn mae'r ceisiadau am osodiadau yn llawer llai niferus. Efallai mai'r ffaith fy mod wedi mynd yn rhy hen yw'r rheswm, ond fe fyddaf yn gobeithio fod yna reswm arall hefyd, sef bod llawer o osodwyr a hyfforddwyr iau, a llwyddiannus iawn, o gwmpas erbyn hyn, diolch amdanynt. Ac os oedd rhywun yn cael mymryn o gic pan ddôi llwyddiant i ran disgybl neu ddau, gallaf eich sicrhau fod llawer mwy o fodlonrwydd i'w deimlo pan welaf rai y bûm ag ychydig o ran yn eu hyfforddiant yn llwyddo gyda'u disgyblion hwy.

Rywdro yn haf 1973 cefais wahoddiad i wrando ar barti o ferched o gylch Cerrigydrudion yn canu, a rhoi ychydig o help iddynt ar gyfer cystadlu yn yr Eisteddfod Genedlaethol a gynhelid yn Rhuthun y mis Awst hwnnw. Janet Parry Jones, merch ifanc y bûm yn ei hyfforddi ychydig cyn hynny oedd wedi eu casglu ynghyd, a chan fod llyn newydd wedi ei greu tua'r un adeg ychydig i'r gogledd o'r Cerrig, cymerwyd enw hwnnw ar Barti'r Brenig, a daethant yn fuddugol allan o tua phymtheg o bartïon. I brofi, fel petai, nad ffliwc oedd hyn, hwy a enillodd wedyn yn yr Ŵyl Gerdd Dant a gynhaliwyd yn Llangefni y mis Tachwedd dilynol. Sylwodd y Parchedig Idwal Jones, oedd yn Weinidog i amryw ohonynt, mai nid y 'dam' oedd yn enwog erbyn hynny ond y 'dêms'.

Daliodd y merched i ganu hyd 1986. Gwragedd ffermydd o gylch Uwchaled oedd y mwyafrif, a rhai hynod o ffyddlon i'r ymarferion ar nos Sul yng Nghapel Maes yr Odyn, Llanfihangel Glyn Myfyr. Yn amlach na pheidio caem bractis llawn, a'r un brwdfrydedd wrth gyngherdda a chystadlu, ac ambell i dro reit ddigri. Roedd rhyw sibrydion yn y gwynt fod un o'r merched yn disgwyl babi, a dyma holi Barbara, oedd yn gweithio yn y syrjeri leol a oedd hyn yn wir. 'Ydi,' meddai hithau, 'ac mae yna un arall o'r parti'n disgwyl hefyd.' Wel, mi fuo 'na hen ddyfalu, ac enwi hon a'r llall, a Barbara y gnawes yn cau deud pwy, am mai hi ei hun oedd hi!

Dro arall cafwyd gwahoddiad i fynd i ryw gyhoeddiad neu'i gilydd ar rybudd go fyr. Roedd yn amhosib i ddwy o'r sopranos ddod, ac roedd un arall yn disgwyl babi. Roedd y gweddill yn frwdfrydig iawn i dderbyn y gwahoddiad dan sylw, ond braidd yn ysgafn fyddai'r llais uchaf, ac awgrymwyd y byddai'r soprano feichiog yn siŵr o wneud ymdrech i ddod i ganu pe bawn i'n gofyn iddi. Felly dyma fynd heibio wrth fynd o'r practis i roi'r mater gerbron. Cefais fy rhoi yn fy lle yn sydyn iawn gyda geiriau tebyg i, 'Ylwch, Mistyr Puw, rydw i wedi trefnu'r babi 'ma i osgoi'r Steddfod Genedlaethol a'r Ŵyl Gerdd Dant, felly stwffiwch eich consart.' A'i stwffio fo fu raid.

Rhaid cofio un ffaith bwysig. Gan fod amryw o'r aelodau â phlant ifanc ganddynt rhaid nodi pa mor ddyledus oeddem i'r gwŷr ac ambell i daid a nain am warchod.

Enillwyd gwobrau droeon mewn eisteddfodau bach a mawr, a dod yn ail yng Ngŵyl Ban Geltaidd Cill Airne. Aeth rhai o'r aelodau yn eu blaenau i hyfforddi unigolion a phartïon eraill, rhywbeth yr oeddwn yn falch iawn ohono fel y cyfeiriais yn barod.

Dim ond un digwyddiad a amharodd ar yr amser da a dreuliodd y parti a minnau gyda'n gilydd. Newydd gychwyn i Gaernarfon i gadw cyngerdd ar noson pur niwlog, bu un o'r ceir mewn damwain, ac anafwyd y pump a deithiai ynddo yn ddifrifol. Er fy mod i mewn car arall rhyw bum munud ar eu holau, fedrwn i ddim llai na theimlo'n gyfrifol amdanynt rywsut. Wedi'r cwbwl, roeddwn i'n rhyw lun o arweinydd arnynt, fi oedd yr unig ddyn yn eu plith, a theimlwn bob amser fymryn o ddyletswydd i geisio gwarchod drostynt. Fe dreuliais rai dyddiau mewn cryn wewyr, ac roeddwn i'n falch ddychrynllyd o'u gweld yn dod adref bob yn un, yn dychwelyd o'r ysbyty i'w cartrefi, ac ailafael yn eu bywydau prysur.

Mae arna i un ddyled aruthrol iddynt. Yn haf 1978 fe gollais Mam a Beti fy chwaer o fewn mis i'w gilydd. Roedd Mam yn bump a phedwar ugain, a Beti ond yn bum deg pump. Y cwestiwn a'm poenai oedd beth i'w wneud â'r ymarfer y ddwy nos Sul wedi'r ddau angladd. Wel na, nid ar ôl y ddau angladd, ond y nos Sul ar ôl angladd Mam. Doedd arna i ddim llawer o awydd canu fy hun a dweud y gwir, a dywedai rhyw lais ofn-be-ddwedith-pobol y dylwn aros gartre, ond roedd llais cryfach yn gweiddi, 'Be, aros adre, a hithau wedi treulio oes i ganu ac i rannu ei dawn gydag eraill?' Yn y diwedd y llais olaf a orfu. Dwn i ddim oedd y merched yn ymwybodol o beth roeddynt i fod i wneud yn y practis hwnnw; roeddwn ym min dagrau ar ddechrau'r ymarfer, a fu yna ddim hyfforddi, dim ond canu'r pethau a ddysgwyd yn bur dda. Dwn i ddim sut y canson nhw go iawn, ond dyna oedd y therapi orau fedrwn i erioed fod wedi ei gael. Mi fydda i'n hoffi meddwl na roison nhw 'rioed ffasiwn berfformiad i neb ag a wnaethant i'r gynulleidfa o un oedd ganddynt y noson honno. Mae pawb yn delio â phrofedigaeth yn ei ffordd ei hun, ond fe euthum adre yn teimlo fel pe bawn wedi cael rhyw ollyngdod; doedd colli Mam ddim yn ergyd greulon mwyach, oherwydd roedd canu'r nos Sul hwnnw fel pe bai wedi llenwi'r gwacter. Diolch ichi, lats – doedd gen i ddim amheuaeth beth i'w wneud y nos Sul ar ôl angladd Beti.

Wedi i Barti'r Brenig benderfynu rhoi'r gorau iddi, bu Lona yn ceisio fy mherswadio i sefydlu parti o hogiau ifanc o Benllyn. Dweud y gwir, roeddwn i'n teimlo braidd yn chwith ar y pryd fod merched Brenig am ymddeol o ganu, ond o edrych yn ôl

131

doedd o ddim yn ddrwg i gyd, gan fy mod tua'r un adeg yn ceisio arwain band y Bala hefyd, ac roedd hi'n bur anodd medru cyrraedd pob man, er imi gael pob cefnogaeth adre. Wedi cael rhyw fymryn o saib oddi wrth Barti Cerdd Dant a band aed ati i gorlannu rhai o'r egin gantorion oedd genhedlaeth yn iau na mwyafrif aelodau Parti'r Brenig. Synnais cyn lleied o waith perswadio a fu – yn wir roedd ambell un yn ymddangos fel pe buasai'n awyddus iawn i roi cynnig arni – er bod rhywrai o'r genhedlaeth hŷn yn bytheirio byth a hefyd nad oedd hogiau ifanc heddiw yn meddwl am ddim ond am fercheta a meddwi.

Er inni ymarfer am dros hanner blwyddyn, welodd Meibion Llywarch mo'r llwyfan yn Eisteddfod Genedlaethol Bro Madog, a chredir mai hwy oedd y cyntaf i ymddangos mewn cystadleuaeth yn y Brifwyl yn gwisgo jîns, ond sicrheir ni nad oes unrhyw gysylltiad rhwng y ddwy ffaith. Yn wir, cyn hir aeth rhai corau llawer mwy 'parchus' i'w hefelychu – o ran eu diwyg! Araf, ond sicr, fu'r cynnydd, nes ennill y dwbl – y wobr gyntaf yng nghystadlaethau Parti Cerdd Dant a Pharti Cân Werin yn Eisteddfod Bro Colwyn yn 1995.

Erbyn hyn gwasanaethwyd mewn ugeiniau o wahanol ddigwyddiadau led-led Cymru, Lloegr a thramor, gan dderbyn croeso a chanmoliaeth ymhobman. Efallai mai gorau po leiaf a ddywedir am eu campau oddi ar y llwyfan! P'run bynnag, pan yn aros noson oddi cartref, mynd i 'ngwely'n gynnar y byddaf i bob amser, a bydd pawb yn fy sicrhau fore trannoeth eu bod hwythau hefyd wedi troi i mewn 'toc ar eich ôl chi'. Ond mi fydda i'n amau'n fawr weithiau, oherwydd os oedd o yn ei wely mor gynnar bob nos, sut ar y ddaear y llwyddodd Hywel Wigli i ddod o hyd i wraig yn ystod ein taith i'r Dingle yn Iwerddon?!

Uchafbwynt y teithio (ar wahân i'r Cyngerdd hwnnw yn Llanerfyl pan gafodd pob aelod ond un wybod ei fod wedi ei ohirio) fu pythefnos yn Alberta, Canada ym mis Awst 2002. Golygodd hyn golli Eisteddfod Genedlaethol Tyddewi, a chawsom Dystysgrif arbennig i nodi'r ffaith gan gyn-aelod o'r

Parti, Aled Sion, oedd erbyn hynny'n Drefnydd Eisteddfod y De. Digon prin yr aiff y daith yma byth yn angof, y croeso cyn ac ar ôl y chwe chyngerdd gan wahanol gymdeithasau. Y neuaddau llawnion (ac eithrio un braidd yn wag!); y platiau llwythog mewn cartrefi a gwestai, a'r golygfeydd o aruthredd y Mynyddoedd Creigiog. Mae aml i lythyr ac e-bost wedi croesi'r Iwerydd yn ôl a blaen ers hynny, ac ambell un o'r Albertiaid wedi ymweld â Chymru hefyd.

Dim ond un peth a amharai ar y cyfan i rai ohonom, a hynny oedd y modd gwarthus y mae'r mewnfudwyr gwynion yn dal i drin y brodorion. Ni wn a ydynt yn teimlo'n euog am y peth ai peidio, ond ychydig iawn iawn o'r bobl garedig y daethom i gysylltiad â hwy oedd yn fodlon sôn am yr 'Indiaid', neu'r 'First Nation', fel y gelwir hwy yn awr. Yn wir byddent yn troi'r stori cyn gynted â phosibl pan grybwyllid y mater, fel pe buasai'r ffaith iddynt roi'r *reservations* iddynt yn rhoi hawl iddynt sgubo'r cyfan dan y mat. Y drwg oedd ein bod wedi gweld mewn amgueddfa sut y câi'r Indiaid druan eu trin. Doedd y 'Welsh Not' Cymreig ddim ynddi. Un enghraifft o'r trychineb hiliol yma oedd y ffaith y caethgludid y plant i ysgolion preswyl cyn gynted ag yr oeddynt yn ddigon hen, er mwyn eu diddyfnu'n llwyr o iaith a holl arferion y llwythi cynhenid. Drwy hyn fe'u trowyd i fod yn Ganadiaid Saesneg eu hiaith, ond yn israddol mewn popeth arall.

Does gen i ddim cof pa ddyddiad y bûm yn beirniadu am y tro cyntaf, ond mai yn fy ugeiniau cynnar yr oeddwn, a chofiaf yn dda mai yng Nghapel y Caletwr yng ngodre'r Berwyn y cymerais y cam ofnadwy hwnnw. Nel Parry Jones, Llandderfel, estynnodd wahoddiad imi, neu efallai y byddai 'gorchymyn' yn air mwy addas! Bu Nel Parri fel y gelwid hi, yn flaenllaw iawn yng ngweithgareddau cerddorol y rhan yna o Benllyn. Synnwn i ddim na fu hi yn nyddiau ei hieuenctid yn cystadlu ar ganu unawd yn erbyn Mam. Yn sicr fe'i cofiaf yn cystadlu (ac ennill) yn fy erbyn i yng Ngŵyl yr Ysgol Sul. Erbyn fy nghyfnod i,

hyfforddi y byddai gan mwyaf gan ddysgu'r Tonic Sol-ffa i
blant Llandderfel, a'u dysgu i ganu, yn unigolion a phartïon.
Roedd Hefin, ei mab hynaf, a finnau'n dipyn o ffrindiau yn yr
un dosbarth yn Ysgol Tytandomen. Rhwng popeth roedd yn
amhosibl dweud 'na' wrth Nel Parri.

Cefais amryw o gynghorion buddiol gan 'Nhad cyn
cychwyn; y gorau efallai oedd i ofalu fy mod yn rhoi marc ar
gyfer pob cystadleuydd cyn i'r nesaf ganu, 'a gofala dy fod ti'n
reit bendant pwy sydd orau a pham, bob munud, fel y mae'r
gystadleuaeth yn mynd rhagddi'. Cefais achos i sylweddoli mor
fuddiol oedd y cyngor arbennig yna un tro dipyn yn
ddiweddarach pan yn beirniadu Cerdd Dant mewn Steddfod
Cylch yr Urdd ym Maldwyn, a gŵr tipyn hŷn na fi yn beirniadu
canu, a hynny am y tro cyntaf. Roeddwn yn nabod y cyfaill yn
weddol dda, a chyn dechrau'r eisteddfod bu'n dangos, a
chanmol, y system farcio a drefnodd, sef rhes o is-benawdau
dan y teitlau, geirio, brawddegu, tonyddiaeth, mynegiant, ac yn
y blaen, a lle i roi marc allan o ddeg ar gyfer pob un. Fel arfer,
daeth rhyw ugain i'r llwyfan ar yr unawd dan wyth oed, ac
ymhen rhyw ychydig wedi diwedd y gystadleuaeth, trodd y
beirniad ataf a gofyn, 'Wyt ti'n cofio Jane ac Angharad a Rhodri
[neu enwau cyffelyb] yn canu?' Er gwaetha'i system anffaeledig
roedd y tri wedi dod yn gydradd gyntaf. Yn Steddfod yr Urdd
o bob man!

Tua chanol y nawdegau sylweddolais nad oedd fy nghlyw
cystal ag y bu, ac felly penderfynais roi'r gorau i feirniadu – cyn
i bawb arall ddod yn ymwybodol o'r ffaith!

Walt

Yn gynnar yn yr ugeinfed ganrif roedd hi'n dipyn o sioc i weinidog parchus gyda'r Hen Gorff gael ar ddeall fod ei ferch ddibriod yn disgwyl babi. Pan ar ymweliad yn pregethu yng Nghapel Talybont ger y Bala, mae'n debyg i'r gweinidog arbennig hwnnw fwrw ei fol dros de wrth ŵr a gwraig Ysgubor Gerrig, a chael sicrwydd y byddent hwy yn barod iawn i fagu'r plentyn pan ddeuai'r amser. Dyna, yn fyr, sut y daeth Walter Morgan Jones yn un o bobl Penllyn, ac yn 'frawd' i Jac a Ted Sgubor. Hanai ei nain o deulu Llwyn Ithel, Glan'rafon, ac etifeddodd Walt lawer o athrylith y teulu dawnus hwnnw, ond i'r athrylith ddod allan mewn ffyrdd ychydig yn wahanol i'r rhelyw ohonynt.

Deuthum i nabod Walt gyntaf rywdro tua chanol y pedwardegau oherwydd fod 'Nhad ac yntau yn gweithio i'r Wôr Ag. Ni wn beth oedd ei swyddogaeth y pryd hwnnw, ond erbyn amser eira mawr 1947 roedd yn gweithio fel rhyw fath o swyddog i adran y drênej, a darparai'r adran fen fodur iddo fynd o gwmpas y ffermydd i arolygu'r gweithlu, trafod cynlluniau sychu tir gyda'r ffermwyr, ac yn y blaen. Gan fod yr ardal dan droedfeddi o eira yn ystod y gaeaf dan sylw, fe adleolwyd y gweithwyr i gyd i helpu gweithwyr y Cyngor Sir i glirio eira. Gan nad oedd dynion i'w harolygu, a phob ffermwr yn pryderu llawer mwy am ei ddefaid ar y ffriddoedd nag am ddraenio'r gweirgloddiau, treuliodd Walt ei amser (a phetrol ei fan) yn ystod yr heth yn cario pob math o fân negeseuon i hwn a'r llall, yn amrywio o owns o furum i wragedd ffermydd i fageidiau o flawd i'r gwartheg. Pan ddaeth amser cyflwyno'r cyfrifon ddiwedd y mis, a Walt â milltiroedd dirifedi ar gloc y fan, a bron ddim gwaith (swyddogol) i'w ddangos amdanynt, gofynnodd rheolwr yr adran am eglurhad, a derbyn y perl:

'Sgen pobol sydd ar eu tinau yn yr offis 'ma ddim syniad fel mae'r blydi fan yn troi dani ar y rhew a'r eira.'

Fel yna, drwy ddefnyddio'i feddwl chwim a'i ateb parod, y dôi Walt allan o unrhyw drwbwl, boed fach neu fawr. Fel yna hefyd y mynnai gael y gair olaf ym mhob sgwrs, yn enwedig pan fyddai tipyn o dynnu coes.

Wedi rhoi ei fab i'w fagu aeth ei fam i weithio i'r banc i Lundain, ac yno, yn ddibriod, y bu ar hyd ei hoes. Rwyf yn credu iddi ddringo i swydd bur uchel, peth eitha anghyffredin efallai i ferch yn y dau a'r tridegau, a phan ddaeth yn amser i Walt madael o'r ysgol cafodd le yn y banc yn Llundain. Ond wedi cael cymaint o flas ar gwmni hogiau – a merched(!) – cefn gwlad doedd dim disgwyl i lencyn cryf, afieithus fod yn hapus mewn swyddfa yn Llundain yn gweithio o wyth tan bump, a ffôdd i weithio ar fferm yn Essex lle roedd un o hogiau Penllyn, a fagwyd o fewn tafliad carreg bron i'r Sgubor Gerrig, yn byw. Ni fu yno'n hir iawn chwaith – yn ôl y daeth o, i weithio ar fferm Frongoch, i ganlyn injian ddyrnu John Hughes, Cynlas, i briodi Myfanwy, i ddreifio'r lorri laeth . . . ac i'r Wôr Ag. Yn rhywle ar ei daith fe gollodd y Morgan Jones. I'r rhai mwyaf amharchus ohono aeth yn Wali. I'r ychydig parchus – Walter. I bawb arall – Walt.

Un o brif swyddogion y Wôr Ag yr adeg yma oedd gŵr o'r enw Edwin Jones, ac roedd ffermwyr y sir yn ei ganmol fel swyddog effeithlon, digon rhesymol yn wyneb yr anawsterau a wynebai'r gymuned amaethyddol yn nyddiau blin yr Ail Ryfel Byd a'r blynyddoedd dilynol. Dwn i ddim sut berthynas oedd rhwng Edwin Jones a'i staff – a oedd yn rhy eiddgar i chwipio tinau'r rhai ohonynt oedd yn defnyddio faniau'r gwaith i gario burum i bobl ai peidio – ond doedd pethau ddim yn dda iawn rhyngddo fo a Walt. Cadeirydd pwyllgor y *Merioneth War Agricultural Executive Committee* (y Wôr Ag i chi a fi) oedd R.T. Vaughan, gŵr pur amlwg ym mywyd cyhoeddus Penllyn. Eisteddai ar bob pwyllgor o bwys yn y cylch; roedd o'n Henadur ar y Cyngor Sir, yn flaenor gyda'r Hen Gorff, ac yn gadeirydd Mainc Ynadon y Bala. Dwn i ddim a oedd a wnelo'r ffaith fod Walt yn ŵyr i un o gyn-weinidogion yr Henaduriaeth ai peidio, a'r 'Hen Fôn' yn un o'i blaenoriaid, ond clywais ddweud droeon y byddai dreifar y fan yn aml yn cael cysgod o dan adain R.T. Vaughan pan fyddai Edwin Jones neu unrhyw un arall am ei waed. Maes o law anrhydeddwyd R.T. Vaughan â'r C.B.E. am ei wasanaeth i amaethyddiaeth Sir Feirionnydd yn ystod y rhyfel. Gofynnodd rhywun i Walt beth oedd ystyr 'y C.B.E. 'ma?'

'Companion tw ddy Blydi Edwin, coelio,' oedd yr ymateb braidd yn sarrug.

Rywdro tua dechrau'r pumdegau, cafodd Walt ddigon ar y Wôr Ag, a dechreuodd weithio fel rhyw fath o ymgymerwr. Er nad oedd yn dal, yr oedd yn llydan ac yn gryf fel arth, a gallai droi ei law at lawer o orchwylion amaethyddol ac adeiladu, a threuliodd flynyddoedd yn draenio, ffensio ac adeiladu ar ffermydd Penllyn. Bu'n ffensio'r mynydd i ni ym 1955, a dyna gyfle i ddod i'w nabod yn well fyth. Roedd bron i ddwy filltir o ffens i'w chwblhau, a gwysiwyd finnau i'w helpu, a chael tipyn o addysg ffensawl yr un pryd – 'Cwyd y blydi gordd 'ne, mi ddaw ffors o' grafiti â hi i lawr iti!' Dro arall, a ninnau'n datod rholyn o weiar bigog, 'Brysia, neu mi fydd y weiar wedi gorffen cyn inni gyrraedd y pen!' Bu'r haf sych hwnnw yn hwyl a thynnu coes didrugaredd. Gan fod tipyn o siwrnai o gartref i'r ffens, byddai Mam yn paratoi brechdanau inni i ginio a the.

'Mae Mam wedi 'nysgu fi i gymryd y lleia bob amser,' meddwn i pan gythrodd Walt i'r darn mwyaf o gacen un amser te. Meddyliais y cawn ryw un yn ôl arno am y mynych dynnu coes a ddioddefwn i. Ond nid felly roedd hi i fod.

'Paid â chadw sŵn, 'ngwas i, rwyt ti wedi'i gael o.'

Fyddai ambell gyfnewid geiriau ddim mor hwyliog. Cau bwlch go fawr o dan y ffens yr oeddem pan wasgwyd bys Walt o dan anferth o garreg y ceisiai ei symud nes bod gwaed yn pistyllio o dan yr ewin. Gwasgai ei ddwylo rhwng ei goesau mewn poen, â'i wyneb yn cochi'n ara deg.

'Pam na ddamiwch chi, Walt?' gofynnais toc.

'Dw i wedi brifo gormod i regi, y diawl gwirion,' oedd yr ateb.

Cafodd walt y gwaith o godi toiledau ym mharc carafanau Glanllyn. Pan gyrhaeddodd un bore roedd Gareth Penybryn yno hefo'i Jac Codi Baw wedi agor rhyw bymtheg llath o ffos ar gyfer draen y septig tanc. Roedd y JCB yn beiriant pur newydd ac anghyffredin bryd hynny:

'Be w't ti'n neud, wa, agor bedd i Dei Maesgadfa?'

Roedd y canwr penillion, Dafydd Jones Williams, Maesgadfa, yn un o gyfoedion Walt. Ef oedd y dyn talaf (a'r meinaf) ym Mhenllyn!

Braidd yn gam oedd rhesi tatws Tŷ Du un gwanwyn, a Gwyn ar y Ffyrgi bach yn dechrau eu cau ar ôl plannu.

'Sgen ti gorn ar y tractor ne?' gofynnodd Walt o ben y clawdd.

'I be?' meddai Gwyn oddi ar y tractor.

'Wel, i'w ganu siŵr, rhag ofn i rywbeth ddod i dy gwarfod di ar y troadau 'ne.'

Credaf mai agor draeniau yr oedd ym Mhantyneuadd pan ddywedodd Hywel Wood yn ddigon pruddglwyfus wrth y bwrdd brecwast ryw fore:

'Pan marwa i, dw'i isio chi saethu Jaco a claddu o hefo fi.'

Bu Hywel yn gowmon ym Mhantyneuadd am ddegawdau. Cymraeg oedd ei drydedd iaith (ar ôl Romani a Saesneg), ac roedd ganddo'i reolau treiglo ei hun. Hen gi defaid ffyddlon, ond hollol ddiwerth oedd Jaco, ac fel ei feistr, wedi hen basio oed yr addewid.

'O Duw, a be tase Jaco'n marw gynta?' meddai Walt.

Dydw i ddim yn meddwl i Walt erioed fod yn berchen set deledu. Gwrandawai ar y radio, a darllenai. Synnwn i ddim nad y fo oedd cwsmer ffyddlona'r Llyfrgell yn y Bala, a gwnâi rhyw sylw reit fachog a digri wrth hwn a'r llall y digwyddai daro arno ar ei daith o'i gartref ar Stryd Fawr y Bala i'r hen lyfrgell yn Heol Ffrydan. Ken Williams y plismon (Ken o Kenya yn ddiweddarach) ryw noson yn ysgwyd a dyrnu'r peiriant gwerthu llefrith oedd ar ochr y stryd. O roi darn chwecheiniog yng ngheg y peiriant yma disgynnai carton yn cynnwys hanner peint o lefrith i drôr fach yn ei waelod.

'Be w't ti'n drio 'neud, wa?' gofynnodd Walt.

'Dwi wedi rhoi tri chwecheiniog yn hon, a fedra i gael dim byd allan ohoni hi,' oedd yr ateb.

'Gofyn tarw mae hi 'sti, ac wedi atal ei llaeth,' meddai Walt fel ergyd.

Ar y ffordd yn ôl byddai dau neu dri o lyfrau dan ei gesail, llyfrau gwybodaeth heb fod yn rhy drwm fel arfer, ac erbyn amser eu dychwelyd byddai swm go fawr o'u cynnwys ar ei gof. O ganlyniad yr oedd yn un o'r personau difyrraf i fod yn ei gwmni, a gallai sgwrsio a chynnig barn ar ymron unrhyw bwnc dan haul, a hynny heb byth swnio'n wybodlyd. Casâi bobl felly â chas perffaith. Daeth ar draws un ohonynt un tro pan yn digwydd bod yn Nhyddyn Du, y Parc. Mab tyddyn cyfagos oedd o, un o'r rhai cynta o'r ardal, synnwn i ddim, i fynd i goleg. Treuliodd yr amser y bu'n ymweld â'i hen gymdogion yn cynnig ei farn yn helaeth i'w goleuo ar bob pwnc a drafodid. Mae lle i ofni nad oedd ei gynulleidfa yn gwerthfawrogi'r addysg a dderbynient, oherwydd doedd o prin wedi cau'r drws wrth ymadael nad oedd Walt yn ebychu:

'Pan farwith y cythrel yne mi fydd y Brenin Mawr yn rhoi ei job i fyny.'

Agor ffos oedd y contract yn Nhyddyn Du un tro pan elwais heibio ryw amser cinio. Ychydig iawn a fwytâi Dewyrth

Tyddyn Du (R.J. Evans) ar y gorau. Nid oedd wedi bod yn dda ei iechyd ar yr adeg dan sylw, a'i ginio y diwrnod hwnnw oedd un frechdan mor denau fel y gallwn weld y plât drwyddi bron, er bod yna rhyw grafiad o fenyn ar ei hwyneb. Roedd y te yn ei gwpan cyn wanned ag oedd bosib ei wneud – dim llefrith ynddo, dim ond rhyw hanner llond llwy de o frandi 'meddyginiaethol', gan ei fod yn honni ei fod yn dipyn o ddirwestwr.

'Sut mae hi'n dod yn y ffos ne' Woltar?' oedd ei gwestiwn i Walt.

'O, mae hi'n dod yn ara deg, wsti.'

'Mi ddo' i draw ar ôl cinio i weld be'wt ti'n neud.'

'Ddoi di ddim yn agos ata i'r diawl, yn dy ddiod.'

Dydw i ddim yn meddwl i Walt erioed fod yn ymhél â diod, ond roedd yn un o'r smocwyr trymaf ym Mhenllyn.

'Faint ydech chi'n smocio rŵan, Walt?' gofynnais iddo ryw amser cinio.

'O, rhyw ddeg yn dydd 'ngwasi.' Byddai wedi smocio tair ohonynt cyn codi oddi wrth y bwrdd, gan danio'r naill oddi wrth y llall!

Daeth y contractio i ben dros dro pan aeth i weithio i Gelyn adeg adeiladu argae Tryweryn. Ei swydd gyntaf yno oedd gofalu am y ffyrdd. Byddai'r lorïau mawr gweigion yn mynd i fyny ar hyd yr hen reilffordd, caent eu llwytho â graean ym mhen ucha'r cwm, a doent i lawr yr hen ffordd i ddadlwytho yn yr argae. Pan ymddangosai twll yn y lein neu'r ffordd, gwaith Walt â'i ferfa drol a rhaw oedd ei lenwi o un o'r tomennydd bychain o gerrig mân a adawyd i'r pwrpas yma ac acw ar hyd y lle.

'Be 'dech chi'n neud yng Nghelyn 'ne, Walt?'

'O, dreifio lô-lodar un olwyn.'

Buan y sylweddolwyd fod ganddo fedrau amgenach na'r rhai a ddefnyddiai i drin y lô-lodar, a symudwyd ef yn bur fuan i weithio i'r twnnel oedd yn cael ei dorri drwy'r graig ar gyfer

gollwng dŵr allan o'r llyn. Ef oedd yn gyfrifol am y gwaith o
ffrwydro'r graig. Dwn i ddim ai'r lleithder, llwch y gwaith, ai'r
nicotîn, neu gyfuniad o'r tri a barodd i'w iechyd ddirywio.
Chronic bronchitis oedd dyfarniad yr arbenigwr, a phan
ddychwelodd at y contractio wedi i waith yr argae ddod i ben
roedd yn chwith iawn sylwi mai byrhau yr oedd ei anadl, a
phallu roedd ei nerth. Ond roedd rhai pethau – yr hwyl a'r
tynnu coes – yr un fath.

'Yn lle 'dech chi rŵan Walt?' gofynnais yn ddigon difeddwl
un diwrnod pan welais ef ar y stryd yn y Bala. Erbyn deall
roedd o 'ar y siwrans' ers pythefnos o achos ei ddiffyg anadl,
ond yr ateb a gefais oedd, 'O, yn Llanycil jyncsion wsti.' Yn
Llanycil wrth gwrs yr oedd mynwent y cylch. Dro arall
dywedodd fel y byddai bob amser yn gyrru heibio'r lle cyn
gyflymed ag y gallai a chadw ei ben i lawr cyn ised â phosib,
'rhag ofn iddyn nhw 'ngweld i a 'ngalw i i mewn yn sydyn,
ynde wa!'

Treuliodd beth amser yn Ysbyty Penyffordd yn cael
triniaeth, a holwyd sut le oedd yno. 'Beryg bywyd wsti, os bydd
dy geg di yn golwg mi stwffith un o'r blydi nyrsys 'ma bilsen
iddi, os mai dy din di welan nhw mi stician nodwydd yn'o fo.'

'Ydi Huw Jones wedi bod heibio chi, Walt?'

'Arglwydd Mawr, dydi John Roberts ddim wedi bod eto.'

John Roberts oedd rhagflaenydd Huw Jones yn Weinidog
Capel Tegid lle roedd Walt yn aelod pur gloff.

Does neb yn siŵr iawn p'run ai'r trawiad achosodd y
ddamwain, ai'r ddamwain achosodd y trawiad, ond pan drodd
y cerbyd a yrrai drosodd wrth ddringo rhiw serth yng Nghwm
Glyngower y collodd Walt y dydd pan oedd o fewn blwyddyn
i fod yn drigain oed. Yn nodweddiadol ohono, roedd wedi
cymryd contract i wneud gwelliannau i hen ffermdy Llechwedd
Du, er gwaethaf y frwydr yn erbyn y diffyg anadl a'r
cymhlethdodau cysylltiedig â hynny. Aeth ei gydweithiwr i
chwilio am help, ond pan gyrhaeddodd yn ôl roedd hi'n rhy

hwyr. Bron na chlywa i Walt yn dweud, 'Ddiawl o ffordd wirion i farw'n de wa?'

Oleuni mwyn . . .

Pan oedd brodyr Nain Nant yn llanciau roedd saith ohonynt, yn ogystal â fy nhaid, yn aelodau o fand Llanfachreth. Doedd fawr ryfedd felly fod fy nhraed i ers pan oeddwn yn bur ifanc yn dechrau symud pan glywn seiniau band pres.

Wedi imi adael yr ysgol byddai Sam Bwtsiar yn holi 'Nhad yn bur aml oedd 'yr hogyn 'cw' awydd dod i berthyn i fand y Bala. Roedd Sam Edwards yn faswr trwm, yn lleisiwr gwerth ei gael mewn côr, ac, yn naturiol iawn, y Dwbwl B, sef yr offeryn bas isaf, a'r mwyaf yn y band, a chwaraeai. Byddai Mam yn codi ei dwylo mewn braw – roedd traddodiad o fynd i dafarnau a gweithgarwch anfad cyffelyb yn perthyn i bob band y clywsai hi sôn amdano. Doedd ei Hewyrth Richard, gof Llanfachreth, yn cadw'i iwffoniwm mewn cwpwrdd yn yr efail, a fo oedd yr unig un o'r teulu (o'r rhai a arhosodd adre beth bynnag) oedd am y ddiod! Y fo oedd yr unig un ohonynt oedd yn Eglwyswr hefyd, felly fyddai yna ddim cymaint o gwentans hefo teulu'r Efail ag a fyddai â chefndryd a chyfnitherod eraill. Byddwn yn lled-amau fod Mam yn edrych ar ddod yn aelod o fand pres fel cychwyn ar y ffordd lydan i ddistryw.

Gellwch ddychmygu felly imi gael fy rhybuddio yn bur ffyrnig ynglŷn â pha bethau yr oeddwn i'w gwneud (ac i beidio â'u gwneud) pan gyhoeddais i pan oeddwn tua deunaw oed fy mod am ymuno â'r band. Rhyw ddwy neu dair blynedd oedd er pan ailffurfiwyd y band wedi dirwyn pethau i ben ddeng mlynedd ynghynt oherwydd yr Ail Ryfel Byd.

Cefais groeso mawr yn y bandrwm y noson gyntaf honno.

Roedd amryw o'r aelodau yn arfer bod yn Ysgol Tytandomen hefo fi, ac roeddwn yn adnabod nifer o rai hŷn hefyd, a rhyw dri neu bedwar o hen stejars oedd yn aelodau cyn 1939. Un o'r rhain oedd Tom Ty'n Cefn, a'm cyfarchodd â geiriau tebyg i 'Pt pt, mae'f hen Nantcnidiw yn siwf o'i chw'thu o, pt pt!' Hyd yn oed wrth siarad byddai Tom Edwards, chwaraewr corn tenor a thad-yng-nghyfraith Sam, yn rhyw daro'i dafod, pt, pt, y tu ôl i'w wefus fel y gwnaiff pob chwaraewr offeryn pres i gynhyrchu nodyn. Roedd ganddo fymryn o ddeilen ar ei dafod hefyd, a byddai hynny'n aml yn gwneud ei sylwadau yn fwy digri fyth. Tipyn o syndod oedd clywed yr hynafgwr yma yn fy nghyfarch wrth enw hen gartref Mam, ond erbyn deall roedd o'n ddreifar trên, ac Ifan, brawd ienga Mam, wedi bwrw ei brentisiaeth fel taniwr o dan ei adain. Gan fod Nantycnidiw o fewn ychydig funudau ar droed i orsaf Bontnewydd, roedd Tom yn ddyledus i Nain am aml i saig blasus a gawsai yn sgil Ifan pan fyddent yn gweithio ar y rhan honno o'r lein a redai o Riwabon i'r Bermo. Yn y dechrau tybiwn mai hynny oedd yn cyfrif bod Tom mor eithriadol o garedig tuag ataf, ond sylweddolais yn fuan mai dyna oedd ei natur gyda phawb bob amser. Yn wir, criw cyfeillgar tu hwnt a thriw i'w gilydd a fu aelodau'r band ar hyd y chwarter canrif y bûm yn eu cwmni. Mae'n wir y byddai pawb yn lleisio'i farn, ac anghytuno ar ambell bwnc, ond dim ond unwaith y gwelais unrhyw un yn y band yn ffraeo.

Tecwyn Ellis o Landrillo, a ddaeth wedyn yn Gyfarwyddwr Addysg cyntaf Cyngor Sir Gwynedd, oedd yr arweinydd pan ymunais i, a rhoddwyd hen iwffoniwm pres yn fy nghôl imi ddechrau arni. Fel gyda'r piano, ymarfer y sgêls oedd yn bwysig yn syth ar ôl dysgu byseddu'r gwahanol nodau. Adref, cawn fy alltudio i'r tŷ gwair i ymarfer nes daeth fy ymdrechion yn ychydig mwy soniarus, a'm gwefusau'n ddigon caled i fedru cael sain dawelach na'r dwbwl-fforti fydd y rhan fwyaf o ddechreuwyr yn ei chynhyrchu. Diolch byth, dim ond un linell ar yr erwydd oedd raid ei darllen rŵan, ac fe ryddhawyd tipyn go lew o'r rhwystr hwnnw oedd rhwng fy llygaid a blaen fy mysedd pan ymdrechwn i chwarae'r piano. Ymhen ychydig cefais fynd i eistedd yn rhengoedd yr offerynwyr, a chwythu ambell nodyn fel y medrwn. Yn anffodus roedd yr hen iwffoniwm yn gollwng gwynt yn bistyll, ac o'r herwydd yn anos i'w chwythu, yn enwedig i'w chwarae mewn tiwn. Fodd bynnag roeddwn yn reit gartrefol, gan fod Myfyr yn fy ymyl i edrych ar fy ôl, yn chwaraewr iwffoniwm gyda dwy flwynedd o brofiad, ac yn barod iawn i gynnig cyngor os oedd angen. Roeddwn wedi cael ei gwmni am bum mlynedd yn Ysgol Tytandomen, ac roeddym wedi dod yn eithaf ffrindiau, gan ein bod â diddordeb mewn canu a cherddoriaeth yn y cyfnod hwnnw hefyd.

Un cyhoeddiad pwysig i'r band bob blwyddyn oedd gwasanaethu yn ffeinal Cwpan y Bragdy. Rywbryd yn y tridegau cyflwynodd Capten Rigg, o'r Bragdy ger Llanycil, gwpan i'r ardal, a chynhelid cystadleuaeth flynyddol rhwng timoedd o wahanol gapeli Penllyn i chwarae amdani. Yn y dyddiau cyn-deledu hynny deuai tyrfa dda i Barc y Castell i wylio gêm bêl-droed, ac roedd gan ambell dîm gefnogwyr pur arabus. Byddai Ann Yates yn ddilynwr selog i dîm Capel Bach, ac nid oedd yn ddiogel i neb o gefnogwyr eu gwrthwynebwyr hwy fod yn agos iawn iddi yn ystod y gêm nac wedyn! Yn wir, ceid ambell wàg yn gwneud ati i gefnogi'r gwrthwynebwyr, dim ond i gythruddo Ann. Ar adegau felly gellid cael mwy o ddifyrrwch wrth y lein nag ar ganol y cae! Byddai elw'r holl gêmau'n mynd i goffrau ysbyty orthopaedig Gobowen.

Ar noson y ffeinal byddai'r band yn gorymdeithio i'r cae, ac yn chwarae cyn dechrau'r gêm, ac ar hanner amser. Yn dâl am ein gwasanaeth caem gyfle i wneud casgliad ar hanner amser. Gan fod nifer o ferched a minnau yn newydd yn y seindorf, roedd yn rhaid ymarfer martsio un noson ddechrau haf. Cychwynnwyd yn ddigon didrafferth o'r hen ysgol, lle roedd ein hystafell ymarfer, i gyfeiriad pont y stesion. Neb yn chwarae nodyn, ond yn cerdded yn daclus i guriadau'r drwm mawr. Wedi i'r arweinydd weld ein bod yn cadw step ac mewn llinellau gweddol syth dyma roi arwydd i Elfed roi'r curiadau arferol ar y drwm i arwyddo inni ddechrau chwarae. Yn anffodus, roeddem wedi ymdeithio'n weddol bell, ac o'r herwydd yn gorfod chwarae i fyny'r pwt rhiw oedd o Siop Dil i ben y bont. Doedd neb fawr gwaeth, heblaw un, sef Jac Hêdn. Roedd John Haydn Lloyd, Stonecutter, mab i John Lloyd, arweinydd cyntaf y band, yn un o'r sylfaenwyr pan ffurfiwyd ef ar ddechrau'r ugeinfed ganrif. Erbyn hyn roedd o'n tynnu am ei bedwar ugain oed, yn smociwr trwm, a'r fegin heb fod cystal ag y bu. Pan gyrhaeddwyd diwedd yr ymdeithgan dyma stopio i weld sut yr oedd pawb wedi dod ymlaen ac i gywiro unrhyw flerwch a fu yn ystod y daith fer. Fe wyddwn fod Tecwyn Ellis yn pregethu ar ambell i Sul, ond daeth yn amlwg yn ystod y drafodaeth a ddilynodd fod Jac Hêdn yn medru pregethu hefyd, colli gwynt neu beidio, ond nad oedd y ddau yn codi testun o'r un fan! Wrth iddo sylweddoli nad oedd neb arall o aelodau'r band fawr dicach wrth yr arweinydd am ei 'tharo hi' jest cyn cychwyn i fyny'r bont roedd stêm Jac yn codi'n waeth, a'i ansoddeiriau'n mynd yn lasach, a phan geisiodd Tecwyn Ellis ei ddarbwyllo nad oedd ei araith yn weddus i ferched ifanc, fe fu mwy fyth o ffrwydrad. Diolch byth, roedd yr arweinydd wedi ei wneud o ddefnydd gwahanol, a llwyddodd ymhen hir a hwyr i dawelu'r storm. Bu Jac yn bur ddistaw am wythnosau wedyn.

Prin oedd cyhoeddiadau'r band yn y cyfnod hwn. Ambell garnifal, ein cyngerdd blynyddol yn Neuadd Buddug, a mynd o gwmpas y dref a'r pentrefi i chwarae carolau cyn y Nadolig. Os byddai noson i'w sbario, aem i chwarae o flaen rhai o dai mawr yr ardal, ac ambell ffermdy y tybiem y byddai ysbryd y Nadolig yn llacio llinynnau pwrs y trigolion. Wedi chwarae y tu allan i Blas Bodwenni ar fin y Ddyfrdwy ddofn ger Llandderfel un noson, aeth Tom Ty'ncefn tu ôl i rhyw lwyn pren bocs i 'wneud tropyn o ddŵr'. Rywsut neu gilydd ni sylwodd neb nad oedd yn y car wrth gychwyn oddi yno, ac wedi cyrraedd ffermdy ar yr ochr arall i'r afon clywyd bloedd am i rywun ddod rownd i'w nôl. Golygai hyn siwrne o rhyw bedair milltir rownd y ffordd.

Buom yn gwasanaethu yn Rali Plaid Cymru yn Llanuwchllyn rywdro yn haf 1955, a gorymdeithiwyd o'r babell ar gae Pandy Mawr i fynwent yr Hen Gapel i ymweld â bedd Michael D. Jones. Pan oeddym ar bont Lliw dyma hi'n dechrau bwrw'r glaw t'ranau trymaf posib. Ymhen rhyw ychydig o gamau dyma andros o glec, a rhyw newid sydyn yn sŵn y drwm. Wedi cyrraedd yr Hen Gapel deallwyd fod y drwm wedi byrstio, felly roedd Elfed wedi gorfod ei churo am weddill y daith hefo'i law chwith! Gan ei bod yn bnawn trymaidd, a chymylau duon uwchben, roedd rhai ohonom wedi ofni glaw, ac wedi gwisgo côt rhag ofn, ond fe wlychodd rhai at eu crwyn, Tom Ty'n Cefn yn eu plith. Cafodd annwyd trwm, ac o ganlyniad dioddefodd ei iechyd, ac ychydig iawn o'i gwmni a gafwyd ar ôl hynny, gwaetha'r modd.

Yn fuan wedi hyn cyhoeddodd Tecwyn Ellis ei fod yn symud o'r cylch, ac y byddai'n rhaid inni ddod o hyd i arweinydd arall. Bron yn syth cododd corws o leisiau, 'Rhaid inni gael Tom Owen yn ôl'. Roedd Tom Owen wedi bod yn helpu i ailffurfio'r band ar ddechrau'r pumdegau, ac wedi gwneud tipyn o argraff ar yr aelodau. Yn wahanol i Tecwyn Ellis, oedd wedi astudio cerddoriaeth ond yn gymharol newydd i fyd y bandiau pres, doedd Tom wedi cael fawr o addysg ffurfiol, ar wahân i fwrw'i brentisiaeth fel offerynnwr ym mandiau enwog Stiniog, ac wedi bod yn gysylltiedig â Band y Royal Oakeley a Band y Llan ar hyd ei oes. Byddai'n draddodiad y pryd hwnnw i fandiau gael arweinydd gwadd i'w paratoi at gystadleuaeth neu ryw amgylchiad pwysig arall. Un o'r rhai fyddai'n dod at yr Oakeley oedd gŵr oedd wedi cyfansoddi neu drefnu amryw o ddarnau oedd yn ein repertwar ni, sef J.A. Greenwood. Manteisiodd Tom i'r eithaf ar hyfforddiant 'yr hen Greenwood bach' i hogiau Stiniog ym mlynyddoedd llwm y dauddegau, a llwyddodd yn ei dro i'w rannu â'r rhai a fu dan ei ddisgyblaeth ef ym mand y Llan ac yn y Bala. Roedd ei ymroddiad yn anhygoel. Byddai ymarfer yn y British Sgŵl bob nos Lun a nos Iau, a chyrhaeddai Tom yno tua phum munud ar hugain wedi saith yn ddi-ffael, yn barod i ddechrau am hanner awr wedi. Nid yn unig byddai'n codi cywilydd arnom ni oedd yn byw yn nes, ond caem glywed yn bur hallt sut y dylai pethau fod, a chaem ein galw yn 'bobol tin doman', sef term a ddefnyddid yn Stiniog i ddirmygu'r chwarelwyr fyddai'n hwyr yn eu gwaith er eu bod yn byw bron yng nghwr un o'r tomenni rwbel oedd mor nodweddiadol o'r lle.

Bu Tom yn chwarelwr ei hun yn ei ieuenctid, ond gweithio i'r cyngor lleol yr oedd pan ddeuthum i i'w adnabod. Yn anffodus, y pryd hwnnw roedd llwch y llechen las wedi dechrau effeithio ar ei anadl er nad oedd eto wedi cyrraedd ei hanner cant oed. Llwch neu beidio, pan safai Tom o'n blaenau, baton yn ei law a cherddoriaeth o'i flaen, roedd o'n dipyn o ddewin. Yn ogystal â cherddoriaeth draddodiadol y bandiau byddai'n cyflwyno inni drefniannau o waith y meistri. Roeddwn i'n weddol gyfarwydd â gwaith cerddorion Cymreig fel R.S. Hughes, Caradog Roberts a Joseph Parry ar gyfer unawdwyr, corau cymysg a chorau meibion er pan oeddwn i'n ddigon hen i fynd i ambell steddfod hefo'm rhieni, ond Tom agorodd y drws imi i gerddoriaeth y meistri o'r tu allan i Gymru. Mae'n wir fod y ffaith mai fel 'Jipsian Balet' a 'Moments wudd Wagnar' yr ynganai rai o'r teitlau yn rhyw ddifyrrwch cynnil ychwanegol i ni aelodau, ond wannwyl, pan fyddai Tom yn ein harwain a'i lygaid yn tanio mewn cyngerdd neu ymarfer, doedd rhyw fymryn o gamgymeriad yn y deud yn effeithio dim ar y sain na brwdfrydedd 'y criw' fel yr arferai'n galw. Roedd pawb yn rhoi ei orau i Tom bob amser.

Rywbryd yn y cyfnod yma roeddwn wedi cael dyrchafiad o chwarae'r iwffoniwm i chwarae'r trombôn, y bas i ddechrau – offeryn anodda'r band yn ôl rhai. Dydw i ddim yn meddwl fod hynny'n wir, gan fod pob offeryn, offerynnau pres yn enwedig, yn gofyn am ymarfer cyson os am wneud unrhyw farc yn y maes. Yr unig wahaniaeth oedd fod y rhan fwyaf o'r offerynnau wedi eu cyweirio yn B fflat, eraill yn E fflat, ond y trombôn arbennig yma yn G, ac felly roedd rhannau ar gyfer hwn, a hwn yn unig, wedi eu hysgrifennu mewn cyweirnod gwahanol i weddill offerynnau'r band. Ond yn nwylo chwaraewr medrus mae o'n offeryn ffantastig, yn rhoi tipyn o fin ar adran y bas pan fo angen hynny.

Roedd rhannau mwy amlwg, ambell bwt o unawd er enghraifft, wedi eu hysgrifennu yn y sgôr ar gyfer y trombôn tenor pan gefais ddyrchafiad i chwarae hwnnw. Golygai hyn fod yn rhaid ymarfer yn gyson, gan y byddai unrhyw gamgymeriad a wneid i'w glywed gymaint â hynny yn fwy eglur. Doedd hynny'n poeni fawr arnaf; cawn bob cefnogaeth gartre, ac er nad oedd amaethyddiaeth wedi ei mecaneiddio fel ag y mae heddiw, roedd bywyd ffermwr yn llawer mwy hamddenol, a mwy o help ar gael. Roeddwn innau'n ifanc, heb wybod ystyr y gair blinder, ac roedd posib dwyn rhyw hanner awr ar derfyn dydd i fynd dros rhai o'r darnau. Yn y cyfnod hwn dechreuais gystadlu yn adran yr offerynnau chwyth os byddai cystadleuaeth mewn eisteddfodau lleol, ac yn Eisteddfod yr Urdd. Afraid dweud imi gael cefnogaeth Tom Owen. Doedd neb ond fi yn mentro i'r Steddfod Gylch, ond cefais fy nhrechu yn yr Eisteddfod Sir dro neu ddau. Yn 1957, 1958 a 1959 euthum drwodd i'r Genedlaethol, a llwyddo i ennill y wobr gyntaf yn Llanbedr Pont Steffan cyn mynd yn rhy hen i gystadlu yn Eisteddfodau'r Urdd.

Rywbryd yn ystod y cyfnod hwn byddai'r trafaeliwr yn dod rownd y siopau haearnwerthwyr i hyrwyddo gwerthiant nwyddau copr. Rwy'n meddwl mai *Yorkshire Copperworks* (a newidiodd yn ddiweddarach i *Yorkshire Imperial Metals*) a gynrychiolai, ac yr oedd yn aelod o fand y cwmni hwnnw. Os byddai yn y cylch ar noson ymarfer byddai'n siŵr o droi i mewn atom a'i gorned dan ei gesail. Mae'n bur debyg ei fod yn mwynhau ein cwmni; yn sicr roeddem ni'n gwerthfawrogi ei gwmni ef, ac yn dysgu tipyn oddi wrtho, synnwn i ddim. Ar un ymweliad ganddo mi gefais sioc fy mywyd. Daeth ataf ar ddiwedd yr ymarfer a dweud wrthyf yn ddistaw fod lle gwag i drombonydd yn eu band hwy, a gofynnodd a gâi drefnu imi gael clyweliad. Mae'n siŵr imi edrych arno fel llo (os oedd o'n gwybod beth oedd llo!) ac ateb yn negyddol ar amrantiad – roeddwn wedi dychryn cymaint. Wedi meddwl am y peth mewn gwaed oer ymhen degawdau, synnwn i ddim na fuaswn i wedi mwynhau fy hun yn iawn am ryw flwyddyn neu ddwy, a byddai wedi bod yn brofiad ac addysg anhygoel. Y drwg ydi y gallai'r flwyddyn neu ddwy fod wedi mynd yn dair a phedair, neu ddarn oes, yn yr union adeg yr oeddwn i'n mwynhau fy hun yn fawr yn y Parc a Phenllyn, diolch yn fawr!

Byddaf yn dotio at safon uchel ein hofferynwyr ifanc yn Steddfodau'r Urdd yn yr unfed ganrif ar hugain. Does ond canmoliaeth i'w rhoi i'w hymroddiad hwy a'u hathrawon dawnus. Mae cyfle iddynt hefyd gael chwarae mewn cerddorfa neu fand ysgol neu ar lefel sirol, sefydliadau nad oedd neb ym Meirionnydd wedi breuddwydio amdanynt ar ddiwedd y pedwardegau. Mae'n drist sylweddoli mai'r gwasanaethau o'r math yma yw'r pethau cyntaf i gael eu torri pan orfodir awdurdodau addysg, i arbed arian. Fedr rhywun ddim beio'r awdurdodau addysg wrth gwrs, dim ond gresynu fod gan lywodraeth Prydain ddigon o arian i hyfforddi peilotiaid i hedfan awyrennau rhyfel sy'n costio cannoedd o filiynau yr un, ond pan ddaw'n fater o roi cyfle i bobl ifanc gael y pleser o greu cerddoriaeth iddynt hwy eu hunain a chynulleidfa ei fwynhau, mae arian ac adnoddau yn ddychrynllyd o brin.

Wedi llwyddiant Llanbed roedd hi'n braf iawn ymarfer

hefo'r band at bethau pwysicach, a dod yn fuddugol yn Nosbarth D yn Eisteddfod Genedlaethol Caernarfon yn 1959. (Dosbarth A i D oedd hi bryd hynny, ond erbyn hyn mae Cymdeithas y Bandiau Pres wedi newid eu dosbarthiadau i 1 i 4.) Unwaith eto fe ŵyr y cyfarwydd fod safon y bandiau wedi codi tu hwnt i bob dirnadaeth. Heddiw mae bandiau Dosbarth 4 yn chwarae'r darnau a chwaraeai Dosbarth A neu B pan oeddem ni wrthi, ac ofnaf feddwl i ble y dywedid wrthyf am stwffio copiau'r darn gosod yn Steddfod Caernarfon, *A Summer Day* gan rywun o'r enw F. le Duc, pe dangoswn hwynt i fandiau Dosbarth 4 heddiw!

Dyna'r unig wobr gyntaf a gafwyd yn y Genedlaethol o dan arweiniad Tom, er inni ddod yn ail a thrydydd droeon ar ôl hynny. Fodd bynnag, mewn cystadleuaeth flynyddol a drefnid gan Gymdeithas Bandiau Pres Gogledd Cymru yn Hen Golwyn buom yn llawer mwy llwyddiannus. Yma roedd dwy gystadleuaeth ym mhob dosbarth, yn iaith y Gymdeithas Bandiau Pres, *March* a *Selection*. Fe enillwyd y 'dwbwl' yn y cystadlaethau hyn fwy nag unwaith. Unig ddrwg ennill gormod oedd y ffaith fod dosbarthiadau'r bandiau yn gweithio'r un fath â'r cynghreiriau pêl-droed; wedi buddugoliaeth yn ein dosbarth, codid ni i ddosbarth uwch, a byddai'n llawer anos ennill yno, ond ymhen blwyddyn neu ddwy, os yn aflwyddiannus, caem y gollyngdod o ddisgyn dosbarth!

Un o'r chwaraewyr o'r cyfnod cyn y rhyfel oedd yn dal ati pan ymunais i â'r band oedd Mel Williams. William Ellis Williams oedd ei enw iawn, ond ychydig o enwau iawn a ddefnyddid yn y band! Roedd Mel yn gweithio i'r *Aran Oatcake Company* oedd wedi ei sefydlu yn hen farics y dre. Yn ôl trefn pethau bryd hynny, ac wedyn gwaetha'r modd, cymerwyd y cwmni lleol hwn drosodd gan gwmni mwy. *Dainty Bakeries*, Bae Colwyn oedd y perchnogion newydd. Caewyd yr hen Aran Ôtcec, a chafodd rhai o'r gweithlu gyfle i symud i Fae Colwyn, a Mel yn eu plith. Arhosodd cydweithiwr ac un o'i ffrindiau pennaf, Eic Lloyd Williams, ar ôl. Ef fu'n chwarae'r ail drombôn wrth fy ochr am flynyddoedd. Bob tro ar ein ffordd i gyhoeddiad gyda'r band byddai Eic yn siŵr o ddweud y stori am y ddau yn caru yn y gwair yn y Sgubor Isa. Perthyn i fferm y Rhiwlas yr oedd Sgubor Isa, a chan ei bod yn sefyll ar ei phen ei hun rhyw hanner ffordd rhwng y Rhiwlas a'r Bala, dywedid y byddai aml i gwpl o'r dref ar fin nos yn troi i mewn i ddiddosrwydd y cowlas gwair. Yn hanes y ddau a ddisgrifiai Eic roedd disgwyliadau'r ferch gryn dipyn uwch na rhai'r mab, a threuliodd y greadures amser pur rwystredig, heb ddim byd rhamantus iawn yn digwydd. O'r diwedd dyma hi'n awgrymu, 'Gad inni neud rhywbeth drwg'. 'Ew ie,' meddai yntau, 'mi gachwn ni yn y gwair.'

Yn un o gystadlaethau Hen Golwyn pwy ddaeth i wrando arnom ond Mel, ac wedi'r fuddugoliaeth aeth Eic ac yntau i ddathlu. Roedd y fuddugoliaeth mor felys fel y dathlwyd braidd yn ormodol, a dau bur sigledig a ddaeth yn ôl i gyffiniau Neuadd yr Eglwys yn Hen Golwyn y noson honno i Mel gael ein llongyfarch unwaith eto, a dweud 'Nos da' wrthym i gyd. Yna aeth Eic ag ef i gwrdd y bws.

'Lle mae Mel yn byw, Eic?'

'Yn Llandudno.'

'Ond bys y Rhyl oedd hwnne!'

Chawsom ni byth wybod sut y cyrhaeddodd Mel adre y noson honno, oherwydd cyn cystadleuaeth y flwyddyn ganlynol bu farw'n sydyn, er mawr ofid i bawb ohonom.

Chwarae teg i'r criw, yn wahanol i rai bandiau, fuo yno rioed broblem hefo diod. Roedd Church House, Hen Golwyn, yn lle ardderchog i gynnal cystadleuaeth. Roedd yno neuadd eithaf helaeth, a lle yn y cefn i ddarparu bwyd, a byddai criw o ferched croesawus wedi paratoi yn helaeth ar gyfer y bandiau i gyd, am bris rhesymol. Byddai'r cystadlu yn dechrau yn y pnawn gyda bandiau dosbarth D, a dosbarth C a B yn dilyn yn eu tro yn hwyrach yn y noswaith. Byddem i gyd yn eistedd i wrando'r cystadlu hyd y diwedd, a byddai yno wledd bob blwyddyn, a chyfle i ddotio at berfformiadau bandiau gwell na ni, a'r darnau a chwaraeid ganddynt. Un tro daeth un o fandiau gorau Dosbarth B i'r llwyfan, yn amlwg wedi dathlu ychydig cyn chwarae, yr arweinydd yn arbennig felly, a hwnnw oedd perfformiad mwyaf carbwl y noson. Cyfle i Tom yn y practis nesaf danlinellu'r pwysigrwydd o ddyletswydd pawb i fod ar ei orau ar gyfer cystadleuaeth – 'mi gewch chi beint wedyn'. Ac yn ddi-ffael bron, byddai Tom yn un o'r rhai cyntaf wrth y bar!

Yn dilyn gwella ein safon drwy gystadlu byddem yn cael llawer mwy o gyhoeddiadau yma ac acw, yn gyngherddau ac yn arwain gorymdaith mewn carnifal ac eisteddfod. Byddai'r ail Sul o Dachwedd bob blwyddyn yn ddyddiad pwysig, gan y byddai'n Sul y Cadoediad. Byddem ninnau'n arwain yr orymdaith o'r gwasanaeth o'r eglwys fel arfer at gofgolofn y milwyr ar y stryd fawr. Am ryw reswm, dim ond weithiau y byddai'r Lleng Brydeinig yn cynnal y gwasanaeth yn un o'r capeli. Ychydig dros ganllath sydd o Gapel y Bedyddwyr at y gofgolofn, ac un flwyddyn pan gynhelid y gwasanaeth yno roedd y band ar flaen yr orymdaith ac wedi cael ein gwthio ymlaen bob yn bwt nes bron gyrraedd y gofgolofn cyn i'r gynulleidfa orffen dod o'r capel. Roedd yn amlwg y byddem wedi hen gyrraedd pen ein taith cyn gorffen yr ymdeithgan y bwriadem ei chwarae. 'Mi tarwn hi ar ein sefyll,' meddai Tom Owen, 'tra bydd y bobol yn dod o'r capel, ac wedyn mi gychwynnwn ni fartsio ar ôl y solo bês.' Fe glywodd pawb ond Sam, oherwydd pan ddaeth y curiadau ar y drwm inni ddechrau chwarae dyma fo'n ei chychwyn hi ei hun, 'bwm, bwm, bwm, bwm . . . ' i lawr y stryd, a gadael y gweddill ohonom ar ein sefyll. Roedd o wedi mynd tipyn ar ei ben ei hun cyn i Tom sylweddoli beth oedd yn digwydd, a brasgamu ar ei ôl a'i arwain i'r lle y dylai fod. Diolch byth, dim ond ychydig ohonom yn y blaen a welodd y rhan hwnnw o'r gwasanaeth, neu byddai wedi mynd yn ffliwt ar y chwarae yn y fan a'r lle.

Yn ôl Eic Williams, doedd hynny'n ddim byd! Yn ystod y cyfnod rhwng y ddau ryfel doedd dim cystal disgyblaeth yn bodoli, a byddai rhai o aelodau'r band yn aros braidd yn rhy hir yn y tafarnau cyn dod i ymarfer neu i gyhoeddiad. Mae'n debyg mai Carnifal blynyddol y Bala oedd y band i flaenori un pnawn poeth o haf, ac amryw o'r aelodau wedi bod yn torri eu syched cyn dod at ei gilydd. Ni wn ymhle'r oedd yr arweinydd na fyddai wedi cadw gwell trefn pan ymdeithiai'r band braidd yn sigledig o flaen yr orymdaith, ond pan gyrhaeddwyd y groes fawr fe drodd eu hanner i Heol Tegid, a daliodd y lleill i fynd ymlaen ar hyd y Stryd Fawr. Yn ôl Eic bu yna dipyn o ffrae yn dilyn hyn!

Erbyn diwedd y chwedegau roedd iechyd Tom wedi dirywio, a bu raid iddo roi'r gorau i arwain y band. Buom yn ffodus iawn i gael olynydd teilwng iddo. Un o bobol Stiniog eto oedd Bob Morgan, wedi ei fagu yn nhraddodiad y bandiau pres, ac yn hynod frwdfydig. Bu am gyfnod yn chwarae'r trombôn gydag un o'r 'bandiau mawr' – Barrow Shipyard mi gredaf – a llwyddodd yntau i rannu ei brofiad gyda hogiau Stiniog pan ddaeth yn ôl i Gymru i arwain y Royal Oakeley wedi cyfnod yng Ngogledd-orllewin Lloegr. Yn ddiweddarach clywid ei lais ar y radio yn sylwebu ar gystadlaethau'r bandiau o'r Eisteddfod Genedlaethol. Syndod mawr i lawer ohonom oedd sut y deuai Bob i ben â'r holl bethau oedd ganddo ar ei blât. Roedd yn arwain band yr Oakeley a ninnau. Roedd yn hyfforddi offerynwyr ieuanc Ysgol y Moelwyn yn ogystal â gweithio'n amser llawn i'r Bwrdd Cynhyrchu Trydan. Yn ddiweddarach penodwyd ef yn athro teithiol offerynnau chwyth yng Ngwynedd, ac roeddwn yn falch iawn i genhedlaeth iau na mi fwynhau ei gwmni yn ogystal â manteisio ar ei brofiad fel hyfforddwr.

Yn anffodus, erbyn i Bob ddod atom roedd amgylchiadau llawer ohonom wedi newid dros y blynyddoedd. Nifer ohonom

'

wedi priodi (tri phâr priod yn aelodau o'r band). Cyfrifoldeb rhedeg busnes yn mynd a thipyn o amser. Roedd amryw fel finnau yn cymryd rhan mewn gwahanol gymdeithasau eraill yn ein hardaloedd, a thrwy bopeth byddai presenoldeb mewn ymarferion yn dioddef. Ar un cyfnod byddai'r awdurdod lleol yn rhoi cydnabyddiaeth ariannol i'r arweinydd am ddwy noson yr wythnos o ymarfer. Tociwyd hynny i un, a phenderfynwyd y dylid cadw'r un noson yma yn gyfan gwbl i'r band gan BAWB! Methodd amryw ohonom â chadw at y penderfyniad yma. Mwy anffodus fyth oedd y ffaith fod llawer o ieuenctid y cylch yn gadael am golegau, rhai ohonynt yn egin-chwythwyr eithaf addawol. Eraill heb unrhyw ddiddordeb mewn dod i berthyn i'r band. Yn ieithwedd heddiw, doedd hi ddim yn cŵl i gael eich gweld â chorned neu Ddwbwl B ar eich gwefusau! Byddem yn wastad yn brin o aelodau i droi allan i gyhoeddiadau, ac roeddem yn ffodus o gael help gan fandiau eraill i gael rhyw ddau ddwsin i droi allan. Doedd gan Bob Morgan ddim llawer o amynedd hefo pobol os nad oeddynt yn rhoi cant y cant o ymdrech, ac er iddo ein harwain i fuddugoliaeth yn Eisteddfod Genedlaethol Bangor yn 1971 yn Nosbarth C, ymadael wnaeth o maes o law at offerynwyr oedd yn cymryd pethau fwy o ddifri. A phwy allai ei feio!

Dilynwyd Bob Morgan gan ŵr o'r enw Eric Hopkins o rywle yn Sir y Fflint, oedd wedi bod, ymysg pethau eraill, yn gyfarwyddwr (medde fo) Gŵyl Gerdd Caerloyw. Yn yr ymarfer ar ôl ein hymddangosiad cyntaf o dan ei ofal dywedodd fod arno gymaint o gywilydd wedi iddo fod yn cerdded o flaen *'bunch of scarecrows'* fel ei fod wedi gwahodd teiliwr i'n mesur am siwtiau newydd. Roedd pawb wedi eu syfrdanu cymaint fel na ddywedodd neb ddim. Mae'n wir fod ein siwtiau gennym ers rhai blynyddoedd, ond nid oeddynt cweit wedi dirywio i safon bwgan brain! Wedi dod dros y sioc o glywed ei gyhoeddiad, megais ddigon o blwc i ddweud mai pwyllgor y band ddylai wneud penderfyniadau mor bwysig (a chostus) â hynny, a'm bod yn cynnig rhoi'r mater gerbron. Cefais gefnogaeth yr aelodau i gyd, a'r cwestiwn *'Are you the bloody shop steward of this band?'* gan yr arweinydd. Chawsom ni ddim siwtiau newydd gan y pwyllgor, a chawsom ni ddim llawer o gwmni Mr Hopkins wedyn chwaith.

Edwin Griffiths o gyffiniau Doncaster yn Swydd Efrog oedd yr arweinydd nesaf. Honnai fod ei deulu o Sir y Fflint, ei dad neu ei daid wedi ymfudo i weithio ym mhyllau glo y rhan honno o Loegr. Daeth y teulu yma i fyw, ei bedwar mab yn offerynwyr medrus, yr un ohonynt a chwaraeai'r iwffoniwm yn arbennig felly. Er ei fod o dras Cymreig, ofnaf mai Sais oedd Mr Griffiths yn y bôn, ac ofnaf fy mod innau wedi croesi cleddyfau ag ef yn bur fuan. Daeth yn amser trefnu cyngerdd, ac wrth drafod y rhaglen deallwyd mai *God Save the Queen* fyddai'n cael ei chwarae ar ddiwedd y cyngerdd. Dywedais innau mai'r arferiad yn Nghymru oedd canu 'Hen Wlad fy Nhadau' i ddiweddu cyfarfodydd o bob math. Cawsom ddarlith hir i geisio egluro inni mai'r eticet priodol oedd i'r band chwarae anthem genedlaethol Prydain Fawr i ddiweddu unrhyw gyfarfod cyhoeddus, a chredai fod ein *Land of My Fathers* ni fel *Ilkley Moor bah tat* iddynt hwy, breswylwyr Swydd Efrog. (A'n gwaredo!) Am ryw reswm roedd gweddill y band yn bur dawedog, a doeddwn innau ddim am ffraeo'n gyhoeddus â'r arweinydd rhyw bythefnos o flaen cyngerdd, ond dywedodd yn y diwedd y byddai'n ymgynghori â'r pwyllgor.

Euthum i'w weld yn ei gartref drannoeth, a'i eiriau cyntaf oedd, *'I'm not going to quarrel with you over this, you know'*. Eglurais innau gorau gallwn yn fy Saesneg gorau nad oeddwn innau am ffraeo gydag yntau, ac y byddwn yn derbyn penderfyniad y pwyllgor am y tro, ond nad oeddwn eisiau bod yn aelod o unrhyw sefydliad oedd yn canu *God Save the Queen* ar ddiwedd unrhyw gyfarfod cyhoeddus. Penderfyniad tila (neu ddemocrataidd!) y pwyllgor oedd na fyddid yn canu'r un o'r ddwy anthem, ond gan mai ar nos Sul y cynhelid y cyngerdd y gellid cyfeilio i'r gynulleidfa ganu emyn ar y diwedd.

Wnaeth y ddau ddi-Gymraeg a fu'n arwain y band mo'i hitio hi hefo ni. O fod yn ddoeth wedi'r digwyddiad credaf mai camgymeriad oedd eu gwahodd yma, oherwydd nid oeddynt yn sylweddoli fod yna ddiwylliant Cymreig yn y fro y daethant iddi. Roedd holl fywyd y pentref lle magwyd Edwin Griffiths yn Swydd Efrog yn troi o gwmpas y band a dim arall, felly ddeallodd o 'rioed pam bod rhai o aelodau'r band yn gorfod dangos teyrngarwch i'r fath bethau â Chapel, Cymdeithas Ddiwylliannol, Aelwyd, Clwb Ffermwyr Ifanc, Sioe Amaethyddol neu Gôr, pethau yr oedd ef yn hollol anwybodus ohonynt. Ddeallodd o erioed ychwaith yn fy achos i fod ffermwr yn gorfod dal ati nes byddai'r gwaith wedi gorffen.

Dirywio'n gyflymach o dan ei arweiniad wnaeth y sefydliad a fu'n bur weithgar yn y dref a'r cylch gwledig am ddegawdau. Aeth cyd-ymarfer yn ddiflas. Efallai fod peth bai arnaf i ac un neu ddau arall tebyg, ond roedd bai ar yr arweinydd hefyd. Un gwendid mawr oedd y byddai ym mhob ymarfer yn rhoi llawn cymaint o sylw i'w feibion ag a wnâi i weddill aelodau'r band gyda'i gilydd, a bûm i ac eraill yn eistedd yn ddistaw am sbeliau hir yn gwrando ar y rhain (oedd lawer llai o angen practis na ni, chwarae teg iddynt) yn mynd drwy eu campau. Mewn un ymarfer cymerais yn fy mhen i amseru'n fras faint o amser y bûm yn chwarae fy nhrombôn yn ystod y ddwyawr y bûm yn eistedd yno. Roedd y cyfanswm yn llai nag ugain munud! Deuthum i'r penderfyniad fod gen i reitiach pethau i'w gwneud. Hefyd, oherwydd ei bod wedi mynd yn anos cael help ar y fferm, roedd rhywun yn colli mwy o ymarferion, ac roedd hynny'n annheg â'r arweinydd a'm cyd-aelodau. Felly, wedi hir a dwys ystyried, sgrifennais lythyr cwrtais o ymddiswyddiad a ffarwelio â sefydliad a fu'n gyfrwng pleser ac addysg di-bendraw i mi a llawer o rai eraill am dros chwarter canrif.

Ond mae 'na dro yng nghynffon y stori, a chan nad oeddwn yn aelod o'r band erbyn hynny, fedra i ddim bod yn hollol siŵr o'r ffeithiau i gyd. Fodd bynnag, dyma sut y credaf y bu pethau. Ymhen rhyw ddwy neu dair blynedd roedd rhagor o'r aelodau wedi rhoi'r gorau iddi, ac amryw oedd yn fwy o lawiau gyda'r arweinydd wedi dod yn eu lle. Roedd newid sylweddol wedi bod ym mhwyllgor y band, ac roedd yr arian ar gyfer rhoi cydnabyddiaeth i'r arweinydd yn prinhau. Clywid sibrydion am ddirwyn pethau i ben. Fodd bynnag, roedd un cymal yng nghyfansoddiad y band yn dweud, pe digwyddai hynny y dylid cael gwared o'r offerynnau i gyd mewn ffordd oedd yn dderbyniol i'r arweinydd a'r pwyllgor – ac nid oedd gan rai o'r hen griw lawer o ffydd beth fyddai eu penderfyniad. Felly, drwy rhyw ystryw, llwyddwyd mewn cyfarfod cyhoeddus arbennig i ethol pwyllgor 'saffach' i gadw'r band i fynd nes byddai'r estroniaid wedi rhoi i fyny eu hawdurdod. I gadw'r band i fynd, roedd yn rhaid cael arweinydd arall (rhatach!) a bu Elfed y drwmwr yn crefu arnaf i ddod i'r adwy. Bûm yn rhoi cynnig ar chwifio'r baton unwaith neu ddwy rywdro pan oedd Tom Owen yn sâl, ond doeddwn i ddim yn mwynhau'r gwaith o gwbl, yn bennaf am nad oeddwn yn ddigon o feistr ar yr Hen Nodiant, ac felly yn cael trafferth i ganlyn y ddeuddeg erwydd o gerddoriaeth oedd ar y sgôr. Nefi, fedrwn i ddim chwarae dwy yn y gwersi piano ers talwm! Wedi i Elfed egluro mor bwysig oedd cael enw arweinydd newydd i roi gerbron yn y cyfarfod arbennig, allwn i ddim gwrthod yn hawdd.

Fel yr ofnwn, chefais i ddim hwyl ar bethau. Er imi gael y gefnogaeth orau posib gan yr hen griw, roedd denu chwaraewyr ifanc yn waith caled iawn, iawn. Rydw i'n siŵr hefyd fod pawb (yn enwedig y rhai profiadol) yn ymwybodol iawn o'r ffaith nad oedd yr arweinydd yn fistar ar ei waith, ac roeddwn innau'n gallu synhwyro hynny – dydw i ddim yn hollol dwp!

Ni chofiaf pa bryd y bu inni gyfarfod i dynnu'r llen olaf dros weithgareddau'r band, ond yr unig beth da a ddeilliodd o'r cyfarfod trist oedd ein bod yn cadw'r offerynnau yn un o ystafelloedd y Cyngor, a bod disgyblion Ysgol y Berwyn yn cael eu benthyg yn ôl y galw, am dâl bychan. Roedd y tâl yma'n ddigon i dalu yswiriant blwyddyn ar yr offerynnau i gyd, a bu Gwynfor Thomas yr ysgrifennydd, a Garnedd Williams, athro addysg gorfforol yn Ysgol y Berwyn, a chwaraewr corned soprano yn y band, yn gweithredu'r cynllun am flynyddoedd. Erbyn hyn, fodd bynnag, mae'r hen offerynnau i gyd wedi eu gwerthu, a'r arian a gafwyd amdanynt wedi mynd i brynu rhyw hanner dwsin o offerynnau newydd sbon i'w cyflwyno at wasanaeth disgyblion Ysgol y Berwyn.

Rydw i'n dal yn ddigon ifanc i'm traed ddechrau symud pan glywaf seiniau band pres. Ac mae ngho i'n ddigon da i ddwyn yn ôl lu o ddigwyddiadau difyr a digri a ddaeth i ran y 'criw'. Y carnifal hwnnw yn Llanwddyn, pan ffurfiwyd tîm tynnu rhaff o aelodau'r band. Daliodd Tom Owen un o'r timau a'n gwrthwynebai yn twyllo, a bu bron iddi fynd yn rhyfel yn y fan a'r lle. Ond yn y diwedd y ni enillodd. Eic aeth i nôl y wobr, ac yn fawrfrydig iawn cyflwynodd hi'n ôl i bwyllgor y Carnifal. Ond fe gadwodd y wobr a enillodd ei hun yn y ras i rai dros hanner cant. Yn waeth fyth, ymhen pythefnos yr oedd ei ben-blwydd yn hanner cant!

Mae un atgof yn rhyw ymrithio i'm gŵydd yn amlach na'r lleill. Mi fyddwn i'n ôl yn yr hen Neuadd Buddug yn y cyngerdd blynyddol ar y Sulgwyn yn chwarae Sandon. Bydd golau'r neuadd wedi ei ddiffodd, a'r band yn eistedd yn y llif-oleuadau ar y llwyfan. Bydd un neu ddau o unawdwyr gwadd yn rhannu llwyfan â ni, a Llewela Roberts wrth y piano i gyfeilio iddynt. Bydd ein rhaglen ni yn cynnwys ymdeithgan neu ddwy, rhai darnau clàsurol, ac amryw wedi eu hysgrifennu'n arbennig i fandiau pres gan gyfansoddwyr fel yr Hen Greenwood Bach, ac un o gerddorion De Cymru, T.J. Powell. A Sandon! Doedd neb ohonom yn rhyw hoff iawn o chwarae Sandon, ond byddai Tom Owen yn ei chynnwys ar y rhaglen yn amlach na dim bron. Dywedid bob amser (yn gywir iawn) fod chwarae emyn-dôn yn gwella 'tôn' y band, ac roedd hynny, a'r ffaith ei bod yn nos Sul, yn rhesymau da dros ei chynnwys. Dydw i ddim yn cofio erbyn hyn ai trefniant J.A. Greenwood oedd o ai peidio, ond roedd i'r darn agoriad byr, chwaraeid y dôn, yna amrywiadau, dau i'r corned, y byddai Eric yn eu cwafrio gystal â'r un chwaraewr proffesiynol, un i Myfyr ar yr iwffoniwm, ac yna amrywiad i holl offerynnau'r bas gyda'i gilydd yn arwain i ddiweddglo sydd yn uchafbwynt gwefreiddiol. Tenor y dôn a chwaraewn i ar y trombôn, heb fod yn ymwybodol iawn o'r geiriau y pryd hynny. Erbyn hyn gallaf werthfawrogi deisyfiad Newman yn ei emyn, i'r Goleuni Mwyn ein harwain, drwy'r holl rwystrau, i ben y Daith, yn y sicrwydd y cawn yno ail-gwrdd, a gweld yr wynebau a gollwyd dros dro. Bydd, mi fydd yna ganu yn y nefoedd. A chyda phob parch i holl delynorion a cherdd-dantwyr Cymru, rydw i'n berffaith siŵr mai band fydd yn cyfeilio. A synnwn i ddim nad Tom Owen fydd yn arwain!

Jo

Doedd Joseph Sheehan ddim yn siŵr iawn ble yn union y ganwyd o, dim ond mai ar yr 6ed o Fawrth yn y flwyddyn 1900 y bu'r digwyddiad hwnnw. Wyddai o ddim pwy oedd ei rieni chwaith. Roedd ganddo frawd a chwaer, meddai o, a magwyd y tri mewn cwfaint yn Nulyn. Pan oedd yn ddigon hen i weithio symudodd at ei ewythr, John Carol, i fferm Kila Kola, ger Corc. Hen greadur digon caled a chybyddlyd allwn i feddwl oedd y Carol hwn, o raid efallai, oherwydd doedd hi ddim yn fyd da ar y ffermwyr mwy na neb arall yn Iwerddon y cyfnod hwnnw. Yn llawer diweddarach daeth Jo i wybod nad oedd yr 'ewythr' yn perthyn dafn o waed, ond ei fod wedi gweld mantais o roi cartref i hogyn amddifad deuddeg oed yn gyfnewid am flynyddoedd o waith am y nesaf peth i ddim cyflog. Os bu y fath beth â diogi yn bodoli yn ei gyfansoddiad yn ei flynyddoedd cynnar, fe ofalodd John Carol na fu yno'n hir.

Wedi nabod Jo am dros ddeng mlynedd ar hugain, rydw i'n reit siŵr na chafodd y diogi unrhyw afael ynddo wedyn ychwaith. Braidd yn eiddil o gorfforaeth ydoedd, ond gwnâi i fyny am yr eiddilwch hwnnw mewn gwytnwch a mileindra. A dweud y gwir roedd yna dipyn o orchest yn perthyn iddo, a dogn pur helaeth o falchder Gwyddelig ei fod ef yn well gweithiwr nag unrhyw Gymro – nac unrhyw Sais yn siŵr. Yn sicr cafodd ddigon o gyfle i ddangos – a brolio – ei ddawn gweithio, gan iddo fod yn y cyffiniau o 1925 hyd 1982.

Mae gen i feddwl mawr o'r Iwerddon a'i phobl, ond bûm yn meddwl lawer tro, os oedd pob Gwyddel o'r un anian benderfynol a di-droi'n-ôl â Jo a'i frawd, mai gobaith gwan iawn sydd yna o weld cymod yn y 'Chwe Sir'. Gobeithio 'mod i'n annheg yn credu hyn am bobl Gogledd Iwerddon, ond cyn belled ag yr oedd Jo yn y cwestiwn gallaf eich sicrhau y byddai'n amhosibl newid ei feddwl unwaith y byddai wedi cymryd rhywbeth yn ei ben. Un o'r storïau a glywais droeon oedd hanes y ddau frawd yn dod drosodd ar y llong i Gaergybi, yna'n trampio ar hyd yr A5 drwy Sir Fôn a Sir Gaernarfon, gan holi am waith ar hyd y ffordd, heb ddim lwc, ond cael cysgu mewn ambell sgubor a chynnig rhyw chydig o fwyd weithiau. Toc wedi croesi'r ffin i'r hen Sir Feirionnydd daethant i groesffordd lle mae ffordd y Bala'n gadael yr 'Holihed'. Yno aeth yn anghydweld, y brawd eisiau dal i fynd ymlaen am Gorwen, a Jo am droi i geisio gwell lwc yng nghyfeiriad y Bala. Gan fod y ddau mor styfnig â'i gilydd, doedd dim cyfaddawdu i fod, felly ffarweliwyd yno ar groesffordd y Ddwyryd. Cafodd Jo waith ar fferm Bryn Derw yn ardal Llawrybetws, rhyw dair milltir o'r Ddwyryd. Yr olwg olaf (yn llythrennol) a gafodd o'i frawd oedd yn cerdded ymlaen i gyfeiriad Corwen ar hyd ffordd yr A5.

Gweithio ar ffermydd yn ardaloedd Penllyn yn bennaf y bu wedi hynny gydol ei oes. Pob swydd a ddeuai i'w ran fe'i gwnâi â graen – popeth ond tocio gwrych a walio! Pan ddechreuais ymweld ag Iwerddon fe sylweddolais pam; hyd y gwelwn, doedd yno 'run gwrych drain drwy'r holl wlad, a phrin y gellid dweud fod codi wal gerrig yn un o gryfderau ffermwyr yr Ynys Werdd! Hefyd, mae'n bosib iawn fod codi wal yn waith llawer rhy araf i rywun fel Jo a hoffai weld ei ôl yn weddol fuan, yn hytrach nag aros dyddiau, efallai wythnosau, cyn gallu gwerthfawrogi cywreinrwydd y gwaith gorffenedig.

Tua diwedd y pedwardegau y deuthum i'w adnabod yn dda. Dyma pryd y penderfynodd adael gwaith amaethyddol cyffredinol, a throi ei law at waith contract. Ffosio a draenio oedd y gwaith hwn, a'r nod oedd gweithio gwerth punt y dydd

– hyn mewn cyfnod pan oedd cyflog gweithiwr amaethyddol tua teirpunt yr wythnos. Gallai Jo felly ymffrostio ei fod ef yn werth dwywaith *'these fellas working on the farms around here'*. Fel yn achos y gweithiwr cyffredin byddai'n derbyn ei lety a'i fwyd hefyd yn rhan o'r fargen. Punt y dydd amdani, felly – chweugain y tsiaen am agor ffos, doedd wahaniaeth beth oedd ei dyfnder na'i lled; pan gyrhaeddai ben y pedair-llath-a-deugain y byddai'n noswylio. Yr un modd gyda draenio, swllt-a-naw y llath am agor, gosod pibellau, a chau, sef rhawio'r pridd yn ôl ar y pibellau. Os byddai'n lle caled ac yntau a'i nod heb ei gyrraedd, yna cau yng ngolau lleuad. Yr un modd yn achlysurol ar ddydd byr, swper tua chwech a chau tan ddeg, a byddai'r contractiwr a'i gyfrif banc yn hapus. Ac eithrio ar eira, pan na ellid gwneud fawr ddim gwaith allan, doedd y tywydd yn cyfrif dim. Hyd yn oed ar dywydd sych byddai'n gwisgo ofyrôls am ei goesau. Cot law amdano hefyd gan amlaf. Pan fyddai'n glawio o ddifri byddai'n gwisgo dau ofyrôl a dwy got cyn dod allan o'r hofel, golwg frysiog i gyfeiriad yr wybren drom a mwmian *'Rain now, you bugger'* wrtho'i hun a'r cymylau ac i ffwrdd â fo i'r ffos. Eithriad fyddai iddo ddod 'nôl i'r buarth wedi gwlychu. Ar ei ffordd yn ôl byddai wedi golchi ei welingtons yn lân yn y ffos agosaf, ac wedi tynnu ei ddillad dal dŵr yn yr hofel. O ganlyniad byddai'r ffosiwr oedd yn gwneud gwaith dau yn cyrraedd y tŷ i'w bryd bwyd bob amser cyn laned ag unrhyw weithiwr swyddfa. Ar dywydd braf byddai cael te yn y cae yn ei blesio'n arw.

Wedi gorffen ei gontract dôi diwrnod mesur. Un o swyddogion y Weinyddiaeth Amaeth a wnâi hynny gan amlaf, gan y byddai, fel rheol, rywfaint o gymorthdal i'r ffermwr ar y gwaith. Byddai hyn yn ychwanegu tipyn at falchder y ffosiwr. Byddai ei waith yn cael canmoliaeth gan y swyddog . . . nid pawb fyddai'n cael dyn mor bwysig i fod yn rhyw fath o ganolwr rhwng y ffermwr a'i gontractor . . . nid pawb fyddai'n ddigon da i wneud gwaith fyddai'n teilyngu grant . . . byddai ei waith wedi ei gofnodi ar fapiau'r Weinyddiaeth . . . *'I'm working for the War Act now!'*

Erbyn dydd y mesur byddai Jo wedi cytuno ar gontract newydd. Os byddai ar ffarm arall byddai fel rheol wedi symud ei gist yno'n barod ar gyfer ei arhosiad, ac wedi gofalu fod stabal addas ar gael i'r moto-beic. Ond cyn gynted ag y byddai arian yr hen gontract yn ei boced fe neidiai ar y beic, ac i ffwrdd â fo am Gaergybi, drosodd i Ddulyn a Chorc, lle câi help llu o 'ffrindiau' i wario'r pres. Ymweliad â Kila Kola Farm, ac ymhen y mis pan fyddai'r pwrs bron yn wag, neidio ar y moto-beic, ac yn ôl â fo drwy Ddulyn a Chaergybi i'w le newydd, lle gweithiai'n galed am fisoedd cyn ail-ymweld â'i 'ffrindiau' yn Ne Iwerddon.

Yn rhyfedd iawn i ddyn mor hoff o waith, doedd o ddim yn godwr bore. Yn y dyddiau codi'n-fore-i-odro hynny byddai pawb wedi hen orffen bwyta brecwast cyn i Jo ymddangos, a hithau'n tynnu am naw, a mam o'i cho' eisiau golchi'r llestri. Yn waeth fyth, hi yn unig fyddai yn y gegin i ddal pen rheswm hefo'r gweithiwr gorau (a'r mwyaf golygus) a groesodd Fôr Iwerddon erioed. Yr unig eithriad oedd dydd Sul. Roedd yr offeren yn Eglwys Babyddol y Bala am naw, ac os na fyddai Jo wedi gorffen ei frecwast ac yn barod i godi'i goes dros gyfrwy'r moto-beic erbyn hanner awr wedi wyth byddai'n reit bigog. Efallai na fyddai'r ffaith ei bod yn drannoeth nos Sadwrn yn help i'w hwyliau chwaith, ond erbyn amser cinio byddai naill ai'r offeren, newyddion mwyaf blasus y *News of the World* neu'r ffaith fod nos Sadwrn rhyw deirawr go dda ymhellach i ffwrdd, wedi dod ag o yn ôl at ei goed. Llowcio'r cinio, *'Can you spare me a dozen eggs, Missus?'* ac i ffwrdd ar y moto-beic eto, a'r dwsin wyau yn y bag ar ei gefn yn dâl i rywrai neu'i gilydd o'i gydnabod am de a swper, neu am orfod gwrando hanes y gweithiwr gorau a'r mwyaf golygus, a pherchen y moto-beic cyflymaf a glanaf a groesodd Fôr Iwerddon erioed.

Amser brecwast bore dydd Llun, *'How much for the eggs,*

164

Missus?' Cyn belled ag yr oedd dydd Sul yn y cwestiwn, fe lynai Jo yn gaeth at y pedwerydd o'r Deg Gorchymyn o berthynas i agor ffosydd a draeniau a thalu am wyau. Mae'r modd y deuai'n berchen ar y *News of the World* yn dal yn ddirgelwch!

Os byddai eisiau help gyda gwaith arall ar y fferm byddai Jo'n berffaith fodlon cymryd diwrnod neu fwy i ffwrdd o'r draeniau, ond i'r cyflog fod yn bunt y dydd. Wrth gwrs, ni chollai unrhyw gyfle i frolio'i hun waeth pa mor ysgafn fyddai'r gorchwyl. Danfon gwartheg oedd y gwaith un pnawn, a Jo â ffon gollen ysgafn yn ei law. *'That's a handy stick you've got, Joe,'* meddai un o ddynion Pantyneuadd wrtho. *'Cut it from the hedge meself today lad,'* meddai Jo, *'begob, you need a good eye to spot a stick as supple as that. Look lad, it'll bend right over, look . . . look . . . look.'* A phan oedd dau ben y ffon ar gyffwrdd ei gilydd dyma glec, a'r ffon yn ddau. *'Begob, it takes a strong man to break a stick like that, eh?'*

Bu'n gweithio ym Mhantyneuadd droeon, ac yn achlysurol dôi Telynores Maldwyn heibio. Byddai Jo wrth ei fodd yn ei gweld. Roedd yn ei hadnabod yn bur dda oherwydd bu'n gweithio yng Nghwmtylo, cartref chwaer y delynores. Gallai hi chwarae degau o jigiau Gwyddelig oddi ar ei chof, a chan fod Howel Wood yn gowmon ym Mhantyneuadd byddai yno ddawnsio o'i hochr hi ambell i fin nos, Nansi'n chwarae'r delyn yn ddi-stop nes bod llawr cerrig y gegin yn atseinio, a chystadleuaeth answyddogol, ond ffyrnig, rhwng Hywel a Jo i weld pwy ddaliai i ddawnsio hiraf. Cystadleuaeth braidd yn annheg, gan fod gan y Gwyddel rhyw bymtheng mlynedd o fantais oed ar y Sipsi, a'r canlyniad yr un bob tro, *'I knocked old Howel out, eh?'*

Byddai wrth ei fodd yn cael dod o'r draeniau ar gynhaeaf gwair. Onid ef oedd y fforchiwr gwair gorau a welodd John Carol yn Kila Kola Farm? A phunt y dydd oedd y telerau, doedd dim blewyn o bwys beth oedd yr oriau. Wedi gorffen hel y gwair i ddiddosrwydd am y diwrnod âi Jo i chwilio am y gribin delyn, ac fe fyddai wrthi tan nos neu'n hwyrach na hynny yn hel olion, gwaith eithaf diflas ar y gorau. Y drwg oedd, os byddai'r olion heb eu cario i'r tŷ gwair amser cinio drannoeth, byddai mewn hwyl pur ddrwg.

Bob tro yr âi i'r Bala honnai y byddai'r merched yn tyrru o'i gwmpas i edmygu'r fath ddyn golygus yn marchogaeth y fath foto-beic sgleiniog, *'I can't get rid of them man.'* Am ryw reswm, fachodd o 'rioed yr un ohonynt. Roddodd o 'rioed y gorau i freuddwydio am gael gwraig chwaith, oherwydd yn ei henaint fe ddywedodd fwy nag unwaith, *'If Danny* [fi!] *kicked the bucket, Lona'd have me straight!'*

Gallai fod braidd yn ddiflas ar adegau pan fyddai rhywun yn clywed am y canfed tro mai ef oedd y gweithiwr gorau a'r mwyaf golygus, y dawnsiwr ystwythaf, y triniwr gwair mwyaf medrus, a pherchen y moto-beic cyflymaf a glanaf a groesodd Fôr Iwerddon erioed, ond fel rheol un difyr a digri oedd y Gwyddel hoffus hwn. Roedd ganddo'r ddawn ryfeddol i sylwi ar unrhyw nodwedd (waeth faint mor bitw) a berthynai i rywun, ac yna ei ddynwared neu wneud rhyw sylw digon ysgafn ohono. *'See her little* din,' meddai un tro am un o ferched ifanc meinaf yr ardal, *'like two eggs in a handkerchief'.* Gan iddo fyw a gweithio yn y rhan Gymreiciaf o Gymru am ymhell dros hanner canrif daeth yn gyfarwydd iawn â'n hiaith, er na fentrodd erioed siarad fawr o Gymraeg, ar wahân i ambell air yma ac acw ynghanol brawddeg. Eto byddai llawer o'r prioddulliau a'r dywediadau a ddefnyddiai yn adleisio'r Gymraeg, ac mae gennyf rhyw syniad yn fy mhen efallai mai dylanwad y Wyddeleg ar Saesneg trigolion Corc oedd hyn. Er enghraifft, *'I'm after finishing that drain, boss',* fyddai'r cyfarchiad, oedd i mi yn gyfieithiad llythrennol o 'Rydw i wedi gorffen . . . '

Yn y Saesneg Gorcaidd yma y byddai'n dyfynnu sgwrs a glywsai yn Gymraeg, er mawr ddifyrrwch i'w gynulleidfa, yn enwedig os byddent yn adnabod y cymeriadau:

'Will ye have more te, Robert Dowis,' says Missus Cwmtylo.

166

'Darn bach, Missus Cwmtylo, darn bach,' says Robert Dowis.

'O sorry Robert Dowis, look, I've lost some te to your saucer.'

'Duw, never mind Missus Cwmtylo, I'll drink it from the saucer.'

Fyddai neb o'i chymdogion na'i chydnabod yn galw'r wraig garedig yn ddim ond Musus Ifans, a Robert Defi oedd enw'r yfwr te i bobl barchus y cwm – Robin Dafydd i bawb arall – ond roedd gan Jo ei enw ei hun ar bawb. Gan fod gan y naill arferiad o roi ei bys ar ei boch a symud un goes ychydig ymlaen tra oedd yn siarad, a'r llall yn berchen trwyn oedd â thuedd i droi i fyny, gellir yn hawdd ddychmygu'r ddrama a berfformid pan adroddai Jo hanes digwyddiad digon cyffredin mewn cegin ffarm ar ddiwrnod pan ddeuai'r cymdogion at ei gilydd i hel defaid.

Ambell dro ychwanegid at y digrifwch pan gâi gam gwag wrth dybio ei fod yn defnyddio gair Cymraeg. *'Old Pierce ha-ha'* oedd enw Pierce Pierce y Cyffdy ganddo, a'i ffordd o'i ddynwared fyddai ychwanegu 'ha-ha' ar ddiwedd bob brawddeg. *'That's a good ditch ha-ha'* neu *'Isn't the bike going well ha-ha'.* Sy'n gwneud dim synnwyr i ddarllenydd hyn o eiriau mae'n siŵr, ond pan ddatgelaf mai brodor o Sir Gaernarfon oedd Pierce, ac mai ei arferiad oedd gorffen pob brawddeg bron gydag 'achan' bydd y stori yn llawer mwy digri gobeithio.

Difyrrwch mawr arall i'r gwrandawyr fyddai clywed hanes Morus Cwmtylo a Joni Brynllech yn ystod gaeaf caled 1947 *'fencing the mountain by the fire'.*

'Begob Morris,' says Johnny Bryncl, 'we'll have to put a post there,' (wrth gornel y bwrdd). *'Ay,' says Morris Cwmtylo, 'and another one there,'* (wrth dalcen y ffendar). *'We'll have to get a longer post for that hollow over there.'* (i gyfeiriad drws y cefn). *'And the two of them fenced the whole of Cwmtylo mountain during that big snow without moving from the fire.'*

Yn ystod un sbel y bu Jo'n gweithio inni roedd Wil Pant y March yn gweithio yng Ngwernhefin, fferm y byddem yn ei phasio ar y ffordd i'r Bala. Y gwanwyn hwnnw cawsai Wil hwyl dda iawn ar blygu gwrych un o'r dolydd oedd ar fin y ffordd, ac roedd Jo wedi sylwi ar y graen oedd ar ei waith. Roedd yn dod gyda mi yn y car i rywle un min nos, ac yn dechrau canmol campwaith Wil pan ddaethom at wrych newydd ei blygu oedd rhwng un o gaeau Pantyneuadd a'r ffordd. Kurt oedd y plygwr. Daethai i weithio i Bantyneuadd yn garcharor rhyfel ugain oed, ac arhosodd yno hyd ei ymddeoliad. Chwarae teg i bawb, i ddechrau doedd tyfiant gwrych Pantyneuadd cyn ei blygu ddim mor wastad ag un Gwernhefin, ac wedyn doedd y plygwr ddim mor brofiadol o dipyn â Wil. O wybod yr amgylchiadau doedd gwrych Pantyneuadd ddim mor ddrwg, ond nid felly y gwelai Jo bethau, a rhywbeth tebyg i hyn oedd ei eiriau: *'Begob Danny, 'tis a good lad for laying a hedge that's at Gwen heaven now, . . . and look at Hitler's hedge!'* Kurt oedd yr uchaf ei chwerthiniad o bawb yr adroddais y stori wrthynt!

Arferai Jo fynd i'r Bala bob nos Sadwrn, ac yn achlysurol iawn ar noswaith arall. Deuai adre bob tro yn reit hwyliog a hynod siaradus, ond byth yn feddw. Yn y dyddiau cyn-swigen-chwythu hynny byddai'n abl i reidio'r moto-beic adre yn ddi-ffael bob tro. Dyma'r nosweithiau y dylid yn bendant osgoi Jo oni bai eich bod yn hoffi clywed mai fo oedd y gweithiwr gorau ac yn y blaen ac yn y blaen . . . Ond un nos Sadwrn drymaidd ynghanol cynhaeaf gwair tua dechrau'r pumdegau fe fethodd 'Nhad a finnau ddianc o'r gegin mewn pryd, a buom yn gwrando arno yno yng ngolau'r hen lamp oel, oherwydd roedd y tywydd yn sych, a dim digon o ddŵr i gynhyrchu trydan drwy'r nos. Gwrando, nid ar y frol arferol, ond gwrando wedi'n swyno gan ei storïau. Cawsom glywed fel y byddai ef a'i gyfoedion ifanc yn gallu gwneud ffyliaid o'r *'Black and Tans'*, fel y cuddid arfau dan y gwellt yn y sguboriau, a hyd yn oed yn y cistfeini yn y mynwentydd. Canodd ganeuon gwladgarol y cyfnod inni, canodd glodydd Michael Collins, a melltithiodd de Valera oherwydd mai fo oedd yn gyfrifol, fe honnai, fod brodyr wedi ymladd yn erbyn ei gilydd yn y rhyfel cartref fel y gwnaeth o a'i frawd. A phan drawodd y cloc ddau o'r gloch daeth un o'r nosweithiau mwyaf cyfareddol a gofiaf i ben gyda ' . . . *begob I must go to bed or there'll be no church tomorrow'*.

Soniai yn aml am galedi bywyd gweithiwr fferm yn Iwerddon tuag adeg y Rhyfel Mawr. Soniai hefyd am eu harferion fel ffermwyr, ac am eu dibyniaeth ar y cymdeithasau cydweithredol a berthynai i'r byd amaethyddol Gwyddelig yn nechrau'r ganrif, yn gyflenwyr nwyddau a hufenfeydd, ond dyna'r unig dro inni glywed am helyntion y gwrthryfel a'r rhyfel cartref. Wedi'r noson honno bûm yn meddwl droeon, pam tybed na chlywsom fwy am hyn ganddo, yn enwedig o gofio am y duedd oedd ynddo i frolio'i hun bob cyfle a gâi. Oedd arno ychydig o ofn i ni neu'r Awdurdodau feddwl ei fod yn dal yn aelod o'r IRA? A pham y daeth drosodd i Gymru i ddechrau? Ai'r caledi oedd y rheswm mewn gwirionedd, neu a oedd arno fo ofn aros yn Iwerddon? Ac wedi brolio'r wlad a'r bobol bob tro y byddai'n mynd yno ar ei sbri, pam dod yn ôl i weithio os oedd yr Ynys Werdd y fath baradwys a'r gwmnïaeth mor felys?

Chefais i 'rioed atebion i'r cwestiynau yna, ac erbyn canol haf 1982 roedd hi wedi mynd yn rhy hwyr i holi, gan fod gyrfa liwgar Jo wedi dod i ben. Ei ddymuniad oedd cael ei gladdu yn Iwerddon, ond am ryw reswm doedd hynny ddim yn ymarferol. Roeddem fel teulu yn mynd yno ar ein gwyliau ymhen ychydig ddyddiau, a chynigiwyd mynd â'i lwch drosodd gyda ni. Nid oedd yr offeiriad lleol yn fodlon amlosgi, felly ym mynwent Llanycil, nid nepell o feddau rhai o'r ffermwyr y bu'n eu gwasanaethu mor gydwybodol, y mae gorffwysfan olaf Jo. Os ydi o'n gorffwys hefyd. Bu farw'n ddi-ewyllys, ac wedi talu costau'r angladd aeth pob dimai o'i arian i goffrau llywodraeth y wlad a fu'n gyfrifol, ddegawdau ynghynt, am yrru'r *Black and Tans*, a gasâi gymaint, i geisio cadw trefn ar y Gwyddelod.

Wedi cyrraedd De Iwerddon yr haf hwnnw daeth rhyw

ychydig o chwilfrydedd drosof. Rhyw awydd mynd i chwilio am Kila Kola Farm i edrych a oedd teulu'r hen John Carol yn dal yno. Efallai y cawswn ychydig o wybodaeth am orffennol (digon gwyllt efallai) un a fu'n rhan o'm teulu am sbeliau yn ystod trydydd chwarter yr ugeinfed ganrif. Ond bryd hynny, ac ar ymweliadau diweddarach, doedd gen i ddim eisiau diflasu'r rhai oedd hefo fi yn chwilio am rywbeth nad oedd fawr o ddiddordeb iddyn nhw, felly es i erioed i wneud yr ymchwil. Mae'n fwy na thebyg mai siwrnai seithug gawn i p'run bynnag gan fod Jo wedi gadael y lle ers ymhell dros hanner can mlynedd hyd yn oed yn 1982. A faint callach fuaswn i yn y diwedd o wybod mwy am ei ieuenctid yn Swydd Corc? Felly, penderfynu wnes i bob tro i adael i Jo gadw'i gyfrinachau yn hedd Llanycil.

Ifan Rowlands

Fel llawer un arall o fy nghenhedlaeth, mae'n siŵr, yn yr hen dwb tun o flaen tân y gegin y cawn fy rhoi ar nos Sadwrn ar gyfer cael sgwrfa i fod yn lân i fynd i'r capel drannoeth. O'r tegell mawr fyddai'n hofran oddi ar fachyn uwchben y tân y dôi'r dŵr ar gyfer y drochfa wythnosol hon. Ar gyfer gwneud te a choginio y defnyddid dŵr y tegell bach. Dôi dŵr y tegell mawr yn syth o'r ffos drwy beipen i dap yn y tŷ, ond byddai'n rhaid cario dŵr y tegell bach o'r ffynnon oedd ar ben y buarth. Roedd dogni ar hwn, yn enwedig os mai chi fyddai'n ei gario.

Wn i ddim faint oedd fy oed pan ddeuthum i sylweddoli na ddylwn ddangos fy nghorff i gyd i bawb a ddôi i ymweld â ni, ond cofiaf fy mod yn anfodlon iawn mynd i'r bath un nos Sadwrn am y byddwn yn noethlymun groen bron o dan drwyn dyn diarth. Cofiaf hefyd fod Mam yn gwneud siâp ceg arnaf nad oedd y dyn diarth yn gallu fy ngweld. Mae gen i rhyw frith gof fy mod yn sylweddoli fod y dyn yn ddall, ond roedd o'n medru gwneud cymaint o bethau na fedrwn i, fel fy mod yn amau weithiau ei fod o'n gweld rhyw ychydig drwy'r sbectol ddu a wisgai bob amser.

Cefnder i Mam oedd y dyn – roedd ei dad, Rowland Rowlands, yn frawd i Nain Nant. Yn y flwyddyn 1900 pan anwyd Ifan, yn fab i Rowland a Mary Rowlands, roedd y fam mor wael wedi'r enedigaeth fel mai ychydig iawn o sylw a roed i'r babi, er ei fod yntau'n wantan iawn hefyd. Dywedid fod un o'r merched a ofalai am y fam wedi tynnu sylw Doctor Joni at gyflwr y bychan, a'i fod yntau wedi ebychu, 'Arglwydd mawr, 'di o'n dal yn fyw!?' Ymddengys fod llid drwg ar lygaid Ifan, ac i hynny amharu'n ddifrifol ar ei olwg bron o'i enedigaeth. Gwaethygu a wnaeth o dipyn i beth, ac erbyn cyrraedd oed ysgol roedd yr hogyn bach yn hollol ddall.

Diamau y byddai pethau'n wahanol pe buasai Doctor Joni yn ymwybodol o'i gyflwr ynghynt. Er nad oedd erioed wedi pasio'n feddyg, roedd gan bobl Dolgellau a'r cylch feddwl mawr ohono. Yn ôl y sôn, canolbwyntio gormod ar fwynhau ei hun a wnaeth Joni tra oedd yn y coleg meddygol, ac o ganlyniad ni fu'n rhy lwyddiannus yn ei arholiadau. Yn yr oes honno mae'n siŵr fod arian yn rhy brin iddo aros i roi ailgynnig arni, felly dod adre i helpu ei frawd, Doctor Huwi (a fu'n fyfyriwr llawer mwy cydwybodol) i gymysgu ffisig a mân-orchwylion eraill yn y syrjeri fu hanes Joni. O dipyn i beth daeth pobl i sylweddoli fod Joni yn feddyg llawn mor fedrus â'i frawd, pasio arholiadau neu beidio, ac ef fyddai dewis cyntaf llawer o gleifion y cylch pan ddôi'n fater o alw doctor. Ef hefyd oedd y cymêr o'r ddau frawd, ac mae llawer o'i ddywediadau ar gof yn yr ardal hyd heddiw. Y glasur mae'n siŵr yw'r stori am yr hen wraig o Rydymain oedd yn gwrthod yn daer ddatgelu cyfrinach yr eli llosg iddo, ac i Joni, wedi methu cael y resipi ganddi hyd yn oed pan oedd ar ei gwely angau, ddweud wrthi, 'Cadw fo i'r diawl, mi fyddi di ei isio fo cyn hir.'

Er ei ddallineb chafodd Ifan ddim cam. Aeth i ysgol ar gyfer y deillion, a llwyddodd yno. Er mai yn Saesneg y derbyniodd ei addysg, mewn sefydliad hollol Seisnig y tu hwnt i Glawdd Offa, roedd ei Gymraeg mor raenus ag unrhyw siaradwr cyhoeddus y deuid ar ei draws yn y cyfnod yma. Aeth yn ei flaen i goleg diwinyddol Bala-Bangor i gymhwyso'i hun ar gyfer y weinidogaeth gyda'r Annibynwyr, a llwyddo yno yn ogystal. Am ryw reswm ni bu'n weinidog ar unrhyw eglwys, ond gydol ei oes bu'n bregethwr cymeradwy iawn. Yn y Parc, yr ail Sul o Fai oedd 'Sul Ifan Rowlands', Sul a gadwodd yn ddi-dor am bron iawn i hanner canrif.

O wybod ei gefndir gellid tybio y byddai Ifan yn un diflas iawn i fod yn ei gwmni, ond ar ôl ychydig funudau o sgwrs, yn enwedig gyda'i gydnabod, fe chwelid y gred hon yn llwyr. Roedd ganddo fyrdd o straeon difyr a digri am gymeriadau Dolgellau, Doctor Joni yn arbennig. Ganddo fo y clywais am yr hen wraig o Rydymain, a helynt y llid ar ei lygaid ei hun. Adroddai ambell stori na ddisgwyliech ei chlywed gan weinidog yr efengyl, fel hanes y forwyn honno ar fferm yng nghyffiniau'r Bont-ddu adeg Diwygiad 1904, ryw nos Sadwrn yn cwyno o boenau dychrynllyd yn ei bol. Anfonwyd am y doctor, ac wedi ei harchwilio a gweld maint ei bol roedd yn bur amlwg i Joni beth oedd achos y boen.

''Sgen ti giariad 'y ngenath i?' oedd ei gwestiwn.

'Iesu Grist ydi nghariad i, haleliwia!' meddai'r forwyn fach.

'Wel waeth gen i pwy ydi o, mi fydd yn gofyn iddo fo ffeindio saith a chwech yr wsnos iti yn reit sydyn rŵan,' oedd sylw Joni.

Yn dilyn dyfodiad y Gwasanaeth Iechyd Cenedlaethol dywedai y byddai Joni'n mynd i'r syrjeri lawn yn y bore. Yno gallai nabod ei adar yn syth, hynny yw, y rhai ddôi yno a hwythau'n weddol iach. Safai yn y drws, a phwyntio at y regiwlars yn eu tro, 'Reit, ti, ti, ti ti a titha, cerwch adra'r diawliad, does 'na gythral o ddim byd yn bod arnoch chi.'

Doedd ei gyd-genhadon ddim yn ôl o dderbyn sylw gan Ifan am y digwyddiadau smala a ddôi i'w rhan, fel y gweinidog o ardal Dolgellau oedd yn cael te mewn tŷ capel un Sul, a'r wraig garedig yno wedi ennill cystadleuaeth gwneud 'tea cosy' y diwrnod cynt mewn cystadleuaeth yn un o wyliau'r Dybliw Ai. Methai aros i ddweud wrth y pregethwr am ei llwyddiant, ond cododd y mater mewn ffordd braidd yn anffodus wrth ddod â'r tebot a'i orchudd i'r bwrdd, 'Chi'n licio nghosi fi, Mr Tomos?' gofynnodd. Gwgodd y Parchedig, ac ateb yn sarrug iawn, 'Ddynes, chymerwn i ddim arian â gwneud y fath beth!'

Byddai'r ail benwythnos o Fai felly yn amser difyr iawn i ni yn Styllen, gan y byddai'r pregethwr yn cyrraedd ar y bws pump brynhawn dydd Sadwrn, ac yn aros tan y bws un ar ddeg fore dydd Llun. Yn ystod y ddeuddydd yma, yr unig amser y byddai Ifan yn ddistaw oedd tra byddai'n cysgu. Byddai yma hen hel straeon am y teulu, sôn am gymeriadau difyr Dolgellau, canu emynau ac unawdau, a'i hanes yn rhai o'i gyhoeddiadau, megis y tro hwnnw pan roddodd un wraig tŷ capel gannwyll iddo fynd i'w wely ar nos Sadwrn. Pan fyddai'r stori'n un ddifyr byddai'r storïwr yn plygu'n ôl a blaen i fynegi ei fwynhad ar ôl yr ergyd ar ei diwedd. Os byddai'n stori ddigri, fel hanesion Doctor Joni, byddai'n symud yn ôl a blaen yn gyflym iawn.

Ambell dro dôi â Mrs Rowlands i'w ganlyn. Un o gyffiniâu Manceinion oedd Annie, wedi dod i gysylltiad ag Ifan pan oedd yn derbyn ei addysg yn y rhan honno o'r wlad. Mae sut y bu i Saesnes mor gul ei gorwelion briodi Cymro mor eangfrydig ac allblyg yn dal yn ddirgelwch mawr i mi. Doedd Annie ddim yn medru siarad Cymraeg, ac roedd yn amlwg nad oedd yn cymryd llawer o ddiddordeb yn yr iaith chwaith, a phan ddôi heibio yn bur anaml ar Sul Ifan Rowlands, doedd yr hwyl a'r awyrgylch ddim 'run fath rhywsut, gan fod tuedd yn Annie i geisio cymryd y sioe Seisnig drosodd, oedd yn golygu fod Ifan yn llawer distawach nag arfer. Gan ei bod bymtheng mlynedd yn hŷn nag ef, bu farw o'i flaen, a phriododd Ifan â merch arall rhannol ddall. Yn ôl pob golwg bu iddynt gyd-fyw yn hapus iawn. Dywedodd un hen wàg, 'Dwi'n synnu fod Ifan Rowlands wedi priodi ddwywaith, a fynte'n ddall – mae 'ne lot o rai yn gweld yn iawn heb briodi o gwbwl!'

Yn ogystal â phregethu byddai Ifan yn darlithio hefyd. O bob testun i ddyn dall, darlun arbennig oedd y testun, darlun Curnow Vosper o Salem. Y rheswm am ei ddewis o destun oedd fod ei fam yn un o'r rhai a fu'n 'eistedd' i Vosper ei phaentio. Er na welodd erioed mo'r llun roedd Ifan yn adnabod y rhai a bortreadir i gyd, oherwydd mai un o ardal Cefncymerau oedd

Mary Rowlands cyn priodi a symud i fyw i gyffiniau Dolgellau. Daethai Mary yn ôl gartref am ychydig oherwydd bod ei mam yn wael pan ddaeth Vosper heibio i gynnig chwecheiniog yr awr i werinwyr yr ardal i ddod i 'eistedd' iddo. Tra byddai ei chwaer yn cymryd ei thro i edrych ar ôl y fam glaf, manteisiai Mary ar y cyfle i ennill ychydig o arian. Hi yw'r wraig yn ei het Gymreig sy'n eistedd yn y sêt gornel yn ymyl y plentyn bach. Yn wir, Ifan oedd y plentyn ar ddechrau'r arlunio, ond profodd eistedd am hydion yn gwneud dim yn ormod o dasg i hogyn seithmlwydd dall; cafodd ei droi allan o'r capel, a daeth cefnder iddo i gymryd ei le. Arferai Ifan ddweud ei fod wedi colli anfarwoldeb oherwydd ei anallu i eistedd yn llonydd. Colli anfarwoldeb neu beidio, roedd y ddarlith yn rhoi hanes Vosper, a'i gysylltiad â'r bobl a fu'n 'eistedd' iddo, a'r cefndir gwledig i Salem, yn fyw iawn, a hynny gan ŵr na allodd ond teimlo'r darlun.

Un o uchafbwyntiau ymweliad Ifan â llawer o gapeli yr ymwelai â hwy fyddai diwedd yr oedfa pan ofynnid 'i Mr Rowlands ganu inni'. Roedd ganddo lais bariton cyfoethog iawn, ac fel llawer o ddeillion, roedd ganddo gof anhygoel. O glywed cân rhyw ddwywaith neu dair byddai wedi ei dysgu, a rhyw ddwywaith neu dair ychwanegol a gymerai iddo ddysgu'r cyfeiliant yn bur gywir os byddai'n weddol syml. Yn ddi-feth, bob tro y dôi'r gwahoddiad byddai'r ateb yn gadarnhaol, ac oni bai bod rhyw drefniant arall gyda chyfeilydd lleol fe arweinid y pregethwr at 'yr offeryn'. Eisteddai yntau, rhoi tonc ar yr allweddellau i gael y teimlad ohonynt yn iawn, a dechrau ar y cyfeiliant. Emyn, neu gân o naws grefyddol fyddai'r dewis fel arfer, ac yn aml byddai cysylltiad rhyngddi â neges y bregeth. Fyddai criw'r seti cefn ddim yn ôl o wneud rhyw sylw o'r amgylchiad, wrth gwrs. Un tro, fe arweinid Ifan at y piano gan flaenor oedd yn cael y gair o fod yn un pur fusneslyd. 'Dene ti ddau wahanol hefo'i gilydd,' sibrydodd un wrth y lleill, 'un yn gweld dim a'r llall yn gweld gormod!'

Un o'r ffefrynnau i ddiweddu'r Sul gyda ni oedd y cyfieithiad o emyn Norman Macleod – 'Bydd yn wrol, paid â llithro, er mor dywyll yw y daith . . . ' Dwn i ddim oedd y ddwy linell agoriadol yna yn brofiad personol iddo ai peidio, ond fedra i ddim peidio meddwl nad oedd Ifan yn ymwybodol iawn o'r goleuni, er i'w daith ar un ystyr fod yn bur dywyll.

Unig uchelgais . . .

Mae'n siŵr mai'r un fyddai gorchwylion cyntaf pob hogyn a fagwyd ar ffarm. Tybed ai rhoi bwyd i'r ieir a hel wyau oedd y gwaith cyntaf a ddaeth i'w ran? Yn ddiweddarach dôi nôl coed at y bore, a mawn neu lo ar gyfer min nos, yn swyddi beunosol. Yna efallai y cyfrifoldeb o roi bwyd i'r cŵn, helpu i roi bwyd i'r moch a gwlyb i'r lloiau, cyn graddio'n ddigon cyfrifol a dibynadwy i odro. Am ryw reswm doeddwn i ddim yn hoffi nôl dŵr o'r ffynnon, er nad oedd ond rhyw fwcedaid bob dydd. Roedd tap dŵr oer yn y tŷ, ond dŵr yn syth o'r afon a lifai iddo, ac ni châi hwnnw ei ystyried yn ddigon da i'w yfed. Roedd (ac y mae) ffynnon yn nhop y buarth nad yw erioed, hyd y gwn, wedi sychu, ac arferid cario dŵr yfed ohoni fesul bwcedaid yn ôl yr angen. Yn ddiweddarach y daeth y dŵr yma drwy bibell i'r tŷ.

Byddai Mam adre bob amser heblaw pan fyddai'n picio i lawr i'r ysgol i ddysgu plant i ganu! Felly byddai ganddi farn ar bopeth fyddai'n digwydd yng ngwaith bob dydd y fferm. Tua dechrau'r Ail Ryfel Byd cafodd fy nhad gynnig swydd fel Swyddog Maes gyda'r *Merionethshire War Agricultural Committee*, neu'r Wôr Ag fel y bedyddiwyd ef yn bur gynnar yn ei fodolaeth. Swydd ran-amser oedd hi, ond fod y cyflog am y gwaith a gyflawnid yn uwch na chyflog gweithiwr amaethyddol amser llawn. Roedd hynny'n help mawr i wella'r sefyllfa ariannol, a chan y gweithiai oriau hyblyg, medrid sicrhau pâr arall o ddwylo ar gyfer gwaith bob dydd, yn enwedig ar adegau o brysurdeb megis wyna, trin y tir, cneifio, cynaeafu gwair ac ŷd a dyrnu. Byddai rhywun cyflogedig yn gweithio yma yn lled gyson; yn wir, eithriad fyddai i hyd yn oed y ffermydd lleiaf yn yr ardal fod heb wagnar neu gowmon yn y cyfnod hwn.

Gwelir fy mod yn osgoi defnyddio'r gair 'gwas'. Y rheswm am hyn yw imi, pan oeddwn yn bur ifanc, gael andros o ffrae gan Mam am wneud. Mae'n bur debyg fy mod wedi cyfeirio at y sawl oedd yma braidd yn ddirmygus wrth ddefnyddio'r gair y tro dan sylw, a chefais fy atgoffa fod pawb yn cael eu cydnabod o'r un radd yn ein tŷ ni bob amser. 'Y dynion' neu 'y bechgyn' oedd eu teitlau bob amser, a neilltuwyd y teitl a ystyriai Mam yn israddol allan o'm geirfa, ac ychydig iawn a ddefnyddiais arno ar hyd fy oes. Er bod yna 'fwrdd bach' a 'bwrdd mawr' yn y gegin, dim ond pan alwai pobol ddiarth y defnyddid y bwrdd bach, a'r un arlwy fyddai ar y ddau fwrdd bron bob amser ar yr adegau hynny. Yr unig eithriad fyddai pan ddeuai pobol ddiarth 'i swper'. Byddai'r pryd hwnnw bob amser ychydig yn hwyrach na'r swper arferol toc wedi chwech o'r gloch, ac os byddai'r gweithiwr eisiau mynd cyn i'r dieithriaid gyrraedd, yna fe gâi ei swper arferol yn ei amser arferol.

Fel yr oedd dyletswyddau 'Nhad yn cynyddu yn ei waith newydd yn ystod y pedwardegau, byddai mwy o gyfrifoldeb yn disgyn ar ysgwyddau'r dynion fu'n aros gyda ni. Nid oedd oriau undeb yn bodoli, a byddai'r gweithlu ar alwad bedair awr ar hugain y dydd, saith diwrnod yr wythnos. Gan y gellid dod i ben â gorchwylion megis godro a phorthi'r anifeiliaid heb olau dydd, byddai'r oriau gwaith rywbeth yn debyg drwy'r flwyddyn, o tua saith tan chwech. Yr unig wahaniaeth oedd y byddem yn godro'n syth ar ôl te cynnar ar ddydd Sadwrn, a dim ond y gwaith angenrheidiol gyda'r anifeiliaid a wneid ar y Sul. Dim mwy, wrth gwrs, gan y byddai 'chwe diwrnod y gweithi' yn orchymyn pwysig drwy'r holl ardal hanner canrif a mwy yn ôl.

Lle i rwymo deuddeg oedd yn y beudy, a rhwng wyth a deg o fuchod yn llaetha ar y tro. Eithriad oedd fod angen godro dwsin, ac er nad oedd y nifer yn fawr byddai pawb ar alwad i odro ar wahân i adegau prysur. Golygai hyn bedair neu bump yr un os mai dau odrwr fyddai ar gael. Os byddai tri godrwr, byddai pethau'n gwella, dim ond rhyw dair buwch yr un, ac os byddai un o'm chwiorydd adre, hwrê, byddai'r gorchwyl drosodd yn fuan iawn. Roedd hyn o fantais aruthrol ym misoedd yr haf, gan y golygai y byddai llai – weithiau ddim – o waith glanhau'r beudy a'r buarth o ganlyniad i ymweliad y buchod â'r lle ddwywaith y dydd. Ar hin deg, pan fyddai angen cynifer â phosibl i weithio yn y cae gwair, gwaith pur ddiflas fyddai cael eich gwysio i 'ddechrau godro, mi ddaw rhywun atat ti toc!', a minnau'n gwybod y byddai toc yn bur hir, a'r naill fuwch ar ôl y llall yn blino dal ac yn codi'i chynffon i ollwng cynnwys piblyd ei pherfedd ar lawr carthu'r beudy. Yn amlach na pheidio, yn ystod y gwacâd hwn byddai'r fuwch agosaf yn mynd ati i chwipio'r gwybed oddi ar ei chefn ac yn llwyddo i gael cyfran helaeth o'r tail ar flew hir ei chynffon yn y broses. Gwae'r godrwr pan eisteddai wrth y fuwch honno! Byddai darn o linyn yn anhepgorol i glymu'r gynffon ffiaidd wrth goes ei pherchennog. Miwsig arbennig o felys fyddai sŵn pâr neu ddau o draed yn dod i'r beudy i helpu pan fyddai rhywun yn tynnu yn y tethi yn y gwres, a bron cymaint o chwys yn dod i'r wyneb ag a fyddai o lefrith yn dod i'r bwced! Yn oerni'r gaeaf roedd y stori'n wahanol, y stabal a'r beudy oedd adeiladau cynhesaf y fferm, a byddai dod i mewn i gynhesrwydd y buchod i odro yn brofiad dipyn mwy pleserus.

Ar ddiwedd y tridegau sefydlwyd Hufenfa Meirion yn y Fronwydd, Rhydymain. Menter gydweithredol oedd hi; profodd yn llwyddiant mawr am flynyddoedd maith, ac mae digon wedi ei ysgrifennu amdani heb i mi ailadrodd dim ar yr hanes. Ychydig yn betrus a fu'r gefnogaeth ariannol iddi ar y dechrau – efallai fod pobl yn dal i gofio tynged y ffatri gaws –

179

ond cyn hir roedd rhyw ddeunaw o ffermwyr yr ardal, pawb oddigerth tri, yn gwerthu llaeth. Doedd swm y llaeth a gynhyrchid ddim yn fawr, oherwydd roedd hyn cyn dyfodiad y Ffrisian a'r Holstein, na hyd yn oed yr Ayrshire. Buchod duon Cymreig a gadwai pawb, a cheid rhai o'r rhain yn llaetha'n bur dda ac ystyried mai fel brîd amlbwrpas, yn bennaf i fagu lloi, yr ystyrid hwy. Credaf mai Plasmadog oedd y cynhyrchwyr mwyaf, gyda rhyw ddeunaw o fuchod, a'r daliadau lleiaf gyda rhyw chwech neu wyth. Er nad oedd pris y llaeth yn uchel roedd yn bris gwarantedig gan y Bwrdd Marchnata Llaeth a sefydlwyd gan y Llywodraeth yn y tridegau, a gwyddai'r ffermwr ymlaen llaw faint i'w ddisgwyl. Bendith fawr oedd y siec fisol honno. Bendith fawr oedd y lorri laeth hefyd; nid casglu llaeth oedd ei hunig swyddogaeth, ond gweithredu fel bws, gan amled y teithwyr fyddai'n cael eu cario'n ôl ac ymlaen gan y gyrrwr cymwynasgar. Cof arbennig am garedigrwydd Abel Jones yn fy ngharlo i'r ysgol bob dydd. Parhaodd y cymwynasau niferus hyn nes daeth y cwmni a yswiriai gerbydau'r ffatri i wybod am yr arferiad a'i wahardd yn bendant.

Daeth 'danfon y llaeth' yn ymadrodd newydd i eirfa cefn gwlad. Roedd modd danfon y llaeth yn amrywio o fferm i fferm. Fe wnai tryc dwy olwyn hôm-mêd y tro i ffermydd ar fin y ffordd a daliadau a'u hadeiladau wedi eu lleoli yn uwch na'r ffordd, fel nad oedd llawer o waith gwthio. Dwy hen olwyn moto-beic yn aml a ddefnyddid i wneud tryc. Byddai'n gofyn i eraill, oedd bellter o'r ffordd, wisgo'r ceffyl a bachu'r slêd bocs neu'r drol, rhwymo'r cansenni llaeth rhag iddynt droi, a'i chychwyn hi am y ffordd yn ara deg. Ychydig iawn oedd yn ddigon ffodus i fod yn berchen cerbyd at y gwaith, er nad oedd gweld hen gar wedi ei addasu i gario gwahanol nwyddau yn olygfa ddieithr. Tua diwedd y pedwardegau daeth y Ffergi bach a'r bocs y tu ôl iddo yn hwylus iawn i'r gorchwyl.

Yr un modd, roedd amrywiaeth fawr yn y 'stand laeth', lle

dodid y gansen neu'r cansenni ar lefel gweddol agos i uchder y lorri. Weithiau gwelid pen y clawdd wedi ei lefelu, a slab o goncrid wedi ei osod arno. Dro arall stand bren fyddai hi, hen slîpars lein gan amlaf. Roedd stand sgwâr o flociau concrid wrth giât ambell fferm, a byddai ambell un arall wedi ei chodi o gerrig, a'r saer maen wedi cymryd gofal mawr gyda'i waith fel y gallai pawb fyddai'n pasio edmygu ei grefft. Diflas iawn i yrrwr y lorri fyddai gweld y cansenni ar lawr, ac yntau'n gorfod eu codi, efallai yn llawn dop, i uchder o tua phedair troedfedd i'w cael ar y lorri.

Roedd y chwyldro yma yn dderbyniol iawn gan bawb yn ddiwahân, a ffarweliwyd â'r arferiad o fynd â basgedaid o fenyn ac wyau i'w gwerthu yn y dref, a derbyn y pris a gynigiai'r siopwr, neu, yn achos llawer, o aros am John Elias, Cefnymaes i ddod heibio i'w prynu. Wedi cael llwyth, byddai ef yn croesi'n wythnosol dros y gefnen a elwid yn Gefn Llwyn Bugail i orsaf Arenig i ddal y trên i Stiniog i werthu i wragedd chwarelwyr ar ddiwrnod tâl.

O edrych yn ôl ar hen lyfrau cyfrifon 'Nhad mae'n ddiddorol iawn sylwi canran mor uchel o incwm y fferm oedd yr ymenyn a chynnyrch yr ieir. Yn ychwanegol at werthu wyau byddid yn gwerthu cywion, a'r rheiny wedi eu paratoi'n barod i'r popty gan Mam. Yn y flwyddyn 1937 er enghraifft roedd *butter, eggs & chickens* bron yn ddeugain y cant o'u hincwm.

Dau arferiad arall a ddaeth i ben gyda dyfodiad y lorri laeth oedd 'separetio' a chorddi. Y separetor oedd yn gwahanu'r hufen a'r sgim. Yn y dyddiau gynt yr arferiad oedd gadael y llefrith mewn llestr pridd i'r hufen godi i'r wyneb, gan ei fod yn ysgafnach na'r llaeth sgim. Yna gellid ei gasglu oddi ar yr wyneb gyda llestr llai, proses a elwid yn 'hufennu' neu 'sgimio', a'i drosglwyddo i'r pot llaeth cadw. Daeth y separetor i wneud hyn yn llawer cyflymach trwy ollwng y llefrith i lawr drwy lestr oedd yn troi'n gyflym iawn. Yna byddai grym allgyrchol y llestr yn lluchio'r llaeth sgim i ymyl y llestr, a'r hufen yn tueddu i aros yn y canol. Drwy wneud hyn byddai'r sgim ar gael yn syth ac yn gynnes i'w roi i'r lloi a'r moch, a'r hufen yn ei dro yn disgyn o'r separetor i'r pot llaeth cadw. Yno byddai'n suro, a phan geid rhyw ddau neu dri galwyn ohono, dodid ef yn y fuddai i'w gorddi.

Gwaith eithaf difyr oedd separetio. Unwaith y codai i'r cyflymder priodol roedd y peiriant yn troi'n eithaf rhwydd heb angen fawr o nerth bôn braich, ond roedd corddi medde nhw yn orchwyl tipyn caletach, yn enwedig ar dywydd poeth, gan y gallai'r hufen fod yn hir yn torri – term a ddefnyddid am yr ymenyn yn dechrau ffurfio'n ronynnau bychain. Ymhen tipyn wedyn byddai'r gronynnau bach yn glynu yn ei gilydd i ddod yn ronynnau mwy, wedyn cesglid yr ymenyn yn ofalus â llaw, a'i godi o'r fuddai yn barod i'w drin ymhellach. Fe hidlid yr hylif oedd yn weddill yn y fuddai er mwyn gwneud yn siŵr bod yr oll o'r ymenyn wedi ei gasglu. Llaeth enwyn oedd yr hylif yma – deunydd cynhaliaeth i anifeiliaid y fferm, ac i'r teulu hefyd, yn enwedig i wneud siot ac i dorri syched yng ngwres yr haf.

Yn ffodus, anaml iawn iawn y gelwid arnaf i gorddi, gan fod gennym bŵer dŵr at y gwaith. Yr eithriadau oedd ar gyfnodau anarferol o sych, pan fyddai'r llyn lle cronnai'r dŵr wedi ei ddihysbyddu cyn gorffen corddi oherwydd fod y llif a redai iddo yn rhy fychan. Y drwg oedd y byddai'r cyfnodau sych fel arfer yn gyfnodau poeth iawn hefyd!

Rhyw ddechrau ar y gorchwylion dyddiol hyn yn ara bach, a bron yn ddiarwybod i mi fy hun, fu fy hanes. 'Mae'r fuwch las yn un ffeind – ac yn hawdd i'w godro. Rydw i'n siŵr y medri di ddysgu iti gael helpu.' Neu, 'fedri di orffan separetio i mi gael mynd â llaeth i'r lloi, neu mi aiff hi'n hwyr arna i'n g'neud swpar.' Ie, 'cael helpu' sylwer, fel pe bai hynny'n rhyw fraint fawr! Ond pa hogyn ffarm oedd ddim eisiau helpu? Fel y megid mwy o fôn braich dôi'r gorchwylion yn galetach ac yn amlach, a dôi'r sylwi ar y rhai hŷn, a dysgu oddi wrthynt, yn ail natur.

'Torri cwys fel cwys ei dad,' meddai Cynan yn 'Mab y Bwthyn'! Ie, a chael ffroth ar y llefrith wrth odro, gweithio ci, torri â phladur a chodi fforchaid . . . i gyd fel ei dad!

Dwn i ddim ai lwc neu anlwc oedd bod oes y ceffylau gwedd yn dirwyn i ben tua'r un adeg â phan ddechreuais weithio ar y ffarm adre'n amser llawn. Rhaid imi ddweud y byddwn wrth fy modd gyda'r anifeiliaid urddasol hyn. 'Twyso' oedd yr unig orchwyl bron a ymddiriedid imi yn ystod fy nghyfathrach â Bess a Sam. Byddai cael hogyn i dywys y ceffyl yn ôl a blaen i'r cae yn rhyddhau pâr arall o ddwylo i wneud gwaith trymach, beth bynnag fyddai'r gwaith hwnnw. Fel rheol, cario gwair fyddai'r gorchwyl pan ymddiriedid ceffyl a char llusg i'm gofal. Byddai Dad yn y cae yn trosglwyddo'r gwair o'r hulog i'r car llusg, ac un o'm chwiorydd yn y car yn llwytho. Yn y tŷ gwair byddai'r wagnar yn dadlwytho, a chwaer arall neu Mam yn cowlasu. Erbyn y cyrhaeddai'r llwyth o'r cae byddai'r ddau yn y tŷ gwair wedi gorffen dadlwytho'r llwyth cynt, ac felly byddai'r car llusg gwag yn barod i ddychwelyd am lwyth arall, ac felly 'mlaen nes byddai'r gwair i gyd dan do – llwyth bach a hwnnw'n amal.

Rhyw fath o fwdwl mawr oedd hulog. Defnyddid y 'tymblar' neu'r 'swîp', gyda cheffyl yn ei dynnu, i grynhoi swm sylweddol o wair i un lle, ac eid ati i ffurfio'r hulog yn gron, gydag un person yn sathru'r gwair ac un arall yn ei godi iddo fel byddai'r hulog yn codi. Byddai hulogwr medrus yn cadw digon o lanw (sef gofalu fod y canol dipyn yn uwch na'r ochrau) yn yr hulog, felly gallai wrthsefyll glaw sylweddol iawn heb wlychu. Mantais fawr y dull yma oedd y byddai'r gwair yn dod i ddiddosrwydd cymharol ddiwrnod ynghynt na phe byddid yn ei gario'n syth i'r das. Roedd pawb yn y cylch yn dilyn y dull yma o gynaeafu gwair. Yn dibynnu ar faint yr hulog a pha mor drwchus y gwair, fel rheol disgwylid cael tair neu bedair hulog i'r acer, ac ymhen wythnos neu fwy byddai'r gwair oedd ychydig yn las adeg ei hel wedi twymo allan yn yr hulog, fel na fyddai unrhyw berygl iddo or-dwymo wedi ei gario i'r tŷ gwair.

Yn ddiweddarach daeth y bwgi i hwyluso cario'r hulogod. Tybiaf mai o'r Iwerddon y daeth y rhain, rhyw fath o drelar isel yn tipio nes byddai'r ymyl ôl yn mynd i gwr isaf un ochr o'r hulog. Ar y blaen roedd math o winsh, a rhoddid rhaff o gylch yr hulog, a'i weindio i fyny ar y bwgi. Yna eid â hi yn ei chrynswth i'r buarth, datod y rhaff, tipio llawr y bwgi, plwc ymlaen, ac fe lithrai'r swp enfawr o wair i lawr yn barod i gael ei fforchio i'r cowlas yn y tŷ gwair. Yna âi'r wagnar yn ôl i'r cae i gyrchu hulog arall tra byddai gweithwyr y buarth yn trosglwyddo'r hulog i'r cowlas.

Gwaith arall fyddai'n ychwanegu cufydd neu ddau at fy maintioli oedd cael dreifio i dorri ŷd. Defnyddid yr injian dorri gwair i dorri ŷd hefyd, ond rhoddid sedd ychwanegol ar ben yr olwyn dde. Ar hon yr eisteddai'r dilifrwr. Y tu ôl i'r bar, sef y rhan o'r peiriant fyddai'n torri'r cnwd, byddai rhyw gyfarpar pren yn codi a gostwng ar golfach, yn cael ei weithio gan droed y dilifrwr. Wrth godi'r bwrdd pren byddai'r ŷd a dorrid yn cael ei gasglu'n daclus arno, ac wrth ei ostwng defnyddiai'r dilifrwr gribin fawr i helpu'r ysgub i lithro'n daclus oddi ar y bwrdd yn barod i'w rhwymo gan eraill o'r gweithlu. 'Nhad fyddai'r dilifrwr bob amser, roedd o'n grefftwr gyda'r gwaith, ac ymddiriedid y gwaith o ddreifio i mi pan oeddwn yn bur ieuanc. A dweud y gwir, dwn i ddim faint o waith dreifio oedd yna, gan fod Bess a Sam yn hen gyfarwydd â'r gorchwyl o dorri ŷd yn ogystal â thorri gwair. Ond mae'n siŵr bod y ddau yn gwerthfawrogi mai leitweit oedd yn eistedd ar sedd gyrrwr y peiriant torri ŷd ar yr achlysuron hyn.

'Gafra' oedd y term a roddid ar y gwaith o godi'r ysgubau a'u rhwymo. 'Geifir' oedd enw'r ysgubau yn ein rhan ni o'r wlad, a byddem bob amser yn ffeirio gyda'n cymdogion yn Nhŷ Du pan yn torri ŷd. Byddai pawb fyddai ar gael yn Nhŷ Du yn dod i'n helpu ni, ac wedyn byddem ninnau i gyd yn mynd i'w helpu hwythau. Y cae a aeddfedai gyntaf a dorrid gyntaf fel arfer, yna eid i dorri yn y fferm arall os byddai'r ŷd yn barod yno, ac felly ymlaen bob yn ail gae, nes gorffen. Pawb drosto'i hun fyddai hi pan fyddai'r ŷd wedi sychu digon i'w gario, gan gofio cyfraith y brenin dall bob amser, y cynta i orffen, helpu'r llall.

Soniais eisoes am y gyfraith gweithio chwe diwrnod. Cedwid yn gaeth iawn iddi, ac erbyn hyn rhaid imi gyfaddef fy mod yn amau a oedd hi'n gyfraith gall iawn, oherwydd credaf ei bod yn llawer llai o bechod hel y cnwd ar y Sul pe bai unrhyw arwyddion y byddai wedi gwlychu cyn bore dydd Llun. Ym Medi a Hydref nid anarferol fyddai cael diwrnod neu ragor o wynt ffres a sych, tywydd arbennig o addas i sychu ŷd, gan y byddai'r gwynt a dreiddiai drwy'r ysgubau yn llawer mwy effeithiol i'w sychu na'r gwres oedd yn angenrheidiol i sychu gwair. Y drwg oedd y gallai cymylau ddechrau crynhoi, a chyn wired ag y gostegai'r gwynt ychydig byddai'n dechrau glawio. Cofiaf fwy nag unwaith gael gwynt, a hwnnw'n wynt cyn glaw, dros y Sul. Erbyn dod adre o wasanaeth yr hwyr byddai lliw'r sypiau ŷd i'w weld wedi ysgafnu, ac o'u harchwilio gwelid eu bod bron yn ddigon sych i'w cario. Wedi cael swper byddai cyfnod o aros anniddig, rhyw flys mynd, ac eto ofn! Cyn gynted ag y trawai'r hen gloc mawr hanner nos byddai'r aros drosodd, ac âi pawb i'r cae ŷd i droi'r sypiau drosodd, a'u bôn i gyfeiriad y gwynt. Os byddent yn dal ychydig yn llwfr fe'i gadewid am ychydig, ond ni fyddem yn hir cyn dechrau cario. Dyma'n aml dymor y 'naw nos olau', a byddai Bess a Sam yn cael eu gwisgo yn y stabal yng ngolau lamp, a'u harwain i'r cae yng ngolau lleuad i lusgo'r ceir llwythog yn ôl i gyffiniau'r sied wellt. Cario nes gorffen neu gario tan y glaw, p'run bynnag ddôi gyntaf fyddai'r drefn, a gorffwys yn ddiolchgar wedi i'r gwaith ddod i ben. Ond rydw i'n siŵr na fyddai'r Bod Mawr wedi dal dig pe byddem ni wedi dechrau arni'n llawer cynharach, i gymryd mantais lawn ar y gwynt yr oedd O wedi ei yrru inni i sychu'r ŷd. Yr un modd, o dan yr un amgylchiadau, byddai'n rhaid stopio cario ar drawiad hanner nos ar nos Sadwrn, glaw neu beidio.

Rhaid dweud wrth basio fy mod yn credu fod y pendil wedi symud i'r pegwn arall erbyn hyn, oherwydd ymddengys fod ambell ffermwr yn llawer prysurach ar ddydd Sul nag ar unrhyw ddiwrnod arall o'r wythnos, a hynny drwy'r flwyddyn. A phan fyddwn ni ffermwyr sydd hefyd yn aelodau eglwysig wedi mynd yn rhy brysur i fforddio amser i ddod i le o addoliad o gwbl, hyd yn oed ar Ŵyl Ddiolchgarwch, tybed nad oes gennym ni ormod o dir a stoc, ac y byddai'n rheitiach inni rannu tipyn o'r gowled â rhai o'n pobl ieuanc sydd yn awyddus i ddechrau ar eu liwt eu hunain, ond yn methu cael troed ar ris isaf yr ysgol? Gofyn ydw i, nid pregethu!

Er mai anaml y cawn y gwaith ar gynhaeaf ŷd byddwn yn edrych ymlaen yn fawr am y dyddiau twyso. Efallai y dylwn dalu teyrnged i'r rhai fu'n fy rhoi ar ben y ffordd i fod yn dwyswr dibynnol. Roedd pob wagnar â meddwl mawr o'i wedd, ac nid pob un o'r alwedigaeth fyddai'n fodlon i rywun arall gael mynd ati, hyd yn oed os oedd y rhywun hwnnw'n digwydd bod yn fab i'r bòs. Yn ogystal â 'Nhad, Dei Gwilym, ac yn ddiweddarach Robin Bach, fu'n rhannu eu gwybodaeth arbenigol â mi. Yn dâl mae'n ddiamau iddynt gael tipyn o hwyl o weld y ceffyl yn sathru fy nhroed ar rai o'r cynigion cyntaf! Doedd y profiad ddim yn un poenus iawn, a dweud y gwir, yn enwedig os digwyddai ar gae; byddai'r esgidiau cryfion a wisgid bryd hynny yn lleddfu tipyn ar y wasgfa, a dim ond eiliad y byddai'r pwysau ar y droed na fyddai'r ceffyl wedi codi ei droed i gymryd y cam nesaf. Roedd y dychryn dipyn yn fwy na'r boen! Wedi'r anffawd gyntaf byddai'r twyswr yn llawer mwy gofalus i gadw'i draed o ffordd traed y ceffyl.

Dwn i ddim a fuaswn wedi mwynhau'r profiad gymaint pe byddai'n rhaid imi fod wedi trin a bwydo'r ceffylau cyn ac ar ôl eu diwrnod gwaith – ni ddaeth hynny i'm rhan, ar wahân i helpu mymryn ar y wagnar ar adegau prysur. Gwaith hawdd iawn oedd edrych lefel yr oel a'r dŵr yng nghrombil y tractor, llenwi'r tanc a'i danio yn y bore, a'i ddiffodd wedi noswyl, o'i gymharu â'r dyletswyddau roedd yn rhaid dod i ben â hwy gyda'r wedd cyn bachu ac ar ôl gollwng.

Yn ystod blynyddoedd y rhyfel bu amryw o garcharorion Eidalaidd yn gweithio gyda ni. Roedd gwersyll carcharorion yn Llandrillo, a byddai nifer yn dod i fyny i'r cylch bob bore ar lorri. Criw hwyliog iawn; credaf na fuasai'r un ohonynt yn filwr oni bai i Mussolini eu gorfodi, a synnwn i ddim na wnaethant fwynhau eu hunain tra buont yn ein cwmni!

Dyna Dominico, oedd yn arddwr o fri, a dim gwaith perswadio arno i helpu yn y rhan hon o'r ffarm nad oedd gennyf i fawr o ddiddordeb ynddi. Roedd Mam wrth ei bodd, fu ganddi rioed gystal gardd! Saer penigamp oedd Bozzer, ac fe daclusodd lawer ar ddrysau a thoeau'r adeiladau. Fel llawer o'r Eidalwyr roedd o'n dipyn o law hefo'r merched! Plymwr oedd Chimino, a byddai yntau wrth ei fodd os byddai fy chwiorydd adre, oherwydd ei hoffter mawr oedd canu. Os byddai un o'r merched ar gael i gyfeilio caem gyngerdd bron bob amser cinio, a'i nodau uchel fel cloch.

Cymeriad gwahanol iawn oedd Pierri, yn ei dridegau hwyr, wedi gorfod gadael ei ddyddyn yn Sicily i ymuno â'r fyddin, yn briod a chanddo fab tua'r un oed â fi, ac roeddem yn ffrindiau mawr iawn oherwydd hynny mae'n siŵr. Er bod ein dull ni o ffermio'n bur wahanol i'w dull hwy yn Sicily, gweithiwr deheuig iawn oedd Pierri. Byddai Mam yn tosturio'n arw wrtho, oherwydd credai fod arno gryn dipyn o hiraeth. Ni ddeallai ddim Saesneg, felly roeddem ni wedi dysgu tipyn golêw o Eidaleg gyda'r geiriadur bach oedd gennym, ac erbyn diwedd yr haf hwnnw gallwn wneud fy hun yn ddealladwy i Pierri yn fy nhrydedd iaith. Gwaetha'r modd ni fu dyfalbarhad, ac mae'r cyfan wedi mynd yn angof erbyn hyn.

Y tymor wedi imi ymadael o'r ysgol nid oedd neb cyflogedig yn gweithio gyda ni. Golygai hyn mai ar fy ysgwyddau i y disgynnodd holl waith dydd-i-ddydd y fferm y gaeaf canlynol. Roedd 'Nhad yn gweithio'n amser llawn hefo'r

Weinyddiaeth Amaeth erbyn hyn, ac anaml iawn y byddai gartre, ar wahân i'w fis gwyliau blynyddol. Roedd cyfyrder iddo, Dafydd Ifans gynt o Dyddyn Du, newydd ymddeol, ac yn hoffi dod i helpu ambell ddiwrnod pan fyddai prysurdeb, i gael rhyw ychydig o arian i ymestyn ei bensiwn ambell ddiwedd wythnos. Gweithiwr diflino oedd Defi, ac er ei fod bron hanner can mlynedd yn hŷn na fi byddai ceisio ei ganlyn yn ei waith yn llafur caled iawn i hogyn oedd heb galedu! Ychydig iawn o ddiddordebau oedd ganddo ar wahân i waith y fferm, ac felly yn y dyddiau di-deledu hynny byddai'n mynd i'w wely fel iâr. Golygai hynny y byddai'n barod i godi tua phump o'r gloch y bore, a rhywsut doedd o ddim yn sylweddoli y byddai rhyw lefnyn fel fi yn cadw oriau dipyn hwyrach, ac eisiau ychydig mwy o lonydd yn y bore! Cofiaf fod fy rhieni'n mynd i Lundain i'r Festival of Britain ym mis Mai, 1951, ac wedi rhoi ar Defi i gadw llygad arna i a'r lle yn ystod eu habsenoldeb. Byddai'n gweiddi tu allan i ffenest fy llofft cyn chwech bob bore, 'Cwyd wasi, m . . . m . . . mae hi'n berfedd d . . . d . . . dydd' – a finnau heb fod yn fy ngwely yn hir iawn.

Un gweithgarwch y byddai pob gweithiwr fferm, hen ac ifanc, yn ei fwynhau'n arbennig fyddai ffeirio, sef mynd i helpu cymdogion ar ddyddiau torri ŷd, dyrnu, hel defaid a chneifio. Soniwyd eisoes am y torri ŷd. O tua dechrau mis Tachwedd ymlaen dôi'r injian ddyrnu o gwmpas pob fferm yn ei thro. Erbyn i mi ddod yn ddigon hen i gael mynd i helpu gyda'r gwaith roedd yr hen dracsion stêm wedi ei ddisodli gan dractor gweddol bwerus. Gwaith braidd yn fudr ac afiach oedd dyrnu, yn enwedig os bu'r cynhaeaf yn un sâl. Yn aml golygai hyn fod y cnwd heb sychu digon cyn ei gario, wedi gor-dwymo, ac o ganlyniad wedi llwydo yn ei gowlas, a chwythai'r dyrnwr y llwydni hwn yn llwch allan o'i grombil. Os byddai'n dywydd tawel gallai cwmwl trwchus fod dros y buarth drwy'r dydd. Yn ddiweddarach daeth gwyddonwyr i ddeall fod y llwch hwn yn cynnwys miliynau o sborau oedd yn hynod o niweidiol i ysgyfaint dyn ac anifail. Ceid yr un broblem gyda gwair hefyd, ond ei bod yn llawer dwysach, gan y byddai'r ffermwr neu ei weithwyr yn y llwch am gyfnod bob dydd os byddai'r gwair heb ei gynaeafu'n iawn. Yn anffodus roeddwn i, fel 'Nhad, yn dueddol o gael niwed trwm o'r llwch yma. Yn wir mae'n debygol iawn i oes 'Nhad fod yn dipyn byrrach o'i achos, ond bûm i'n ddigon ffodus fod Dr Gwilym Thomas yn Ysbyty'r Frest ym Machynlleth wedi arbenigo ar drin a gwella'r rhai a ddioddefai o glefyd llwch y gwair ond iddynt geisio meddyginiaeth mewn pryd.

Er gwaetha'r llwch, dyddiau difyr fyddai'r diwrnodau dyrnu. Hel manus fyddai cyfrifoldeb y newyddian fel rheol. Fe chwythid y manus allan o dan y dyrnwr, a'r gorchwyl oedd ei hel i sachau gweddol fawr, a'u cario i le diogel i'w cadw nes y byddid yn bwydo'u cynnwys i'r anifeiliaid. Yr heliwr manus fyddai yn y llwch gwaethaf, ond gan mai cynnyrch gweddol ysgafn ydoedd, nid oedd yn waith trwm, a cheid cyfle yn achlysurol i wylio'r gweithwyr mwy profiadol yn ffurfio fforchaid o wellt ar gyfer ei chario i ran o'r adeiladau a fyddai'n wag. Roedd hi'n dipyn o grefft cario fforchaid fawr am bellter heb iddi ddechrau dod oddi wrth ei gilydd, a bendith fawr oedd dyfodiad y byrnwr i rwymo'r gwellt yn fyrnau taclus llawer haws eu cario. Ceid sgwrs a gair o gyngor hefyd gan y cariwr brig (y grawn). Yng nghefn y dyrnwr y byddai'r grawn yn dod allan, wedi ei raddio'n rhyw dair gradd wahanol, ac roedd cael symud i'r gwaith hwn yn ddyrchafiad yn wir, oherwydd yn aml y grawn oedd cynnyrch mwyaf gwerthfawr y fferm. Fel arfer câi ei gadw yn y granar yn barod i'w falu cyn ei borthi i'r gwartheg. Roedd graddio i'r swydd hon yn golygu fod gan y ffermwr ffydd y byddai'r cariwr yn gwneud ei waith yn daclus, heb golli dim. Wrth gwrs, rywbryd yn ystod y dydd, byddai rhyw ddiafol wedi rhoi clamp o garreg yng ngwaelod sach pan ddigwyddai'r cariwr droi ei gefn, fel y câi pawb o'r gweithlu hwyl am ei ben yn bustachu i fyny grisiau'r granar dan ei lwyth!

Y gamp oedd gwasgu dannedd ac ymddangos fel pe na byddai dim yn bod, i geisio taflu dŵr oer am ben hwyl y tynnwr coes, er y byddai rhywun yn ymwybodol o'r pwysau ychwanegol cyn gynted ag y byddai'r sach (a'r garreg!) ar ei gefn.

Swydd arall oedd yn golygu dyrchafiad ymhob ystyr i'r gair, o'r manus, oedd torri rhwymynod. Codid yr ysgubau i ben y dyrnwr fesul dwy neu dair, a rhaid oedd torri'r rhwymyn a ddaliai'r ysgub wrth ei gilydd er mwyn i ddyn yr injian fedru eu bwydo i mewn i grombil y dyrnwr yn wastad a didrafferth. Rhaid felly fyddai wrth gyllell finiog a chyflymder i'r swydd yma, gan na hoffai unrhyw ffermwr glywed yr injian yn troi'n wag. Mantais fawr y torrwr rhwymynod oedd y byddai'n un o'r rhai cyntaf i orffen am y dydd.

Er gwaetha'r llwch, a'r gweithio hwyr yn achlysurol, byddai'r ffeirio dyrnu yn un o atyniadau mawr y flwyddyn, a chan y byddid yn ffeirio gyda thua hanner dwsin o ffermydd, gellid edrych ymlaen bob gaeaf at ryw wythnos neu fwy o gyd-weithio a chyd-gwmnïa, a chyd-fwyta ciniawau blasus, a the – ac weithiau swper i ddilyn, wedi ei baratoi gan wragedd (a merched!) croesawus ffermydd yr ardal. Peth dymunol iawn oedd rhyw deimlad o fod yn perthyn.

Arenig

Tua dechrau 1953, mewn sgwrs â 'Nhad, dywedodd un o gynghorwyr tref y Bala eu bod fel cyngor mewn tipyn o anhawster. Roedd fferm Boch y Rhaeadr wrth droed Arenig Fawr ar werth. Rhan o'r fferm oedd Llyn Arenig Fawr. Dyw hynny'n golygu fawr ddim i neb y tu allan i Benllyn, mae'n siŵr, ond i drigolion y Bala a'r cylch dyma eu ffynhonnell ddŵr. Ffynnon anferth tua phedwar ugain acer o arwynebedd yw Llyn 'Renig, ac er bod yr unig ffrwd sy'n rhedeg iddo yn sychu mwy neu lai bob haf, mae llif cryf (ofyrfflô yw'r gair) yn rhedeg allan ohono bob amser er gwaetha'r swm aruthrol o ddŵr sy'n mynd allan drwy'r pibellau i ddiodi Penllyn gyfan a thu hwnt.

Gŵr o'r enw Evan Jones oedd y peiriannydd a gafodd y cyfrifoldeb o osod y pibellau cyntaf o Lyn Arenig i'r Bala. Ef hefyd a agorodd chwarel yn yr Arenig, a datblygodd y lle i fod yn bentref bach o dai sinc i gartrefu'r chwarelwyr, er bod llawer o weithwyr yn dod yno'n ddyddiol ar y trên yn ogystal. Codwyd capel sinc i'r trigolion addoli, a neilltuwyd darn o dir ar gyfer mynwent, ond ni chladdwyd neb erioed yno gan fod y lle'n ddychrynllyd o garegog. *'Begob,'* meddai Jo Sheehan, *''tis the last place God created, and he had a hell of a lot o' stones left over.'*

Cododd Evan Jones dŷ cerrig gweddol fawr iddo'i hun gerllaw'r chwarel, a'i alw'n Plas Bodrenig. Rhyw ganllath o'r Plas roedd tŷ Fferm Bodrenig a godwyd tua'r un amser â'r Plas. Mab i Evan Jones oedd y pregethwr enwog, John Puleston Jones, a gafodd ddamwain gyda llestr gwydr pan yn dair oed, ac a fu'n ddall byth oddi ar hynny.

Erbyn hyn daeth newid mawr i'r fro – mae'r tai sinc a'r Plas wedi eu chwalu, y chwarel a'r capel wedi cau, a thir Bryn Ifan a Bodrenig wedi mynd yn un â ffermydd eraill. Pobol ddŵad sydd yn y mwyafrif o'r anheddau ers blynyddoedd.

I ddod yn ôl at y llyn – bwriad y Cyngor Tref oedd prynu'r fferm er mwyn diogelu'r cyflenwad dŵr. Yr anhawster oedd fod y perchennog, yn ôl yr arfer bryd hynny, ac yn ôl ei hawl hefyd synnwn i ddim, yn mynnu gwerthu'r ddiadell ddefaid ar eu cynefin gyda'r fferm. Ni chaniateid i adran o lywodraeth leol brynu anifeiliaid, felly roedd gan Gyngor Tref y Bala broblem. Felly wedi trafodaeth (faith rwy'n siŵr) fe brynodd 'Nhad y defaid ar yr amod fod y Cyngor yn prynu'r fferm, ac yn ei gwerthu iddo heb y llyn. Mae'n siŵr y synna ffermwyr ifanc heddiw wybod mai pedwar cant ar ddeg o bunnoedd a gostiodd oddeutu pedwar can acer o dir mynydd bryd hynny, ynghyd â hawl i bori cant a hanner o famogiaid yn ychwanegol ar dir comin yr Arenig Fawr.

Yn wahanol i'r rhelyw o ffermydd yr ardal ni fu cynefin mynydd yn perthyn i Styllen erioed. Rhentu porfa haf i'r defaid fu 'Nhad am oddeutu pymtheg mlynedd ar hugain. Oherwydd amgylchiadau tu hwnt i'w reolaeth ef (trachwant y Comisiwn Coedwigo yn bennaf) bu ein diadell yn pori mewn o leiaf bedwar man gwahanol yn ystod y cyfnod hwn. Y cyntaf o'r cynefinoedd yma oedd Amnodd Bwll, nid nepell o Foch y Rhaeadr, ac un o Lewisiaid Cynythog Bella yn byw yno. Roedd tŷ Amnodd Bwll bryd hynny yn llythrennol yng nghanol y mynydd, a phur anodd oedd mynd ag unrhyw gerbyd heblaw car llusg yno. Er hynny, roedd y teulu yn gantorion ac adroddwyr o fri, a cheir hanes amdanynt ar ryw ddydd Llun y Pasg yn cerdded chwe milltir go dda, lond ffordd o blant a'u rhieni, i gystadlu yn Eisteddfod Talybont, a cherdded adre ar derfyn cyfarfod y pnawn gyda'r rhan fwyaf o'r gwobrau yn eu pocedi.

Oherwydd y cyfnod yma yn ei hanes, a'r ffeirio a fyddai â'i

gymdogion, a hefyd oherwydd ei waith gyda'r Wôr Ag, roedd 'Nhad yn eithaf cyfarwydd â phobl y 'Renig, a chlywais dipyn o straeon difyr amdanynt o dro i dro. Dwalad Roberts Amnodd Wen, pan ddaeth gorfodaeth i dipio defaid gyntaf, yn rhoi rhyw fymryn o dip yn y twb dipio, a throi'r ffos i mewn iddo i'w lenwi â dŵr. Roedd y fath genlli o ddŵr yn y ffos fel bod y twb wedi gorlifo ymhell cyn i Dwalad fedru atal y llifeiriant. Jac Jones, plismon o'r Bala, oedd yno yn gofalu fod y gwaith yn cael ei wneud yn iawn, a throdd Dwalad ato a gofyn cyn sobred â sant 'Beidio fod o'n rhy gry, Jones bach? Beryg dipio'n rhy gry yn Amnodd 'ma.' Fel plismon call ni chymerodd Jac Jones arno fod â wnelo ef ddim â chryfder y dip.

Pan ddaeth Dewyrth John yn ddigon hen i ddod i helpu ei frawd yn Styllen, arferai fynd i ffeirio cneifio yn Amnodd Wen. Roedd Dwalad wedi mynd oddi yno i borfeydd brasach, a Seimon Ifans wedi mynd yno i fyw. Mab Talybont yng Nghwm Glan Llafar oedd Seimon, ac yn dipyn mwy o fugail nag o lenor. Daeth i lawio cyn iddynt orffen cneifio un dydd Sadwrn, a doedd dim i'w wneud ond i'r cneifiwr ifanc aros yno dros y Sul i helpu i orffen ddydd Llun. Roedd Dewyrth John yn ddarllenwr brwd, ond dywedai mai'r unig beth a welodd â phrint arno yn ystod ei arhosiad oedd y botel sôs!

Yn ddiweddarach roedd Seimon a'r Parchedig William Morgan, gweinidog lleol, yn briod â dwy chwaer. Fe symudodd William Morgan a'r teulu i lawr i dde Cymru, ond deuent i aros gyda Seimon a'r teulu bob mis Awst. Roedd Seimon wedi symud erbyn hyn hefyd, ond ddim cweit cyn belled – i Giltalgarth ger Frongoch, ond yn rhentu tir Filltir Gerrig yn Arenig. Un pnawn Sul yn Awst roedd William Morgan yn pregethu yng nghapel bach Arenig, a Seimon yn ei ddanfon yno yn y fan. Roedd ci y tu ôl i sêt y gyrrwr, a gwellaif o dani. Ar fin y ffordd tua milltir cyn cyrraedd y capel gwelodd Seimon un o'i ddefaid heb ei chneifio. Plannodd ei droed ar y brêc, a dweud, 'Well ichi gerdded rŵan, Mr Morgan'. A cherdded fu raid!

Maes o law, drwy gyfrwng ffeirio a chydweithio pan yn trin y defaid deuthum innau i adnabod llond ardal o gymdogion newydd oedd â'u hamserlen yn wahanol i bobl y Parc. Ni ellid honni fod yng Nghwm Glan Llafar dir toreithiog o bell ffordd, ond roedd yno ychydig mwy o ddyfnder daear a llawer iawn llai o gerrig yn y pridd nag yn Arenig a Chwm Celyn. A chan fod oddeutu tri chan troedfedd o wahaniaeth yn uchder y ddwy ardal uwchlaw'r môr, roedd y tymheredd dipyn yn is a swm y glawogydd dipyn yn uwch wrth nesu i'r mynydd. O ganlyniad roedd y tymor tyfu dipyn yn fyrrach ym Moch y Rhaeadr nag yn Styllen.

Yn Arenig felly doedd dim brys i ollwng hyrddod yn yr hydref, neu fe fyddai'r mogau wedi esgor cyn i'r ddaear ddeffro a chyn i'r hin glaearu i'r glaswellt dyfu iddynt laetha digon i gynnal eu hŵyn. Doedd dim brys cneifio gan na fyddai'r gwair wedi tyfu digon i'w dorri tan ddechrau Awst. Nid oedd bron neb yno yn tyfu ŷd, ac er bod amryw yn godro, go ysgafn oedd y llwyth âi oddi yno ar y lorri laeth. Bugeiliaid yn anad dim oedd ein cymdogion newydd, a bywyd hamddenol yr unigeddau oeddynt yn ei fwynhau. Os dechreuai lawio ar ddiwrnod trin defaid (ar wahân i gneifio) ein harferiad ni bob amser oedd gwisgo côt a throwsus oel a dal ati nes gorffen y gorchwylion angenrheidiol. Ond gorchmynnai George Roberts y Ceunant bob amser pan ddôi cawod, 'Gad'wch i'r defed, wnewch chi ddim byd ond eu baeddu nhw. Mae'r Brenin Mawr wedi rhoi'r defed 'ma ichi i 'neud mymryn o bres, dim i'w baeddu nhw.' A'u gadael fyddai raid.

Roedd yna nifer o nodau clustiau newydd i'w dysgu hefyd – rhyw hanner dwsin o'r cymdogion agosaf yn ddim problem, ond fûm i erioed yn un da iawn am gofio dwsinau ohonynt fel y gall ambell un, a hynny heb bennill i helpu'r cof fel un yr hen John Parry'r Brynllech, Llanuwchllyn, erstalwm:

Sgiw oddiar yr aswy glust,
A bwlch yn dyst o dani;
Hollti'r ddehau yn ei hyd,
A dyna nod Siôn Parri.

'Taid' oedd George Roberts i lawer ohonom er nad oedd yn
perthyn inni, a hynny mae'n debyg am fod ganddo lawer o
ŵyrion, a phob un ohonynt yn fechgyn a merched braf fel
yntau. Bu'n ffermio'i hun yn y Ceunant Uchaf, ond ar ôl
ymddeol treuliai dipyn o'i foreau yn bugeilio Hafod y Garreg
oedd â chynefin mynydd ar Gefn Llwyn Bugail yn taro bron ar
fynydd Boch y Rhaeadr. Ef felly a ddôi i hel defaid gyda ni yn
dâl am i ni fynd i helpu yn Hafod y Garreg. Gan ei fod oddeutu
pedwar ugain oed yn y cyfnod yma, a chanddo lu o hanesion
am ardal Penllyn yn gyffredinol, a'r Parc (lle bu'n gweithio pan
yn hogyn) a'r Arenig (bro ei febyd) yn arbennig, roedd yn
gwmni difyr iawn ar ddiwrnod trin defaid. Fel gyda llawer
arall, fy ngofid yw na fuaswn wedi cofnodi'r hyn a glywais
ganddo.

Fel yn y Parc, roedd y dyddiau pan ddeuem at ein gilydd i
ffeirio yn gymaint bron o achlysuron cymdeithasol ag oeddynt
o ddiwrnodau gwaith. Un amgylchiad a ddeuai â nifer mawr
ohonom at ein gilydd oedd diwrnod golchi defaid cyn cneifio.
Rhyw hanner canllath islaw Llyn Arenig yr oedd argae ar draws
y ffos a redai o'r llyn er mwyn cronni dŵr i olchi'r defaid. Roedd
corlan yn ei hymyl, wrth gwrs, a honno'n ddigon mawr i ddal
defaid tri neu bedwar o gynefinoedd ar y tro. Byddid yn hel y
cyfan at ei gilydd a thaflu'r defaid i mewn i'r olchfa. Wedi'r
trochiad, er yr holl sŵn gweiddi a chyfarth, fyddai'r mamogiaid
fawr o dro cyn dod o hyd i'w hŵyn, ac ymlwybro'n hamddenol,
pob un yn ôl i'w chornel ei hun yn ei chynefin. Mi fydda i'n dal
i ddotio at y reddf yma sydd yn ein defaid mynydd – er iddynt
fod ymhell o'u cynefin am fisoedd o bryd i'w gilydd – yn y
gaeaf fel rheol, yn ôl i'w sgwaryn eu hunain yr ânt bob tro pan
gânt y dewis.

I hwyluso llenwi'r olchfa roedd Cyngor Tref y Bala wedi caniatáu inni gael allwedd i gwt bach y fflodiat, fel y gellid gollwng ychwaneg o ddŵr o'r llyn yn weddol sydyn ar ddiwrnod golchi. John Bryn Ifan oedd ceidwad yr allwedd a rheolwr y fflodiat. Fel llawer ohonom, gallai John fod yn brysurach na'i gilydd weithiau. Un bore diwrnod golchi honnai fod ganddo rhyw alwadau eraill pwysig yn y pnawn fel na allai ddod i agor y fflodiat, a dywedodd braidd yn bigog, 'Rhaid ichi fod yn reit sydyn heddiw ne fydd ene ddim dŵr ichi'. Ymateb Taid Ceunant oedd, 'O dy din di ma'r dŵr yn codi, 'lly?'

Tipyn o gymeriadau oedd teulu Bryn Ifan. Bugeiliaid craff, trinwyr cŵn defaid nodedig, saethwyr penigamp, a chantorion eithaf dawnus. Nid oeddynt bob amser yn edrych ar bethau 'run fath â phobl eraill. Un pnawn o haf crasboeth, a'r teulu i gyd allan yn trin gwair, fe drawodd Morris Jones, taid John, goes ei gribin yn y ddaear, a chychwyn am y cysgod. 'Gadwch iddo fo bobol,' meddai, 'mi gawn ni well tywydd iddo fo na hyn!'

Fe gadwodd o leiaf dair cenhedlaeth ohonynt ddyddiadur o holl waith y fferm ac arferion ardal, sydd yn drysor o ddisgrifiad o fywyd cefn gwlad am dros ganrif o amser. Cyhoeddwyd darnau o'r dyddiaduron yn gyfres yn *Y Cymro* flynyddoedd yn ôl. Ond ar lafar y cofnodwyd y stori am Morris Jones yn cael ei adael gartre un noson i warchod ei wyrion, John a Doli, tra oedd eu rhieni i ffwrdd. Roedd gwaelod ffenest gefn cegin Bryn Ifan yn wastad â'r ddaear y tu allan, a rhywdro cyn i'r plant fynd i glwydo daeth sŵn cnocio ysgafn ar y ffenest. Wnaed fawr o sylw o'r peth ar y dechrau, ond wrth i'r cnocio barhau llefarodd Morris eiriau tebyg i, 'Dos o'ma i aflonyddu wnei di.' Dal ati wnaeth yr aflonyddwr, a daeth rhybudd cryfach, 'Os nad wyt ti'n stopio, ergyd gei di.' Roedd y ddau fach wedi sylweddoli fod ychydig o gynnwrf erbyn hyn, a dyma swcro, 'Saethwch o, Taid, saethwch o, Taid.' Estynnwyd y twelf bôr yn barod, a phan ddaeth y gnoc nesaf gollyngwyd ei gynnwys i gyfeiriad y ffenest – a pheidiodd y cnocio. Pan aed i ymchwilio fore trannoeth canfyddwyd y clagwydd yn gelain ar lawr y tu allan i'r ffenest chwilfriw.

Roedd stori debyg am leidr tybiedig yn ceisio dringo'r goeden eirin yn y gwyll un noson yn yr hydref. Fel yn achos y cnociwr rhoddwyd rhybuddion digon hyglyw cyn tanio, ac fel o'r blaen ni phoenwyd mynd i weld pwy oedd y lleidr tan y bore, pan welwyd mai'r hwch a saethwyd.

Daeth dawn gerddorol y teulu i'r amlwg yn Alun, mab John, a enillodd Wobr Goffa David Ellis yn Eisteddfod Genedlaethol Bro Madog yn 1987. Er bod ei fam o deulu cerddgar o ardal Carrog, mae'n siŵr mai llais ei dad a etifeddodd Alun. Roedd John yn faswr trwm, a phan ganai fel aelod o rai o gorau'r ardal dywedid y byddai'r llawr i'w deimlo'n crynu!

Un arall o'r criw a ddôi at yr olchfa oedd C. O. Gwerngenau, a fyddai bob amser yn dod i hel defaid i olchi, yn ei wedars. Hynny yn bennaf oherwydd mai ef oedd y prif ddowciwr (a'r prif botsiar samons hefyd, petai hynny o ryw bwys ganol haf). Roedd argae'r olchfa, ynghyd â rhyw ddarn o bren a gynhelid uwchben y dŵr ar ddau bolyn, yn ddigon o le i dri neu bedwar sefyll i ddowcio. Defnyddid dowcar, pren hir yn fforchio yn ei flaen, i drochi pob dafad cyn iddi ddod allan o'r dŵr – dyna ystyr y gair dowcio. Os dihangai dafad heb gael y trochiad priodol ni fyddai C.O. yn ôl o fynegi ei anfodlonrwydd yn y sawl oedd yn euog o'r fath ddiofalwch.

Synnwn i ddim nad oedd Cadwaladr Owen Jones yn credu'n ddistaw bach ei fod ef ychydig uwch ei radd na ni, y gweddill cyffredin. Y prif reswm am hynny, rwy'n siŵr, oedd iddo fod yn yr Unol Daleithiau am gyfnod yn ei ieuenctid. Chwarae teg, yn wahanol i lawer fu dros yr Iwerydd, chlywais i erioed mohono'n dweud rhyw straeon anodd eu credu am ei arhosiad yno. Chlywais i erioed mohono'n dweud iddo fod yn y Mericia; na, 'Y Steits' bob tro, fel pe bai'r fersiwn Saesneg yn rhoi ychydig mwy o statws i gyn-breswylwyr y wlad fawr honno. Wedi derbyn cerydd un tro am adael i ddafad basio drwy'r olchfa â'i chefn yn sych, fe ymatebodd un o'r rhai mwyaf direidus drwy suddo clamp o hwrdd rhyw chwarter eiliad cyn i C.O. roi holl bwysau ei ddowcar ar y lle y dylai gwar yr hwrdd fod. Golygfa ddigri iawn i bawb ond y prif ddowciwr ei hun oedd gweld y wedars yn dilyn eu perchennog i ddyfnderoedd yr olchfa, yn enwedig gan fod yr hwrdd wedi dod allan o'r dŵr o'i flaen. Testun tynnu coes hefyd am flynyddoedd i ddod.

Nid etifeddodd brawd C.O. yr un duedd ddiymhongar. Arhosodd ef yn y Steits, a dringodd i fod yn swyddog pur uchel yn y *New York Police Department*. Lwtenant, mae'n siŵr! Gŵr dibriod oedd Robin Huw, ond pan ddeuai i ymweld â'r hen wlad dywedid ei fod yn gwsmer rheolaidd gyda'r merched cyfeillgar a redai fusnesau ar gyfer dynion fel fo yn Soho yn Llundain, a rhannau cyffelyb o ddinasoedd mawr eraill. Honnai Robin Huw fod y si wedi mynd ar led am hyd anarferol rhan o'i anatomi fel bod raid iddo, pan ar ei ymweliadau â'r mannau hyn, fynd â chyflenwad o dônyts gydag ef i'w defnyddio fel washars!

Brawd i Taid Ceunant oedd Ifan Roberts Bodrenig. Hen lanc oedd Ifan, a George (Roberts arall a alwem yn George Bach) ei nai yn byw gydag ef. Byddai Dodo Nel, ei chwaer, mam George bach, yn dod heibio rhyw ddwywaith yr wythnos i 'roi tro' i'r tŷ, ond pan na fyddai Nel yno, Ifan oedd gŵr y fferm a gwraig y tŷ. Pan yno'n cael te unwaith cynigid llefrith allan o bot jam, gyda'r eglurhad mai 'jwg ifanc ydi o, heb fagu pig'.

Wedi dydd Ifan Roberts, George Bach a etifeddodd denantiaeth Bodrenig. Maes o law priododd â Menna, gwraig weddw o Lanfor. Dechreuodd pethau fynd braidd yn boeth dros ginio un diwrnod hel defaid pan aeth y wraig newydd i chwifio baner Rhyddfrydiaeth yn bur hyllig, a John Anthony yn ei ffordd dawel ei hun yn codi'i lais dros Blaid Cymru. Ffordd George o geisio tawelu pethau oedd eiriol arnynt, 'Dowch inni sôn am sêl hyrddod, wir Dduw.'

Byddai George yn cario'r Post am rhyw ddwyawr yn y bore. Arferai gerdded ar ei rownd, ond os byddai brys roedd y Ffergi Bach yn hwylus iawn i gael y postman yn ôl i drin y gwair neu i hel defaid ynghynt. Golchi defaid yr oeddem un tro, George yn brysio i fyny at yr olchfa ar y tractor, a Walt yn ebychu, 'Mi fase hi'n ddiawl o helynt tase'r Postmaster yn dod i ddallt fod George yn iwsio'r fan bost i ddod i olchi defed!' Ffensio roedd Walt y diwrnod hwnnw, ond gwysiwyd ef i ddod i helpu am fod George yn hwyr. Wedi i Walt gyrraedd, y cyfan a gafodd i'w wneud oedd cydio ym mhen y giât. 'Leit diwtis heddiw, myn diaw,' meddai. Doedd o ddim yn ddyn hapus iawn yn mynd oddi yno!

Pwdin reis Dodo Nel oedd y gorau a brofais erioed. Dyna'r pwdin a gaem bob tro y byddem yn hel defaid Bodrenig, ac roedd yn union yr un flas bob amser. Bûm yn ei holi droeon am y resipi, ond doedd yna 'run meddai hi, dim ond 'ei daro fo'n y popty dros nos'. Un cyfarchiad a ddefnyddid yn aml pan gyfarfyddem ein gilydd oedd 'Pa newydd?' Fyddai fawr ddim yn digwydd yn Arenig erbyn hynny wrth gwrs, gan fod dirwasgiad wedi gyrru'r rhan fwyaf o'r boblogaeth oddi yno yn y dau a'r tridegau, felly yr ateb a geid gan Dodo Nel yn ddi-ffael fyddai, 'Dim byd 'mach i, dim ond clwt ar yr hen.'

Adeg y rhyfel bu 'Nhad heibio i weld y caeau lle'r oedd Ifan i fod wedi hau ceirch. Mi faswn i'n tybio mai rhyw acer go dda oedd cyfanswm arwynebedd y ddau gae oedd wedi eu hau, ac yn ddiweddarach, wedi dod i nabod y lle yn well, gallaf dystio mai dyna bron yr unig acer ar y fferm i gyd oedd yn addas i'w haredig. Roedd cnwd cryf o ysgall yn tyfu'n gymysg â'r ceirch, ac Ifan yn egluro ei fod o 'wedi penderfynu hau dipyn o geirch pigog 'leni'.

Un tro roedd wedi prynu dwsin o g'wennod ar fin dodwy, a phan holwyd ymhen tipyn sut roedd y c'wennod yn dodwy dywedodd mai 'rhyw hwthio nhw allan o'u pen-ole maen nhw'. Arferai Ifan fynd i Rydyfen rhyw ddwy noson neu dair bob wythnos i roi'r byd yn ei le gyda'i gymydog, John Anthony Jones. Roedd y ddau yn ffrindiau mawr, a byddai'r sgyrsiau yn mynd ymlaen yn bur hwyr ynghanol hynny o fwg y gallai dau getyn ei gynhyrchu. Un noson, a hithau'n hwyrach nag arfer, cododd Ifan yn sydyn a dweud, 'Cer i dy wely, John Antni, i mi gael mynd adre'.

'I ben y creigie 'cw uwch ben y chwarel y bydd yr hen Bob Tyddyn Du yn dod i sgrechian pan fyddan nhw'n hel defed,' meddai Ifan wrthyf pan yn dangos y lleoedd o ddiddordeb imi un o'r troeon cyntaf imi fynd yno. Roeddwn i'n eitha cyfarwydd â champau geiriol Dewyrth Tyddyn Du, ond nid ar ben y 'Renig. Roeddwn i'n gyfarwydd hefyd â Shep, yr hen gi mawr di-wrando fyddai'n ei ddilyn i bobman, ond fedrwn i yn fy myw gofio'i enw y diwrnod hwnnw. Pan ofynnais i Ifan fy ngoleuo, yr ateb a gefais oedd fod 'genno fo lot fawr o enwe arno fo'.

Ychydig ddyddiau wedi'r golchi byddai criw lluosog yn dod at ei gilydd i bob fferm yn ei thro i gneifio, ond byddai'r awyrgylch yn llawer mwy hamddenol nag ar ddiwrnod golchi – pawb ar ei fainc yn cneifio gyda gwellaif. Byddai'r egin-gneifiwr yn graddio'n ara deg o flwyddyn i flwyddyn. Gwaith cyntaf yr hogyn bob diwrnod cneifio fyddai gofalu am y llinynnau a ddefnyddid i rwymo traed y defaid, a'r botel oel a ddefnyddid i roi ar ambell friw os digwyddai cneifiwr dorri'r croen. Dyrchafiad mawr oedd cael y cyfrifoldeb o bitsio a lapio gwlân. Os byddai'n hogyn gweddol gryf efallai y câi gario dafad neu ddwy o'r gorlan ddal i'r cneifwyr. Pan geid gwahoddiad i 'eistedd' byddai'r cneifiwr ifanc wedi cyrraedd o'r diwedd. Wrth gwrs, byddai wedi cael tipyn golêw o ymarfer gartre cyn mentro dod â'i wellaif gydag o i ffeirio.

Cofier, byddai graddau hyd yn oed ymhlith yr eisteddwyr. Doedd gan gneifiwr newydd, oedd heb brofi ei fedrusrwydd ar y fainc, ddim gobaith cael eistedd yn ymyl y gorlan ddal, dim ond y cneifwyr profiadol a gâi'r fraint honno. Un rheswm am hyn oedd y byddent hwy'n cneifio gryn dipyn yn gyflymach na ni'r prentisiaid. Felly, byddai'r rhai oedd yn cario'r defaid yn cael siwrnai fer yn aml, a siwrnai at y cneifwyr arafach ym mhen draw'r rhesaid cneifwyr yn anamlach. Am yr un rheswm, os ceid dafad yn codi'n sâl (h.y. y gwlân yn dynn ar y croen, heb le i'r gwellaif fynd otano'n iawn) byddai honno ffeindio'i ffordd i'r meinciau pellaf. Fyddai dim angen ymdrechu i fynd â dafad arall i ben draw'r rhes am rhyw chwarter awr, oherwydd byddai'r cneifiwr dibrofiad druan yn gorfod torri'r gwlân bob yn bigiad bach gofalus rhag ofn torri'r croen. Cyfle i un o ddynwyr coes y cwmni holi a oedd y ddafad yn dal yn fyw. Ambell dro deuai rhywun â dyrnaid o laswellt at y fainc rhag ofn y byddai eisiau bwyd. Os byddid yn torri'r croen yn ddrwg byddai rhywun yn siŵr o awgrymu lladd dafad arall i gael croen i gael clytiau i drwsio'r briwiau. Un tro, ar ôl sawl toriad, holodd un athrylith ai Sam Bwtsiar oedd yn prynu gwlân y ddafad a gneifiwn. Gwasgu dannedd a dweud dim fyddai orau o dan yr amgylchiadau yma, ond gofalu bod â chelpen eiriol yn barod os deuai anhap i ran y tynwyr coes fyddai'n mwynhau eu hunain ar gorn y llai profiadol.

Byddai nifer o'r to hŷn â chwmwl parhaol o fwg siag o'u cwmpas drwy'r dydd. Roedd defnydd i hwnnw hefyd pan ddeuai'r gwybed mân allan yn heidiau i'n cnoi. Gan nad oedd y gwybed yn or-hoff o fwg, byddai'n fantais eistedd yn ymyl rhywun fel John Anthony gan mai fo oedd un o'r prif fygwyr. Fo oedd y prif hogwr hefyd. Cariai garreg hogi fechan ym mhoced ei wasgod bob amser, a photelaid fach o oel i roi rhyw ddiferyn ar y garreg cyn dechrau hogi. Poeri y byddem ni ar y garreg hogi bob amser, ond 'chewch chi ddim min heb oel, mistar,' oedd athrawiaeth John Anthony. Synnwn i ddim nad oedd o'n iawn hefyd, oherwydd deuai pawb â'u gwelleifiau iddo i'w hymgeleddu, a byddai min yn deifio ar bob un y byddai'r defnyddiwr oel yn ei drin.

Yn gymysg â chliciadau'r gwelleifiau byddai'r chwedlau

oedd yn gymaint rhan o'r diwrnod cneifio yn hofran o gwmpas y corlannau, troeon trwstan a dywediadau digri cyfoes yn gymysg â'r hen straeon a glywsom droeon o'r blaen. Bob tro y byddai'n tebygu i law byddai Taid Ceunant yn dweud ei hanes pan yn llencyn yn cneifio yn Nhŷ Nant. 'Mi ddoth i lawio'n o-lêw ganol bore.' 'Well inni roi'r gore iddi, giaffar' medde fi felne. 'Na,' medde Robet Jones, 'dydi hi ddim ond sgiff.' Dal i lawio wnaeth hi, a dyma fi'n trio wedyn, 'Ma'r defed yn g'lychu dipyn rŵan, Robet Jones,' medde fi. 'Daliwch ati, tydi hi ddim ond sgiff,' medde Robet Jones wedyn. A dal ati wnaethon ni, a hithe'n tywallt y glaw nes o'n i'n teimlo'r dŵr yn rhedeg i lawr 'y nghefn at 'y nhin.'

Y drwg oedd y byddai'r rhai mwyaf haerllug ohonom yn gwneud defnydd o stori'r sgiff pan glywem sôn am beidio baeddu'r defed a haelioni'r Brenin Mawr.

Hen lanciau oedd yn byw gyda'u mam ym Moch y Rhaeadr tua diwedd y bedwaredd ganrif ar bymtheg, a hithau'n aeaf caled ddychrynllyd. Bu farw nifer o ddefaid yn y lluwchfeydd, a chollwyd dwy fuwch o achos y tywydd oer mae'n debyg. Un bore daeth un o'r meibion i'r tŷ a chyhoeddi fod y gaseg wedi marw. 'Wel wir,' meddai'r hen wraig, 'mae'r Arglwydd wedi digio wrthon ni.' 'Wn i ddim pam,' oedd yr ateb, 'dyden ni byth yn sôn gair amdano fo!' Mi fydda i'n ofni'n aml fod amryw ohonom ni yn llawer rhy debyg iddyn nhw y dyddiau yma!

Roedd yn ddiddorol sylwi fod chwedlau'n tyfu o amgylch pobl oedd yn dal yn fyw ac iach yn ein plith. Fedra i ddim bod yn siŵr a oedd rhai ohonynt yn wir ai peidio, ond roedden nhw'n rhai da. Fel honno am Tomos Jones, Hafodwen: bob tro y clywai sŵn awyren wedi iddi nosi adeg y rhyfel byddai'n rhedeg allan i lechu o dan ddarn o graig nid nepell o'r tŷ. I Tomos Jones 'bomars' oedd pob un o'r rhain, a phan ollyngodd y gaseg a orweddai gerllaw wynt yn bur swnllyd un tro, dywedodd Tomos, 'Dew, ma'n nhw'n ei chael hi tua Lerpwl ne heno.'

Flynyddoedd ar ôl i firi'r diwrnod cneifio ddod i ben pan ddaeth y ffordd newydd cyn dechrau ar argae Llyn Celyn, newidiodd Hafodwen o fod yn ddyddyn braidd yn anhygyrch i fod yn dŷ ar fin y ffordd, a phenderfynodd Tomos arallgyfeirio. Gwelwyd arwydd 'Mineral Waters' wrth lidiard y buarth. Daeth criw o Saeson ar feics dros y Migneint un tro, ac aros yn Hafodwen i dorri eu syched. Wedi yfed tipyn o'r dyfroedd dyma ferch ifanc yn holi: *'Could we use your toilet, please?'* 'Dont sel ut' *'No, I mean use your toilet.'* 'No, dont sel ut.' *'We want to go to the lavatory!'* dipyn mwy cynhyrfus erbyn hyn. Disgynnodd y geiniog, a chawsant ganiatâd gydag amnaid bawd, 'Ofyr ddy wôl.'

Rhwng cromfachau fel petai, mab Hafodwen oedd John Abel, un a roddodd gyfraniad nodedig fel adroddwr i eisteddfodau a chyngherddau ar hyd gogledd Cymru ac ymhellach. Perffeithydd yn wir. Bu'n mynd gyda Chôr Godre'r Aran i gyngherdda yn ystod y cyfnod y byddai eu rhaglen gyngerdd hwy i gyd yn Gymraeg a Chymreig. Clywais gan un o'r aelodau y byddai gan Abel gyflwyniad newydd ym mhob cyngerdd bron, ac na chlywyd pall ar ei gof erioed.

Gallaf dystio yr un fath am y troeon niferus y clywais innau ef mewn steddfod a chyngerdd. Un tro yn arbennig mewn cyngerdd yn y capel sinc yn Arenig. Criw ifanc o Drawsfynydd a wahoddwyd i ddifyrru'r gynulleidfa yno. (Credaf iddynt gyhoeddi record dan yr enw 'Y Brithyll', ac yn ddiweddarach daeth rhai ohonynt yn enwau pur adnabyddus ym myd y cyfryngau ac mewn meysydd eraill.) Roedd y capel bach yn llawn, ac aeth John Abel ymlaen i'r pulpud i groesawu'r parti a'r gynulleidfa i Arenig. Wedi estyn croeso i bawb aeth ymlaen i ddweud ychydig am Arenig, ac am y modd y bu i George Borrow weld y lle yn ei gyfrol *Wild Wales*. Gwnaeth hynny drwy adrodd darn allan o'r llyfr lle disgrifiai Borrow fawredd *this magnificent piece of granite*. Ac ymlaen, ac ymlaen – am gryn ddeng munud – i gyd oddi ar ei gof. A phawb wedi eu cyfareddu, ar waetha'r ffaith ei fod yn tolli ar amser gwerthfawr yr artistiaid.

Yn ôl yn y gorlan gneifio, yn hwyr neu'n hwyrach byddai rhywun yn siŵr o grybwyll Jaco Cynefail. Fo oedd dyn cryf yr ardal yn yr amser a fu, ac roedd 'Maen Jaco' yn gofeb iddo ar ben Rhiw Bryn Ifan. Yn ôl y sôn, roedd tri neu bedwar o weithwyr wedi gwneud twll ar fin y ffordd i osod polyn carreg i hongian llidiard derfyn rhwng y ffridd a'r cynefin pori. Chlywais i erioed sut y daethpwyd â'r garreg at y twll, dim ond gyda'u methiant i'w chael i'w lle y dechreuai'r stori bob amser. Pan ddaeth Jaco heibio roeddynt wedi bod yn chwysu ac ymlafnio am yn hir, ond i ddim pwrpas. Holodd beth oedd yn bod, gwrandawodd eu cwyn, ac yna cododd y polyn carreg yn ddiseremoni, a'i roi'n daclus yn y twll. Wedi cau o'i amgylch yn ofalus bu'n sefyll yno am ddegawdau lawer yn dal llidiard ac yn faen coffa nes daeth gweithwyr y Cyngor Sir i roi *'cattle-grid'* yn ei le.

Wrth glywed sôn am rywun mor nerthol dychmygir yn syth am gawr o ddyn, ond dywedid fod dynion talach o lawer yng Nghwm Celyn pan oedd Jaco yn ei anterth oddeutu canol y bedwaredd ganrif ar bymtheg. Yn ôl a glywais, rhyw bum troedfedd wyth modfedd a fesurai yn nhraed ei sanau, ei freichiau'n anarferol o hir, ei gorff yn llydan heb owns o wast. Dywedid ei fod yn pwyso tuag ugain stôn.

Bu'n gweithio i dorri twnnel y rheilffordd o Ddolwyddelan i Flaenau Ffestiniog, a bu hefyd yn gweithio yn un o chwareli Stiniog. Un o'i gampau yno oedd codi slêd lechi a bwysai wyth gant. Dwn i ddim p'run ai o'r twnel ai o'r chwarel y teithiai adref ar y storm eira honno. Roedd dyn a weithiai mewn ffatri wlân yn gwmni iddo, a chynghorodd Jaco ef i beidio cychwyn ar y fath noson. Credai'r ffatrwr os oedd yn ffit i Jaco fentro dros y Migneint ar y fath dywydd y gallai yntau wneud yr un modd. Gwaethygu wnâi'r tywydd, a llesgáu a wnâi'r ffatrwr. I ychwanegu at eu trybini, collasant eu ffordd, a chollasant ei gilydd. Doedd fawr o bwrpas crwydro'r mynydd yn ddiamcan, felly bu Jaco'n curo'r ddaear gyda phastwn i gadw'i hun yn gynnes hyd nes daeth toriad gwawr. Erbyn hynny roedd y tywydd wedi gwella digon iddo fedru gweld ymhle yr oedd, a'i throedio hi am adre. Ymhen dyddiau, tra oeddynt yn chwilio am ddefaid dan eira, y daeth bugeiliaid Blaencwm Prysor o hyd i'r ffatrwr yn farw ar y mynydd.

Er nad yw'r maen yn ei le ar ben Rhiw Bryn Ifan bellach, mae meini eraill a symudodd Jaco i'w gweld o hyd. Mae ochr yr afon gerllaw Cynefail wedi ei hwynebu â meini, rhai ohonynt yn pwyso oddeutu hanner tunnell. Dywedir mai Jaco a'u symudodd i'w lle, yn ogystal â rhai tebyg mewn adeilad yn Nant y Llyn.

Roedd niwl y blynyddoedd wedi pylu ychydig ar hanes helynt Rhydyfen. Un tro clywais roi'r bai ar y Sipsiwn, a thro arall mai Gwyddelod oedd y drwg. Mae gweddill y stori'n bur debyg, sef ei bod yn ddiwrnod cneifio, a'r dynion i gyd yn y corlannau, gryn bellter o'r tŷ. Roedd Rhydyfen yn dafarn yn ogystal â fferm yr amser hwn, a chymerodd y dieithriaid a ddaeth heibio fantais ar absenoldeb y dynion, a mynnu eu ffordd i'r seler i helpu eu hunain yn bur helaeth i'r cwrw. Llwyddodd un o'r morynion i redeg at y cneifwyr i mofyn help, a phan ddaeth y dynion yno bu ymladdfa pur ffyrnig. Roedd gan yr 'ymwelwyr' bastynnau, a'r arfau agosaf i'r cneifwyr oedd coesau pladuriau. Toc daeth Jaco heibio, wedi bod yn nôl llwdn crwydr o Gwm Prysor. Pan welodd y sgarmes gafaelodd yn y darn pren agosaf a dechrau medi'r aflonyddwyr o'u cwr. Gwelodd un o'r gwragedd dieithr yr alanas a wnâi, a neidiodd ar ei gefn a cheisio'i dagu â'i dwy law. Nid amharodd hynny fawr ar Jaco; daliai i leinio'r gwrthwynebwyr, ond pan gafodd gyfle baciodd yn ei ôl yn erbyn wal y dafarn i geisio cael gwared o'r baich a geisiai ei dagu. Yn anffodus roedd plentyn bychan ar gefn y wraig, a dywedir iddo gael ei ladd yn y fan. Dywed y naill fersiwn fod nifer o'r Sipsiwn wedi eu lladd, ond yn ôl y llall aed â llond trol o Wyddelod i Wyrcws y Bala i wella o'u clwyfau.

Fel yna roedd pethau cyn inni 'ddifetha cymdogaeth dda hefo'ch hen fyshîns', chwedl John Anthony, a phob tro y byddaf yn cofio'r cerydd yn ei lais byddaf yn teimlo rhyw fymryn o euogrwydd oherwydd mai fi oedd un o'r rhai cyntaf i brynu peiriant cneifio. Er bod yn chwith iawn colli cwmnïaeth y diwrnod cneifio, mater o raid oedd y newid. Gwaetha'r modd, roedd y to hŷn o gneifwyr profiadol yn mynd yn brinnach o flwyddyn i flwyddyn. Aeth yr hafau'n wlypach, ac er difyrred y dyddiau cneifio ym mhythefnos gyntaf Gorffennaf, roedd hi'n anodd iawn eistedd yn amyneddgar drin y gwellaif yng nghyffiniau'r Arenig ambell dro, a chymylau trymion yn crynhoi, a ninnau â gwair ar lawr gartre yn Styllen eisiau ei hel cyn glaw.

Efallai na ddylwn boeni llawer am y peth, oherwydd ymhen ychydig iawn peiriannau a ddefnyddid i gneifio gan y genhedlaeth iau ymhob un o'r ffermydd yr arferem ffeirio â hwy, a buan y daeth yn arferiad i gontractwyr i fynd o fferm i fferm. Yr hyn sy'n galondid yw bod y rhod wedi rhoi rhyw fymryn o dro eto. Mae'r hen arferion yn cael eu hadfer, er i raddau llai, gan fod y genhedlaeth bresennol yn cydweithio'n hapus iawn, ond mai dim ond rhyw dri neu bedwar daliad amaethyddol sy'n ffeirio diwrnod i gneifio gyda'u peiriannau heddiw, lle gynt y gwelid dwsin neu bymtheg gyda'u gwelleifiau. Ac er y collir tipyn mwy o chwys gan gneifwyr heddiw na chan yr hen welleifwyr gynt, mae'n braf sylwi fod balchder tawel i'w weld yn llygaid to newydd o fugeiliaid pan fydd y gwaith wedi ei wneud â graen.

Tua'r un adeg â dyfodiad yr hen fyshîns fe achosodd Corfforaeth Ddinesig Lerpwl gryn newid yng nghyffiniau'r Arenig. Roedd hwn yn newid llawer mwy a gwahanol iawn, a theimlo'n ddiymadferth iawn yr oedd rhywun yn wyneb yr amgylchiadau oedd mor ddieithr i bawb ohonom. Unwaith i ddeddf seneddol gael ei phasio i foddi Capel Celyn, ni ellid gwneud dim i rwystro'r peiriannau rhag dod ar ein tir; daeth y gair Lerpwl yn rhywbeth oedd yn ffiaidd i mi, ac mae arna i ofn fy mod, i raddau helaeth, wedi methu cael gwared o'r ymdeimlad hwnnw. A dweud y gwir, rydw i'n dal i fethu deall sut y gall unrhyw Gymro gwerth ei halen gefnogi tîm pêl-droed y fath ddinas, er mod i'n sylweddoli nad oedd a wnelo chwaraewyr Anfield ddim â'r trais. (Rydw i'n methu deall pam fod unrhyw Gymro gwerth ei halen yn cefnogi unrhyw dîm pêl-droed y tu allan i Gymru beth bynnag. Pe byddai cefnogwyr y clybiau Seisnig yn rhoi i glybiau Cymru chwarter yr arian y maent yn ei wario ar eu heilunod estron mi fyddai'n fyd dipyn haws ar y clybiau Cymreig o Gaerdydd i Gwmsgwt. Dydyn nhw ddim blewyn gwell na Bessie Braddock a deud y gwir.) I mi Lerpwl ydi Lerpwl, a dydw i ddim wedi bod yno ond rhyw ddwywaith ers diwedd y pumdegau. Does gen i ddim help fod eu cynghorwyr a'u haelodau seneddol wedi fy ngorfodi, mwy neu lai, i roi fy nghas ar y lle.

Os oeddwn i, nad oedd ond â chysylltiad hyd braich fel petai â Chwm Celyn, a hynny ond am rhyw bum mlynedd, yn teimlo mor gryf am y mater, alla i ddim ond dychmygu'r torcalon a olygai'r chwalu i frodorion y cwm, a hwythau wedi treulio oes yno. Ambell un yn oes bur faith hefyd.

Bu 'Nhad yn aelod o'r pwyllgor amddiffyn o'r dechrau, a gwaith digon digalon oedd mynychu'r cyfarfodydd, yn enwedig gan fod Cynghorwyr Tref y Bala – trwy eu cred y deuai rhyw fendithion mawr i'r gymdogaeth yn sgil y boddi – yn achosi i'r boblogaeth fod yn rhanedig eu barn. Roedd yr un gwahaniaeth barn hefyd gan berchnogion y tir. Gwnaed safiad mor gadarn â phosibl gan y mwyafrif o'r ffermwyr, ond roedd rhan o'r cwm yn perthyn i Stad y Rhiwlas, a diamau mai dyma dir salaf y stad. Byddai'r arian a gynigid gan Gorfforaeth Lerpwl yn llawer mwy na'r rhent a gâi'r perchennog amdano mewn can mlynedd. Gwn fod dau o'r ffermwyr wedi benthyca arian i brynu eu tir, a dywedid nad oedd un ohonynt wedi talu fawr ddim o'i ddyled, ac yntau'n nesu at oed ymddeol, a neb yn debygol o'i olynu. Y tebyg yw y caent gymaint bum gwaith am eu tir ag a dalwyd ganddynt amdano yn y tridegau. Clywais na chytunodd y ffermwyr i gyd i arwyddo'r ddeiseb yn gwrthwynebu'r boddi. Clywais hefyd hanesyn am un o'r ffermwyr yma yr oedd amheuaeth ynglŷn â didwylledd ei safiad ymddangosiadol ffyrnig dros ei fro, ar ei ffordd i'r Bala ar y trên chwech un nos Sadwrn. Roedd dau lanc o gymdogion yn gyd-deithwyr, a gofynnwyd iddo a glywodd y 'niws' cyn cychwyn y noson honno.

'Naddo wir yr hen blant, be sy?'

'Deud roedden nhw nad ydyn nhw ddim yn mynd i foddi Celyn.'

'Wel, dâ-â-âmio.'

Gellir cydymdeimlo â safbwynt y bobl hyn i gyd, mae'n siŵr, er nad yn cytuno â phob un ohonynt. Er hynny, mae llawer o wir yn yr hen ddywediad 'Trech gwlad nag arglwydd', a phwy a ŵyr – petai . . . a phetase . . . ?

Synnwn i ddim nad 'Nhad oedd yr un a ddaliodd i wrthwynebu hiraf. Roedd tua hanner can acer o dir Boch y Rhaeadr yn mynd o dan y dŵr. Doedd fawr o bwrpas dal i wrthwynebu, wrth gwrs; wedi cael y Ddeddf drwy'r Senedd, ganddyn nhw roedd y pen praffa i'r ffon, ond mae arna i ofn fod 'na rhyw straen gref o styfnigrwydd ynom ni fel teulu. Ffarweliwyd â'r asiant a weithredai dros y ffermwyr. Dydw i ddim yn siŵr pwy ddwedodd wrth bwy am fynd, ond gwahanu a wnaed. Roedd y prisiwr a weithredai dros Lerpwl wedi colli'i limpin a rhoi'r gorau iddi ers sbel ynghynt, ac felly bu'r achos yn cael ei drin yn uniongyrchol gyda John Stilgoe, Prif Beiriannydd Dinas Lerpwl. Gŵr bonheddig, a bron na chydymdeimlwn ag ef yn gorfod cario allan ddymuniadau pobl nad oedd gennym lawer o feddwl ohonynt. Dydw i ddim yn siŵr iawn faint o feddwl oedd gan Stilgoe ohonynt chwaith, gan y credaf fod 'Nhad ac yntau o'r un anian, ac yn mwynhau'r cyfarfodydd a gaent. Roeddwn i wedi priodi erbyn hyn, a Mam a 'Nhad wedi symud i fyw i fwthyn yn Arenig o'r enw Pant yr Hedydd. Mi gredaf y byddai yno fwy o yfed te, a siarad am bethau perthnasol i'r diwylliant (a'r gwahaniaeth diwylliant) o boptu Clawdd Offa nag o ddim byd arall pan ddôi Stilgoe heibio. Ond wedi'r holl drafod, yr unig fanteision a dderbyniwyd oedd ein bod yn cadw'r hawl pysgota ar ein hochr ni o'r llyn, ac y caem hawl i roi cwch ar y llyn, dau gonsesiwn yr haerai'r ddau asiant fel ei gilydd ar y dechrau oedd yn amhosibl i'w cael. Ychydig fisoedd cyn ei farw yn 1973 y derbyniodd fy nhad siec yn dâl am y tir, er bod cytundeb am y pysgota a'r cwch o ganlyniad i ymweliadau John Stilgoe ar bapur cyn hynny.

Er inni, erbyn hyn, dderbyn rhyw fath o ymddiheuriad am foddi Cwm Celyn, rwy'n bur sicr na chollodd yr Henadur John Cain na Bessie Braddock na'u dilynwyr yr un winc o gwsg am yr hyn ddigwyddodd. Nhw wnaeth y llanast, nid cynghorwyr diweddarach o blaid wleidyddol wahanol. Mae deugain mlynedd a mwy wedi bod yn amser go hir i aros i Gyngor Lerpwl sylweddoli'r cam a wnaed, siŵr gen i, ac felly mae eu geiriau, waeth pa mor ddiffuant, yn llawer rhy hwyr. Ofnaf ychwaith na wnaiff cerflun anferth ger yr argae, waeth pwy fydd yn talu amdano, ddim ond ychwanegu at loes y rhai a gollodd gymaint.

Y Brenin

Dear Mr Puw,

I have often heard you being referred to in and around Bala as a nut case. I do not entirely disagree.

Nid John Charles nac Elvis yw gwrthrych y bennod, ond Sais bach oedd â'i s'nâm a'i gred yn ei bwysigrwydd ei hun yn awgrymu'n gryf ei fod o gyff tipyn uwch na ni'r werin Gymreig. I ni am oddeutu chwarter canrif ef oedd y Brenin, ond yn anffodus ni allem edrych arno gyda'r un gradd o edmygedd ag a wnâi dilynwyr y pêl-droediwr a'r canwr ar eu harwyr hwy. Ef a ysgrifennodd y geiriau uchod, ac nid ydynt ond un enghraifft o'r llu llythyrau tebyg a dderbyniwyd ganddo yn ystod y cyfnod helbulus y bu yn denant ym Moch y Rhaeadr.

Wedi prynu'r fferm yn Arenig ym 1953, bu fy nhad yn ffodus i fedru gosod y tŷ i deulu o Gwm Celyn, a buont yno tan tua 1965. Bu eu harhosiad yn un boddhaol iawn cyn belled ag yr oeddem ni yn y cwestiwn. Fyddai neb wedi disgwyl i bethau fod yn wahanol, gan ein bod yn eu hadnabod yn weddol dda. Buont yn wrthwynebwyr cadarn i Lerpwl yn ystod protestiadau boddi Capel Celyn, ac yn gefnogol i bob gweithgarwch lleol. Mae'n siŵr i'r ffaith fod y lle'n dipyn mwy anghysbell yn dilyn cau'r lein fod yn ffactor yn eu penderfyniad i adael.

Rhyw nos Sadwrn ymhen tipyn wedi eu hymadawiad daeth perchennog safle carafanau yng Nglanrafon a gŵr bychan o Sir

Gaer heibio i holi a oedd y tŷ ar gael ar rent neu i'w brynu. Prin iawn oedd y bobl oedd eisiau byw yn ucheldiroedd Penllyn bryd hynny, a dywedodd 'Nhad wrth y Brenin ein bod yn chwilio am denant, a nodwyd y rhent. Dangoswyd y lle i'r darpar denant a'i wraig a'u mab pedair oed. Cafwyd addewid y buasent yn cnoi cil dros y sefyllfa ac yn gadael i 'Nhad wybod. Y Sadwrn dilynol daeth yr holwr heibio drachefn, yn gofyn a gâi fynd i weld y tŷ eilwaith. Gan fod fy rhieni ar fin cychwyn i rywle ar y pryd, ac yn ymddiried ym mhawb, rhoddwyd yr allwedd iddo ar yr amod ei fod yn ei dychwelyd i gyntedd Pant yr Hedydd y noson honno ar ôl iddo gwblhau ei archwiliad. Ddechrau'r wythnos ddilynol y cofiwyd edrych am yr allwedd, a doedd hi ddim yno. Pan aed i weld beth oedd yr hanes ym Moch y Rhaeadr roedd y 'tenant' newydd wedi symud i mewn.

O fod yn ddoeth wedi'r digwydd, dyna'r union adeg y dylid bod wedi ei daflu allan, ond fel y dywedwyd eisoes, doedd tenantiaid ddim yn hawdd eu cael yr adeg yma, a dim ond ymwneud â thenantiaid gonest y buom hyd yn hyn. Yn anffodus, roedd pethau ar fin newid!

Y drwg oedd fod y tenant newydd ar y dechrau yn ymddangos yn eithaf derbyniol, ac yn talu'r rhent yn rheolaidd. Cafodd waith yn gwerthu ceir mewn garej yn Nolgellau. Cyflogwyd y Frenhines (ail wraig oedd dipyn golêw yn iau na fo) fel *first class typist* (meddai'r Brenin) yn Swyddfa Cyngor yr hen Sir Feirionnydd. Y drwg oedd fod 'Nhad a Mam yn gorfod gwarchod y Tywysog am rhyw hanner awr i aros y bws ysgol yn y bore, a'i warchod wedyn amser te i aros i'w rieni ddod o'r gwaith. Golygai hynny wneud te iddo'n ddyddiol, a'i ddandwn yn bur helaeth os byddai cwsmeriaid ceir yn hir yn cytuno ar bris, a'i rieni'n hwyr yn dod adre.

Roedd hyn yn iawn weithiau – wel roedd cymdogion da wedi arfer helpu ei gilydd beth bynnag, 'dwn i ddim am bob dydd chwaith – ond o dipyn i beth dechreuodd fy rhieni gael digon ar redeg adre o bobman erbyn amser y bws plant ysgol.

211

Yn anffodus, ni chafodd eu cais i ryddhau eu hunain o'r cyfrifoldeb groeso mawr gan deulu newydd Boch y Rhaeadr.

Digwyddiad anghyffredin iawn i'm rhieni a ddaeth â'r gwarchod i ben, a bu'r miri hwnnw yn rhyw fath o dâl am yr holl waith. Un bore, a 'Nhad newydd godi i dderbyn y Tywysog, cyrhaeddodd y Frenhines – ei hun, ar droed, a golwg braidd yn gynhyrfus arni. Gofynnodd i 'Nhad a fyddai mor garedig â'i danfon i'w gwaith i Ddolgellau. Mae'n debyg iddo yntau edrych arni'n ddisgwylgar am eglurhad, ond ddaeth yna 'run, dim ond rhyw gysgod deigryn a snwffian crio. Er hynny cydsyniodd, ac i ffwrdd â fo. Mae'n siŵr iddo fod o'r tŷ am ryw awr, a bron cyn iddo eistedd wedi dychwelyd daeth y Brenin i guro'r drws gan holi:

'*Have you seen my wife?*'

'Wel ies, aif jyst tecyn hyr tw Dolgellau.'

'*You've no right to take my wife to Dolgethley,*' atebodd mewn tôn bur anghymdogol, a phregeth hir a phigog i ddilyn mai ef, ac ef yn unig, oedd i ddreifio'r wraig i Ddolgellau.

Roedd rhyw si wedi bod o gwmpas fod y Frenhines braidd yn rhy gyfeillgar â'r swyddog yr oedd yn teipio llythyrau iddo yn swyddfa'r Cyngor, a'r bore arbennig hwnnw roedd gan y Brenin glamp o lygad du. Chafwyd dim eglurhad ar hwnnw chwaith, ond fod Dad a Mam yn mwynhau cael dyfalu! Byr iawn iawn fu parhad y gwarchod ar ôl y digwyddiad yma.

Yn anffodus, gwaethygu wnaeth perthynas landlord a thenant yn ara deg. Aeth y cono bach i ddechrau swnian fod 'Nhad wedi torri ei air y byddai'n gwerthu'r tŷ iddo, er fy mod yn bur siŵr na chrybwyllwyd erioed. Aeth yn bur ddi-hid gyda'r rhent, a phenderfynodd geisio gwneud ychydig o arian ar y slei drwy wahodd pysgotwyr o'r tu draw i Glawdd Offa i dreulio penwythnos yn pysgota'r dŵr y bu John Stilgoe mor garedig â chaniatáu i ni gael yr hawl arno. Byddai'n cael tâl gan y pysgotwyr hyn, wrth gwrs.

Gwnâi ei orau glas i droi pobl leol oddi yno ond câi gam

gwag weithiau, er mawr ddifyrrwch iddynt hwy a ni. Dei Gwilym a Rich Meinihirion aeth yno i 'sgota un min nos. Roedd 'Nhad a hwythau'n deall ei gilydd i'r dim, gan i'r ddau fod yn gweithio yn Styllen am flynyddoedd, ond erbyn hyn roeddynt yn gweithio i'r Cyngor Sir. Bu, ac fe fydd mae'n siŵr, lawer o dynnu coes am 'bobol y ffordd'. Yn wahanol i'r hyn a awgrymir yn y storïau hynny, bu yn y Parc am gyfnod griw o hogiau gweithgar iawn yng ngwasanaeth y cyngor, nid yn unig yn eu gwaith yn ystod y dydd, ond fel rhai fyddai'n fodlon torchi llewys i helpu ar fin nosau yn yr haf ac ar ddydd Sadwrn. Wrth gwrs, nid oeddynt yn ôl o dynnu coesau ei gilydd pan ddôi cyfle.

Pan benderfynodd Cyngor Sir Feirionnydd wneud i ffwrdd â swydd y 'lengthman' ar y ffyrdd, ac ail-drefnu'r gweithwyr i gyd yn gangiau i weithio yma ac acw gyda'i gilydd, roedd Deio ar fin ymddeol, felly gadawyd ef am fis neu ddau i edrych ar ôl ei gynefin ar ffordd y Parc. Ddiwedd yr wythnos gyntaf wedi'r ad-drefnu holodd Rich:

'Sut mae pethe ar y ffordd 'ne Deio?'

'Mae 'ne ddigon o bobol yn pasio, wsti. Mi fuo Mr Page heibio fi heddiw.'

Mr Page oedd Prif Syrfewr y priffyrdd. Am ryw reswm, Saeson a benodid yn Brif Swyddogion *pob* adran o Gyngor Sir Feirionnydd y dyddiau hynny.

'O! Be dd'udodd o wrthat ti?'

'Wel, mi steddodd ar din y clawdd a deud, "Sut down, Dêfid, and hâf ê sigarét wuth mî. Têc ut îsi – leic thi ythyrs."'

Ar noson y pysgota ym Moch y Rhaeadr, yn ôl adroddiad Rich, rhyw chwe sillaf a gymerodd Deio i lorio'r Brenin yn y sgwrs unochrog a fu rhyngddynt. Roedd y ddau tua'r un taldra, ond fod Deio tua dwywaith y lled:

'I say, do you understand this is private fishing?'

'Ies.'

'And that you should have asked permission before coming here to fish?'

213

'Ies.'

'I'm sick and tired of people trespassing, and fishing without permission.'

'O.'

'Well, what have you got to say for yourselves?'

Un cam bygythiol ymlaen, a chwestiwn deifiol: 'Can iw swum?'

Encilio'n gyflym a wnaeth y Brenin! Ni sylweddolai ei fod yn siarad â dau dynnwr coes mwyaf yr ardal, a dau fyddai'n sicr wedi mwynhau gweld Sais bach yn nofio yn Llyn Celyn!

Flynyddoedd yn ddiweddarach awgrymais i Elfyn Llwyd yr hoffwn roi prawf ar allu nofiawl y Brenin gyda charreg go sylweddol ynghlwm yn ei sawdl. Deallodd Elfyn mai tynnu ei goes yr oeddwn, a chynghorodd fi, er mor atyniadol oedd y syniad ar y pryd, y byddai hyd yn oed plismyn y Bala yn gwybod pwy i'w holi gyntaf pe darganfyddid yr ysgelerder!

Nid na fûm yn dyst o 'ddewrder' y Brenin. Roedd hyn wedi i mi etifeddu'r lle, a'r tenant, wedi marwolaeth 'Nhad. Mae colli rhiant yn chwithdod mawr, wrth gwrs, ac roedd y golled yn fwy i mi oherwydd fod 'Nhad yn cadw golwg ar Foch y Rhaeadr, gan ei fod yn byw mor agos at y lle. Yn awr, picio i fyny rhyw ddwywaith neu dair yr wythnos i weld Mam a wnawn, a chael rhyw olwg ar y defaid yr un pryd. O'r diwedd, wedi mynych wrthdaro geiriol a bygwth cyfraith, yr oeddwn wedi rhyw lun o argraffu ar feddwl y Brenin nad oedd ganddo ddim hawliau ar eiddo pobl eraill. Pe byddai'n greadur haws gwneud ag o byddai wedi derbyn nifer o gymwynasau gennym, a rhyddid i wneud mwy neu lai fel y mynnai. Ond pan fydd rhyw grinc bach yn cau talu'r rhent, yn dwyn polion ffens yn goed tân, yn cymryd arian am bysgota, ac yn rhedeg i ddweud celwyddau am rywun wrth yr heddlu, dydi hi ddim yn hawdd iawn ei gyfrif ymhlith eich cyfeillion agosaf. Un diwrnod fe ddaliais y Tywysog yn sgota, a dweud wrtho sut yr oedd pethau i fod. Er nad oedd o ond rhyw ddeuddeg oed ar y pryd roedd wedi etifeddu yn helaeth o ddawn blagiardio ei dad, ond gadael y llyn a mynd i'r tŷ fu raid iddo. Rhyw ddeuddydd yn ddiweddarach daeth y Brenin i'm cyfarfod ar un o'r caeau. Roedd Gareth, fy nai, yn digwydd bod gyda mi:

'I want a word with you, Mr Puw. Let me tell you that David isn't yet quite (pwyslais *mawr* ar y quite!) *big enough to tackle you physically, but I will, at any time of your choice.'*

Doeddwn i, a dydw i, erioed wedi taclo neb yn gorfforol, ond y foment honno fe deimlais fod fy awr fawr wedi dod:

'How abowt now, Mistar Cing?' ymholais, gan wneud osgo tynnu fy nghot.

Gan ddal ei ddwy law o'i flaen, *'No, no, it'll have to be arranged,'* oedd yr ateb, cyn troi ar ei sawdl a'i bachu hi am y tŷ.

Cefais ymweliad gan yr heddlu yn fuan wedyn am fy mod wedi bygwth y Brenin, ond yn ffodus roedd gennyf dyst mai y fo soniodd gynta am gael cwffast. Nid oedd galwadau di-sail o'r fath i'r glas yn anghyffredin, ond yn ffodus yr oeddynt wedi dod i'w nabod yn bur dda.

Achos a arweiniodd at rywbeth allasai fod wedi bod yn llawer mwy difrifol fu cyfarfyddiad rhwng y Frenhines a minnau rhyw bnawn dydd Sadwrn yn yr haf. Roedd teulu Boch y Rhaeadr wedi penderfynu y byddent yn cadw ci. Nid corgi bach fel eu cymrodyr ym Mhalas Bycingham, ond Alsesian. Afraid dweud imi anghytuno â'u bwriad, ac yn arbennig â'u dewis o gi. Wnaeth hynny ddim gwahaniaeth – pwy oedd rhyw fymryn o landlord (*'just because you own a few acres of scrub you think you're a little Welsh chief'*) yn ymyl y Brenin a gredai fod holl rym cyfraith Prydain Fawr o'i blaid? Beth amser wedi dyfodiad yr Alsesian cefais alwad ffôn fod ci yn rhedeg yn rhydd ac yn tarfu ar y praidd ym Moch y Rhaeadr. I ffwrdd â mi yno, a'r twelf-bôr hefo mi i roi dychryn os nad y farwol i'r tresmaswr, ond wedi imi gyrraedd y fan lle gwelwyd yr aflonyddwr honedig roedd popeth yn ymddangos yn eithaf tangnefeddus, a'r defaid yn pori'n reit dawel. Gan fy mod i wedi dod cyn belled euthum i roi tro rownd y lle i gyd. Mae tipyn o dir Boch y Rhaeadr yn goedlan braidd yn dila sy'n tyfu mewn daear pur greigiog a rhedynnog. Mae ambell ddarn ag ychydig llai o goed arno yn lle hynod gysgodol a hyfryd i fod ynddo ar ddydd o haf. Crwydrais wysg fy nhrwyn tuag un o'r llecynnau clir hyn yng nghanol y coed, a dyna lle'r oedd gwraig yn eistedd a'i chefn ataf, ac Alsesian wrth ei hochr. Yn reddfol bron agorais y gwn fel nad oedd perygl iddo danio'n ddamweiniol. Clywodd y wraig y glic, a throdd yn ôl. Ie, y Frenhines oedd hi, wedi bod â'r ci am dro meddai hi. Ceisiais innau, mor gwrtais ag y medrwn o gofio fy mod wedi gwastraffu hanner diwrnod yn ymchwilio i adroddiad fod rhyw gi yn tarfu ar fy nefaid, ddweud wrthi nad oedd croeso iddi hi na'i chi ar unrhyw ran o dir unrhyw ffermwr yn y cylch. Torri i feichio crio oedd ei hunig ymateb, a thybiais na allwn i o bawb ei chysuro, felly gadewais hi a'r ci i gysuro'i gilydd yno yng nghysgod y cyll.

Gorffennais fy rownd, ac euthum adre, ond roedd dau o blismyn y Bala acw wrth fy nghwt, yn fy holi parthed fy mygythiad i saethu'r Frenhines. Treuliwyd gweddill y diwrnod yn gwneud datganiad i'r rheiny. Rhyw bythefnos yn ddiweddarach gwelais y Rhingyll oedd yn gyfrifol am yr Heddlu yn y Bala. Rhoddodd imi gopi o ddatganiad y Frenhines iddynt, a dweud wrthyf am ei roi i'm cyfreithiwr, eu bod yn mynd i ddod ag achos o fygwth saethu i'm herbyn, ond na fyddai'n llawer o drafferth imi brofi fy hun yn ddieuog. Wedi darllen y datganiad gwelais pam. Yr oedd yn croes-ddweud ei hun fwy nag unwaith, a theimlwn yn bur hyderus. Ond er mawr siom i mi, ac i'r heddlu synnwn i ddim, y tro nesaf yr oeddwn yn ymweld â'r defaid ym Moch y Rhaeadr daeth y Brenin i'm cyfarfod gan bwysleisio iddo fod mor fawrfrydig â thynnu'r gŵyn yn ôl.

Nid dyna'r unig dro i blismyn y Bala ddangos eu bod wedi cael digon ar y Brenin a'i gwynion. *'Golan Heights'* y gelwid y rhan yna o Benllyn ganddynt yn y cyfnod hwn, gan fod yna un arall yn y cyfeiriad yn achosi tipyn o drafferth iddynt. (Roedd pethau'n bur ddrwg rhwng yr Iddewon a'u cymdogion yn y rhan hwnnw o'r byd tua'r un adeg!) Cefais alwad ffôn o'r Bala un noson i ddweud eu bod wedi cael cŵyn fod dafad ym Moch y Rhaeadr wedi marw ers dyddiau a heb ei chladdu, ac y byddai'n well imi ddod i fyny i'w cwrdd i wneud archwiliad drannoeth. Afraid dweud i mi fynd yno'n syth, a dod â'r ddafad adre i'w chladdu. Cyfarfod y swyddog ar yr amser penodedig, ac yntau'n gwenu'n llawn cydymdeimlad wedi inni fethu 'darganfod' unrhyw gorff, cyn mynd i rybuddio'r Brenin beth oedd goblygiadau gwastraffu amser yr heddlu!

Gellid neilltuo llyfr cyfan i olrhain ac adrodd hanesion tebyg dros gyfnod o bum mlynedd ar hugain trafferthus iawn. Yn anffodus, golygodd campau pymtheng mlynedd olaf y Brenin gostau cyfreithiol sylweddol imi, gan ei fod erbyn hyn wedi ymddeol ac yn medru hawlio Cymorth Cyfreithiol gan y Wladwriaeth, a finnau'n gorfod talu i Elfyn Llwyd (*Elfie Lywd* i'r Brenin!) am ei wasanaeth. Erbyn hyn roedd y Frenhines wedi mynd i fyw at rywun arall llawer iau, a'r Tywysog wedi ei heglu hi i rywle yn yr Alban, diolch byth. Roedd y ffaith fod y Brenin wedyn wedi chwerwi wrth bawb, a digon o amser ganddo ar ei ddwylo i feddwl am ryw ystryw newydd i geisio cael arian o fy nghroen am ryw 'golled' a gawsai oherwydd fy niofalwch fel landlord, y difrod bwriadol a wneuthum i'w eiddo personol, neu 'welliannau' a wnaeth ef ei hun i'r tŷ. Yn ystod y cyfnod yma cynrychiolwyd ef gan oddeutu deg o wahanol gyfreithwyr, pob un yn ei dro wedi gweld trwyddo, ac yn dymuno torri pob cysylltiad ag ef.

Cafwyd un llygedyn o obaith gan un cyfreithiwr. Rywdro tua dechrau'r wythdegau cynigiodd roi'r denantiaeth i fyny am gydnabyddiaeth o fil o bunnoedd. Pwysodd Elfyn arnaf i dderbyn y cynnig i gael gwared â'r diawl bach unwaith ac am byth. Diamau fy mod wedi bod yn hynod o ffôl yn gwrthod ei gyngor, ond roedd mil o bunnoedd yn dipyn bach mwy o arian bryd hynny, ac roedd y syniad o roi rhodd sylweddol i rywun oedd yn fy nyled o fwy na'r swm hwnnw mewn rhent yn unig yn wrthun i mi.

Daeth pethau i ben tua diwedd 1991, pan ymddangosais yn y Llys Sirol yn Llangefni ar dri ar ddeg o gyhuddiadau, pethau fel torri ffenest ei garafán, sbecian ar ei wraig yn y bath, bygwth ei saethu wrth gwrs, lluchio anifeiliaid marw i'w gyflenwad dŵr, torri erial ei set deledu, adleoli'r giât oedd ar draws y ffordd oedd yn arwain at y tŷ (i le hwylusach!), ac yn y blaen. Roedd y Brenin o'r diwedd wedi cael cyfreithiwr digon dwl i goelio'i gelwyddau. Neu gyfreithiwr digon segur fel bod raid iddo odro'r system Cymorth Cyfreithiol ymhellach. 'Paid â phoeni,' meddai Elfyn Llwyd, 'rydw i'n reit siŵr y bydd y Barnwr yn ei 'nabod o'n syth.'

Gwir y gair; wedi diwrnod hunllefus i'r erlyniad, a llwyddiannus, bron bod yn ddigri i'r amddiffyniad, penderfynodd ei fargyfreithiwr ar fore ail ddiwrnod y gwrandawiad nad oedd am gario mlaen gyda'r achos. *'We wish for the case to be stayed,'* oedd y geiriau a ddefnyddiwyd. Gymaint oedd y siarad a'r chwerthin ymysg rhyw hanner dwsin ohonom yn yr ystafell aros hyd yn oed cyn derbyn y newyddion da ar yr ail fore hwnnw fel i gyfreithwraig oedd yno ynglŷn ag achos arall ddweud nad oedd hi erioed wedi gweld pobl mor hapus yn mynd i unrhyw gwrt!

Yn fuan iawn wedyn roedd y Brenin wedi mynd yn waglaw at ei fab i ogledd yr Alban. Wedi i ninnau gael cyfle i dwtio tipyn ar y tŷ, symudodd Euros a Hâf i Foch y Rhaeadr hyd nes y daeth yn amser iddynt ddechrau ffermio Styllen wedi i Lona a minnau ymddeol.

Yn anffodus, wedi iwfforia atal yr achos roedd yna filiau cyfreithiol enfawr i'w talu, oedd yn gwneud imi feddwl mai Elfyn Llwyd oedd yn iawn yn y diwedd. Efallai ei fod o wedi darllen Efengyl Mathew v. 25: 'Os bydd rhywun yn dy gymryd i'r llys, bydd barod i ddod i gytundeb buan ag ef tra byddi gydag ef ar y ffordd yno, rhag iddo dy draddodi i'r barnwr, ac i'r barnwr dy roi i'r swyddog, ac iti gael dy fwrw i garchar. Yn wir, ni ddoi di byth allan oddi yno cyn talu'r ddimai olaf.'

Yn ffodus, fe lwyddwyd i dalu hyd yn oed y ddimai olaf, ond mae arna i ofn mai canlyniad y bennod hir yna yn fy hanes yw gwneud imi fod yn hynod ddrwgdybus o bawb sy'n dod atom dros Glawdd Offa, er bod yn rhaid cyfaddef imi gael fy siomi o'r ochr orau mewn ambell un ohonyn nhw! Ond yn wir, yn wir, mi fyddwn i'n awgrymu i unrhyw un fydd ar fin mynd i gyfraith feddwl yn ddwys iawn am dderbyn cyngor Mathew ac Elfyn Llwyd. Mae'r ddau yn fois go graff!

Cudd fy meiau . . . !

Fûm i erioed yn un am dorri'r gyfraith. Wel, dim byd gwaeth na neb arall o'm cyd-ardalwyr. Fel y crybwyllais o'r blaen, rwyf wedi dotio at beiriannau erioed, felly roedd yn dipyn o demtasiwn i arbrofi yn sedd gyrrwr yr hen Austin 10 o eiddo 'Nhad – y 'ferfa' fel y cyfeiriai ato. Tipyn o gamp oedd dod o hyd i gar dibynadwy yn ystod blynyddoedd y rhyfel, gan fod darnau i bob math o gerbyd yn hynod anodd dod o hyd iddynt. Tipyn o fenter oedd danfon llaeth i'r ffordd gyda'r ferfa, a finnau ond tua deuddeg oed, gan fod ei brêcs yn bur ddiffygiol. Roedd yn rhaid mynd i'r ffordd gyhoeddus i droi'n ôl, ond digon prin y byddai plismon o gwmpas am hanner awr wedi wyth yn y bore.

Am ryw reswm, fyddai 'Nhad byth yn mynd i'r capel ar bnawn dydd Sul. Byddai'n dweud ei fod yn aros adref i 'osod', ond anaml iawn y byddai gosodiad wedi ei gwblhau pan gyrhaeddem gartre – y geiriau wedi eu sgrifennu, hwyrach, a dyna'r cwbl cyn iddo syrthio i gysgu! Dan yr amgylchiadau, cymwynas fawr â Mam fyddai gofalu ei bod hi'n cyrraedd yr oedfa heb orfod cerdded. Roedd yn werth dysgu adnod a mynd i oedfa'r pnawn i'w dweud os cawn fod wrth lyw'r ferfa yn ôl a blaen fel rhyw dâl bychan am wneud. Yn ddistaw bach byddai ambell i yrrwr tractor y Wôr Ag hefyd weithiau yn caniatáu llywio ambell i Ffordson Bach pan fyddent yn dod heibio yn achlysurol i droi neu drin y tir, ond doedd fiw iddynt hwy roi gormod o raff i egin yrrwr. Un arall fu'n hybu fy ngyrfa oedd Owen Tomos, Tŷ Du. Mae'n rhaid fy mod yn eithaf dreifar, oherwydd ddigwyddodd 'na 'rioed unrhyw anffawd ar y p'nawniau Sul hynny, a ddeallodd neb mewn awdurdod fod y gyfraith yn cael ei phlygu. Gan y byddai'r ferfa yn cael ei gadael ar ben y rhiw sy'n dod i lawr i'r Parc doedd fawr o neb yn gwybod am fy nghampau, a olygai fod llai o siawns i rywun brepian wrth y glas.

Bûm yn cymryd rhan mewn ambell ymgyrch flynyddoedd yn ôl, pan elwid ar Gymry i wrthod talu am hyn a'r llall er mwyn cael statws i'r Gymraeg. Coffa da am fod yn y Llys yn y Bala gyda dau athro o'r cylch, Joseph W. Jones ac Emrys Davies, am wrthod codi trwydded deledu oherwydd eu bod yn uniaith Saesneg. Daeth dau swyddog i ymchwilio i'r mater ryw fin nos pan oeddem yn brysur gyda'r gwair. Yr hyn a welwyd o'r cae gwair oedd car a ymddangosai'n ddieithr yn dod drwy giât y ffordd, a'r person a eisteddai wrth ymyl y gyrrwr yn cau'r giât, chwarae teg iddo. Y noson honno roedd y gwartheg i gyd yn pori'r cae cyntaf hwnnw wrth y ffordd, ac wedi i'r car yrru rhyw ychydig lathenni i gyfeiriad y tŷ, beth oedd yn sefyll yn union o'i flaen ond y tarw. Deud y gwir roedd o'n glamp o darw – a doedd o ddim am symud! O dan yr amgylchiadau doedd y ddau oedd yn y car ddim am symud chwaith! Buont mewn sefyllfa o stêlmêt am hydion, a'r tarw â'i drwyn bron ar y fonet. Wedi cael ein hwyl yn arsyllu gyrrwyd rhywun draw i symud y tarw, ond pe gwyddwn beth oedd neges y ddau fonheddwr fuaswn i ddim wedi ymboeni, er bod y ddau yn gwrtais iawn, ac yn cydymdeimlo â'n hachos, ond fod yn rhaid iddynt wneud eu gwaith!

Ymhen sbel fe ddaeth gwŷs i ymddangos yn y Llys yn y Bala. Ar fore'r Llys un o'r eitemau cyntaf ar y Newyddion Cymraeg oedd cyhoeddiad gan yr awdurdodau y byddai trwyddedau dwyieithog i'w cael. Aeth hyn â gwynt o'n hwyliau braidd, cyn belled ag yr oedd ein hareithiau yn y cwestiwn, er iddo fod yn fantais inni hefyd, oherwydd wedi gwrando'n hachos dyfarnodd yr ynadon, chwarae teg iddynt, yn wyneb y cyhoeddiad, na fuasent yn ein cosbi am y tro ond inni addo codi trwyddedau.

Bu un amgylchiad pan oedd y gyfraith fel pebai am gyrraedd tuag ataf i, a'r hyn yr wyf fwyaf blin amdano yw imi gael fy nghyhuddo am wneud cymwynas, a'm cael yn euog o drosedd a allasai ar bapur ymddangos yn un difrifol iawn.

Fûm i erioed yn un am gario gwn, heblaw yn achlysurol iawn iawn. Byddaf yn mynd ag o i gwr coed ein hannwyl Gomisiwn pan fydd cŵn hela'r Berwyn yn dod heibio ryw ddwywaith y flwyddyn i geisio cadw poblogaeth y llwynogod o dan reolaeth. Hyd yn oed ar yr achlysuron hynny nid oes gan yr un Siôn Blewyn Coch achos i bryderu yn ormodol am fy mhresenoldeb. Yn wir, honnai John Watcyn, Maesgwyn iddo rywdro weld llwynog yn codi'i goes ar fy welington, ac iddo lwyddo i ddianc yn hollol ddianaf!

Roedd 'Nhad a f'ewyrth John yn saethwyr da iawn, ond oherwydd ychydig o wendid yn fy llygad dde roeddwn dan anfantais cyn cychwyn, ac efallai mai hynny a barodd imi fod â chyn lleied o ddiddordeb mewn arfau o'r math yma. 'Nhad felly, a ofalai am y gwn, a phan ddaeth deddf i fynnu bod pob perchennog gwn yn gorfod cofrestru gyda'r heddlu i gael y peth a alwent hwy yn Dystysgrif Dryll, ei enw ef oedd arni. Rai misoedd ar ôl ei farwolaeth daeth un o heddweision y Bala ar y ffôn i holi am y gwn. Roedd Prif Swyddfa'r Heddlu ym Mae Colwyn wedi bod mewn cysylltiad â'r Swyddfa yn y Bala i'w hysbysu na chafwyd unrhyw ymateb i'r nodyn atgoffa a yrrwyd i adnewyddu'r Dystysgrif. Roedd yr heddwas yn gwybod beth oedd yr amgylchiadau, wrth gwrs, ond fod rhaid iddo fodloni rhyw uwch-swyddog oedd yn gyfrifol am y tystysgrifau. Rhaid hefyd oedd holi pwy a ofalai am y gwn. Eglurais fod y gwn yn y tŷ gan Mam, ac iddi'n siŵr o fod wedi anghofio sôn wrthyf am y nodyn atgoffa. Chwarae teg i'r heddwas, gofynnodd imi a oeddwn wedi ystyried gwerthu'r gwn, neu roi ei fenthyg i rywun oedd â Thystysgrif. Doeddwn i yn fy niniweidrwydd ddim yn sylweddoli ei fod yn ceisio fy arbed rhag trafferth. Gan fod arno eisiau gweld y gwn dywedais y down ag ef i Orsaf yr Heddlu, ac y byddwn yn llenwi ffurflen i wneud cais am Dystysgrif Gwn fy hun yr un pryd. Dyna ddigwyddodd; archwiliwyd y gwn, a nodi ei wneuthuriad a'i rif, llanwyd y ffurflen a throsglwyddo'r tâl priodol am Dystysgrif newydd, a gwnaeth yr heddwas adroddiad ar y mater. Dychmyger fy syndod ryw fis yn ddiweddarach pan dderbyniais wŷs oddi wrth ryw Uwch-swyddog i ymddangos yn y Llys yn y Bala ar gyhuddiad o fod â dryll yn fy meddiant yng Ngorsaf yr Heddlu yn y Bala heb fod gennyf dystysgrif briodol ar y dyddiad y gwnes gymwynas â'r taclau!

Doedd dim i'w wneud ond mynd i'r Llys i amddiffyn fy hun gyda'm Tystysgrif newydd yn fy llaw, ac i fynegi fy marn am ddiffyg synnwyr cysylltiadau cyhoeddus Uwch-swyddogion Heddlu Gogledd Cymru. Ymddangosai'r Ynadon fel pe byddent yn cydymdeimlo'n fawr â mi, ond fe'm cawsant yn euog, a phennwyd dirwy liniarol o bunt. Doeddwn i'n poeni fawr am y bunt, ond yn rhywle yng nghofnodion yr awdurdodau hyd heddiw mae'n siŵr fod yna nodyn yn cofnodi imi un tro gael fy mhrofi'n euog o drosedd difrifol iawn, a hynny yn fy marn i oherwydd diffyg synnwyr cyffredin penarglwyddi Bae Colwyn, ar waethaf ymdrech cwnstabl lleol i'm harbed rhag y cyfan.

Mi fûm ar gyrion achos arall a allasai fod yn un llawer gwaeth, ond na fûm erioed yn nes i'r busnes na rhyw gyffwrdd wrth basio fel petai. Fel yn achos y dystysgrif gwn, byddai'r ffaith foel wedi ymddangos yn echrydus, ond yng ngolwg y rhai oedd yn ymwneud â'r trosedd (neu'r troseddau yn wir) doedd yna ddim bwriad i achosi niwed, nac i beryglu neb na dim. A chan fod pawb o'r rhai fu â rhan flaenllaw yn y gweithgareddau erbyn hyn yn ddiogel y tu hwnt i afael cyfraith Prydain Fawr, gallaf fentro datgelu'r hyn wyf yn wybod heb ofni gwneud unrhyw ddrwg i neb.

I ddechrau yn y dechrau, un o'r synau yr wyf yn ei gysylltu â diwedd y pedwardegau yw sŵn ffrwydradau a glywid am bedwar o'r gloch bob pnawn ar wahân i'r Sadwrn a'r Sul. Roedd y rhain yn glywadwy drwy ran helaeth o'r hen Sir Feirionnydd a Sir Gaernarfon, ac ymhellach hefyd synnwn i ddim. Bryd hynny roedd y Gwersyll Milwrol (y Ciamp chwedl y bobl leol) ym Mronaber, Trawsfynydd. Tua dechrau'r ugeinfed ganrif meddiannodd y Swyddfa Ryfel ran helaeth o dir ym mhlwy Trawsfynydd ar gyfer ymarferiadau milwrol. Adeiladwyd barics i letya'r milwyr ym Mronaber, a defnyddiwyd un cwm cyfan, Cwm y Feidiog, i danio at dargedau, ac i gynnal pob math o ymarferiadau eraill ar gyfer dinistr. Byddai'r trigolion yn gorfod gadael eu cartrefi ỹn gynnar yn y bore am bebyll oedd wedi eu darparu iddynt mewn mannau diogel, ac ni chaniateid iddynt ddychwelyd hyd yn hwyr y prynhawn i wneud gwaith angenrheidiol ar eu ffermydd. Canlyniad hyn oedd iddynt i gyd, o un i un, adael yr ardal. Yna defnyddiwyd y ffermdai a'r adeiladau yn dargedau. Yn ara bach daeth 'Y Ranges' yn enw ar y gymdogaeth a adwaenid gynt fel 'Cwm Defeidiog'. Mewn gair, fel yn Epynt ddeugain mlynedd yn ddiweddarach, ond ar raddfa lai, difodwyd ardal a chymuned yn llwyr, ac aeth enwau'r ffermydd yn ddim ond geiriau ar fap. Fel y nodwyd eisoes, roedd teulu fy nhaid o ochr Mam ymhlith y rhai yr effeithiwyd arnynt.

Rywdro yn y pedwardegau neilltuwyd rhan o'r tir hwn i gael gwared o ffrwydron diangen oedd yn eiddo i'r Swyddfa Ryfel. Nis gwn ai gwir ai peidio, ond clywais ddweud fod y Llywodraeth ar ddechrau'r rhyfel wedi dod i gytundeb â chwmni arbennig i gyflenwi pob math o ffrwydron iddynt am gyfnod o ddeng mlynedd. Wrth gwrs roedd y rhyfel ar ben yn 1945, ond roedd yn rhaid i'r Swyddfa Ryfel gadw at y cytundeb, a derbyn y ffrwydron yr arwyddwyd amdanynt. Stori arall oedd mai hen stoc o'r Rhyfel Mawr oeddynt.

224

Beth bynnag oedd eu tarddiad, dros y blynyddoedd yn dilyn y rhyfel cariwyd miloedd o dunelli o ddeunydd ffrwydrol ar y trên i orsaf Trawsfynydd, oddi yno gyda lorïau i dir y fyddin, a'i chwythu i fyny yn gyfres o ffrwydradau dyddiol tua phedwar o'r gloch y pnawn. Honnid fod llawer o adeiladau wedi cael niwed o ganlyniad i'r ysgwyd yma a ddigwyddai yn sgil y ffrwydro. Er bod fy nghartref i tuag wyth milltir fel yr hed brân o safle'r ffrwydro, byddai'r platiau piwtar oedd gan Mam ar y dresel bob amser yn ysgwyd gan rym y clecian. Wrth lwc ni fu'r platiau na'r dresel na'r tŷ fawr gwaeth, ond gwn i rai adeiladau mawr megis capeli a neuaddau ddioddef difrod, yn arbennig i'w nenfydau. Er ei bod yn sefyll i reswm fod yr ysgwyd dyddiol yma yn siŵr o fod yn amharu ar adeiladau, ysywaeth, roedd profi mai ffrwydradau'r Swyddfa Ryfel oedd yn gyfrifol am unrhyw grac mewn nenfwd neu fur yn dasg anodd ddychrynllyd, ac ychydig iawn o arian – os o gwbl – a dderbyniodd neb i'w digolledu oherwydd difrod i eiddo.

Bob yn dipyn daeth y rhai oedd yn byw agosaf at faes y ffrwydro yn ymwybodol beth a chwythid i fyny yno, a sylweddoli hefyd y gallai rhai o'r pethau a ddinistrid fod yn ddefnyddiol i'r gymuned leol, yn arbennig felly i'r amaethwyr. Dwn i ddim a oes yna air Cymraeg am y deunydd a eilw'r Sais yn *gelignite*. Wel, cludid tunelli o hwn wedi ei bacio mewn bocsys pren yn dal deg pwys, i'w chwythu i fyny bob dydd. Yr un modd, ceid *safety fuse* yn rholiau o gan troedfedd mewn bocsys tun, a *detonators* bob yn hanner cant, eto mewn bocsys tun, ond mewn gwely o bapur trwchus yn ogystal, rhag iddynt danio'n ddamweiniol.

Yn ystod yr amser yma, er mwyn gwneud gwell defnydd o dir amaethyddol roedd y Llywodraeth yn rhoi grantiau tuag at ddraenio, aredig a gwella porfa. Golygai hyn yn aml glirio cerrig o dir. Roedd codi cerrig mawrion o ddraen neu o unrhyw dir yn y cyfnod cyn dyfodiad y Jac Codi Baw yn dipyn o broblem. Roedd defnyddio ffrwydron i falurio'r cerrig yn lleihau'r chwys i ddyn a cheffyl. Felly, yn ara deg, dechreuodd y defnyddiau priodol ar gyfer saethu cerrig gyrraedd dwylo ffermwyr a chontractwyr, a hynny o'r pentyrrau oedd yn aros yr amser i'w ffrwydro ar y mynydd. Erbyn meddwl, gwaith amhosibl oedd i'r fyddin warchod y cannoedd o erwau a feddiannwyd ganddynt. Pan nad oedd rhybuddion fod y milwyr yn ymarfer roedd gan y cyhoedd, wrth gwrs, hawl mynediad ar hyd ffyrdd a llwybrau, a'r bugeiliaid hefyd hawl i hel defaid, ac yn y gwyll gallai'r cyfarwydd sleifio i gwr y pentwr ffrwydron oedd yn barod i'w danio drannoeth a helpu ei hun i beth bynnag a gredai oedd yn ddefnyddiol, cyn llithro oddi yno heb i neb ei weld.

Yn nyddiau cneifio â gwelleifiau byddai hyd at gant o ffermwyr a bugeiliaid ar ddiwedd mis Mehefin yn cynnull i gneifio i ambell fferm oedd ar gwr y maes ffrwydro bob blwyddyn. Mae lle i gredu y byddai tolli sylweddol ar y pentwr ffrwydron cyn bore trannoeth! Y tri nwydd a grybwyllwyd uchod oedd â'r galw mwyaf amdanynt, wrth gwrs. Ar ffermydd yr ucheldiroedd amherid ar y gwaith o aredig a thorri gwair ac ŷd gan gerrig oedd â'u trwynau'n codi o'r ddaear, ac roedd yn fendith cael gwared ohonynt mewn ffordd mor ddidrafferth. Yn wir, datblygodd amryw o ffermwyr yn saethwyr cerrig eithaf medrus. Y defnydd ffrwydrol a ddefnyddid yn ddi-feth oedd y *gelignite* o'r Feidiog, a fedyddiwyd yn fy ardal i yn 'Bowdwr Traws'.

Byddai gweithlu Pwyllgor Amaeth Sir Feirionnydd yn y cyfnod yma yn ymgymryd ag agor draeniau, ffosio, ffensio a llawer gwaith arall ar gontract, a byddai cyflenwad o Bowdwr Traws ganddynt hwythau ar gyfer symud unrhyw rwystrau mor ddidrafferth â phosibl. Honnid fod Walt yn un o'r prif smyglwyr-powdwr. Nid gŵr i hanner wneud unrhyw beth oedd ef, a dywedid mai fesul llwyth fan y byddai'n cario o'r domen ffrwydron. Yn achlysurol (iawn!) byddai'n cael trwydded gan yr heddlu i brynu ffrwydron cyfreithlon o ffatri

Cooke ym Mhenrhyndeudraeth, er mwyn bod â rhywbeth yn ei feddiant i'w ddangos pe deuai rhywun o awdurdod i'w holi ynglŷn â'i weithgarwch fel saethwr cerrig. Y drwg gyda phowdwr y Penrhyn oedd y byddai, o'i gadw'n hir, yn dechrau 'chwysu', ac yn mynd yn ansefydlog ac yn beryg o danio'n ddirybudd ohono'i hun os câi ei symud yn sydyn neu dderbyn hergwd.

Faniau Ford 10 a ddefnyddid gan weithwyr y Wôr Ag. Faniau a gynlluniwyd i gario nwyddau yn unig oedd y rhain, a dim ond un sedd – i'r gyrrwr – oedd ynddynt. Os byddai angen cario teithwyr byddai'n rhaid cael rhyw fath o fainc neu rywbeth cyffelyb iddynt dan din os nad oeddynt am eistedd ar lawr. Fel Cadeirydd Pwyllgor Amaeth y Sir byddai R.T. Vaughan y Bala yn teithio i Ddolgellau yn ddyddiol, ar y trên gan amlaf, ond os byddai rhywun arall o weithlu'r Wôr Ag yn mynd mewn cerbyd byddai'r 'Hen Fôn' yn manteisio ar y cyfle i gael reid am ddim. Ar un o'r teithiau hynny soniodd wrth Walt ei fod wedi clywed fod ffrwydron yn cael eu lladrata o Drawsfynydd. Mynegodd ei ofid fod y fath beth yn digwydd. Dywedodd y byddai'n rhaid iddo ef fel Ynad ddelio'n llym ag unrhyw droseddwr a ddelid yn gwneud y fath anfadwaith. Cytunai Walt 'gant y cant, Mr Vaughan . . . debyg iawn Mr Vaughan . . . ', gan gadw wyneb cyn sobred â sant, gorchwyl anodd ar y naw gan fod R.T. Vaughan, yn ddiarwybod iddo'i hun tra oedd yn traethu, yn eistedd ar focsaid o'r nwydd oedd wedi dod o Drawsfynydd y noson cynt!

Rhyw ddysgu defnyddio'r nwydd peryglus yma wrth weld rhai eraill yn ei ddefnyddio a wnaem, ac erbyn hyn byddaf yn synnu na fyddai rhyw drychineb mawr wedi digwydd. Hyd y gwn, dim ond un ddamwain a fu, a hynny rhyw fore dydd Sadwrn. Roedd 'Nhad, fel Swyddog Maes gyda'r Wôr Ag, yn arfer gweithio ar fore Sadwrn yn y cyfnod hwn, ac ar y diwrnod dan sylw roedd hi'n bell wedi amser te arno'n cyrraedd adre o'i waith, yn hytrach nag erbyn cinio fel yr arferai wneud. Roedd yn amlwg fod rhywbeth wedi digwydd, ac o dipyn i beth dywedodd wrthyf ei fod wedi cael neges i fynd i 'helpu' i ffarm arbennig lle'r oedd damwain wedi bod. Ymddengys fod y powdwr wedi tanio cyn i ddau o weithwyr y Wôr Ag oedd yn saethu carreg fedru mynd yn ddigon pell oddi wrthi, ac fe anafwyd y ddau, un ohonynt yn eithaf difrifol.

Credaf i'r meddyg lleol gael ei alw, ond iddo fod yn ddigon doeth i gau ei geg ar ôl rhoi triniaeth frys i'r anafusion. Yna barnwyd mai'r ffordd i dynnu lleiaf o sylw at y ddamwain oedd mynd â'r ddau a anafwyd yn syth i Ysbyty Wrecsam yn yr union gerbyd y bu R.T. Vaughan yn eistedd ar y bocs powdwr ynddo. Drwy gyfrwng matresi a wnaed gyda sachau llawn o wellt, a gyrru gofalus, barnai fy 'Nhad i'r ddau anafedig gael reid mwy cyfforddus nag a gaent mewn unrhyw ambiwlans o'r cyfnod hwnnw. Yn ffodus, ni ofynnwyd gormod o gwestiynau yn yr ysbyty chwaith, ac ni sylwodd neb swyddogol fod fan y Mer. A.E.C. wedi crwydro ymhell o'i chynefin, a hynny ar bnawn Sadwrn. Adferwyd y ddau weithiwr i'w hiechyd arferol yn fuan a didramgwydd.

Nid y powdwr a'r ffiws a'r caps yn unig a ddinistrid ar y maes ymarfer. Cofiaf yn dda i bethau eraill ddod o'r Feidiog a fu'n ddefnyddiol iawn i ni am gyfnod. Arferiad lleol ers cyn cof i mi fyddai tanio ergydion ar ddiwrnod priodas. Hen arfer o'r oesoedd tywyll, efallai, pan gredid fod sŵn yn cadw ysbrydion drwg draw. Byddai llawer perchennog gwn yn yr ardal yn mynd â'r twelf bôr ar ei ysgwydd a rhyw hanner dwsin o getris yn ei boced i danio rhyw ychydig yng nghyffiniau'r capel pan gyrhaeddai'r briodferch, ac wedyn pan ddôi'r pâr priod allan wedi'r gwasanaeth. Syrpreis bleserus iawn ar gyrraedd y Parc un bore priodas oedd cael fod cetris tua hanner yr hyd arferol yn cael eu rhannu am ddim i bob un a ddaeth â'i wn i'r tanio. *Blanks* oedd y rhain – cetris gyda ffrwydryn ynddynt, ond heb y pelenni bach oedd yn gyfrwng lladd – a Thrawsfynydd oedd eu tarddiad. Afraid dweud i'r ergydio fod yn llawer mwy brwdfrydig yn y priodasau a weinyddwyd tra parodd y cyflenwad cetris rhad.

Dro arall bu bron i'r chwarae droi'n chwerw. Nid wy'n siŵr erbyn hyn pa gyfarfod a gynhelid yn yr Ysgol, a wasanaethai hefyd fel Neuadd Bentref. Cyfarfod o'r Gymdeithas Ddiwylliannol, mae'n fwy na thebyg, ond cofiaf yn iawn mai Tachwedd y pumed oedd y dyddiad. Digwyddodd bod rhai o fugeiliaid yr ardal yn hel defaid yng nghyffiniau Cwm y Feidiog, naill ai ar y diwrnod hwnnw neu un o'r dyddiau cynt, a'r gred yw fod rhai ohonynt wedi pocedu defnydd ffrwydrol o'r domen oedd ar y mynydd. Ni wn beth yn union oedd yr eitemau a ddygwyd; fe'u gelwid ar y pryd yn 'bangars', a gwnaent glec rymus – yr union bethau i'w taflu o gwmpas ar Dachwedd y pumed! Barnodd rhai o laslanciau'r ardal a berchnogai'r ffeiarwyrcs newydd hyn mai llawer mwy difyr na dod i'r cyfarfod yn yr ysgol fyddai achosi ychydig o fân-ffrwydradau yma ac acw ar hyd y pentref yn gyffredinol, ac ymyl yr ysgol yn arbennig, yn rhyw fath o deyrnged i'r hen Guto druan. Wedi'r cwbwl, ychydig iawn o goffa a fu iddo drwy flynyddoedd blin y rhyfel! Nid amharwyd rhyw lawer ar y cyfarfod nes i rywun mwy beiddgar na'i gilydd osod un o'r dyfeisiadau ar sil un o'r ffenestri, a phan daniodd roedd yr holl adeilad yn atseinio gan y glec, a chwythwyd y ffenest i mewn gan rym y ffrwydrad. Drwy ryw lwc, ni faluriodd y gwydr – mae'n debyg fod y rhwyd a lynid ar y gwydrau yn ystod cyfnod y rhyfel yn dal ar y ffenest wedi atal hyn rhag digwydd ac wedi'n cadw rhag y trychineb hwnnw. Roedd yr ysgol yn orlawn, a'r prifathro yn sefyll yn union o dan y ffenest a niweidiwyd. Welais i neb yn mynd allan o unrhyw adeilad mor sydyn ag yr aeth R.G. o'r ysgol y noson honno. Wrth gwrs, erbyn iddo gyrraedd y drws roedd y 'drwgweithredwyr' wedi hen ddiflannu, a'r pentre mor dawel â'r bedd! Dwn i ddim a fu rhai o henuriaid yr ardal yn 'siarad' â'r rhai fu'n gyfrifol, ond bu dathliadau Gŵyl Guto Ffowc gryn dipyn tawelach yn ystod y blynyddoedd dilynol.

Hawdd iawn ydyw bod yn ddoeth wedi'r digwydd. O edrych yn ôl, does bosib nad oedd rhywun o blith personél y fyddin yn ymwybodol fod yna bethau yn diflannu, ynteu a oedd y swm o ffrwydron yr ymwneid ag ef mor enfawr fel na sylwid fod yna rhyw ugain bocsaid o *gelignite*, dyweder, yn mynd ar goll yn achlysurol. Posibilrwydd arall efallai yw fod rhyw focsaid neu ddau yn cael eu 'gadael' gan y milwyr yn rhywle cyfleus. Yn ôl y stori am R.T. Vaughan roedd yna sibrydion wedi dod i glustiau'r awdurdodau, ond ni wnaed fawr o ymdrech i ddal y drwgweithredwyr – os gellid eu galw'n ddrwgweithredwyr. Byddai tipyn o'r powdwr yn cael ei ddefnyddio gan Jo Sheehan pan oedd yn gweithio yn y cylch. Yn wir byddai Jo wrth ei fodd yn saethu cerrig, a'i sylw bob tro y byddai wedi cael clec lwyddiannus ar garreg fyddai: *'Begob, I made shit of that stone, lad'*. Byddai ganddo focsaid neu ddau dan ei wely bob amser, ac i wneud pethau'n ymddangosiadol waeth, roedd o'n gyn-aelod o'r I.R.A. Er na fu ganddo gysylltiad â'r mudiad hwnnw ers blynyddoedd cyn dechrau'r rhyfel, bu yn nechrau'r pedwardegau yn gorfod 'riportio' yn wythnosol i Swyddfa'r Heddlu yn y Bala.

Llawer diogelach i bawb fyddai i'r fyddin fod wedi neilltuo nifer o filwyr i fynd o amgylch y ffermydd i wneud y gwaith ffrwydro yn ôl y galw, a hynny'n rhad ac am ddim. O leiaf, byddai hynny'n sicrhau mai dim ond pobl wedi eu hyfforddi fyddai'n trafod deunydd mor beryglus. Byddai hefyd yn ymarfer i'r milwyr. Ond ar y llaw arall, byddai cynllun o'r fath wedi amddifadu llawer o wŷr mentrus y cyfnod o fyrdd o hwyl, ac o'r peth y mae'r Sais yn ei alw'n 'cics'. Ac roedd y cics yma yn y bôn yn rhai eitha diniwed, na wnaethant ddrwg i neb erioed.

Er fy mod yn achlysurol yn dal i weld ambell focs pren hynod o debyg i'r rhai a ddaliai'r Powdwr Traws ers talwm, erbyn hyn rydw i'n bur siŵr nad oes yna 'run gronyn o Bowdwr Traws na ffiws na chapsen ynghudd dan wely neb yn yr ardal.

Wedi ymadawiad y Fyddin, bu'r rhan o'r Feidiog a drowyd yn gerrig mân a llwch gan y ffrwydradau, yn ei dro yn gefndir i ffilm (mae gen i gof gweld Alan Ladd ar y sgrin fawr rywdro yn rhedeg dros yr anialwch artiffisial); yn lle i buro blew moch ar gyfer y diwydiant brwshys paent, ac yna yn faes rasio ceir stoc, ond erbyn heddiw mae'r mwswg yn dechrau hel dros greithiau a ddaeth i fodolaeth hanner canrif a mwy yn ôl. Mae rhan helaeth o Gwm Defeidiog, gwaetha'r modd, o dan goed pin, sydd mor ddiffaith i'r bywyd Cymreig â gweithgareddau'r Swyddfa Ryfel. Ac, fel yr awgrymwyd ar y dechrau, mae prif actorion y ddrama wedi cilio o'r llwyfan, ac wedi mynd â'u cyfrinachau hefo nhw. Y cyfan sydd ar ôl yw'r ychydig straeon y mae ambell un fel fi wedi eu clywed, yn ail-law megis. Mae'r rheiny erbyn hyn yn rhan o'n traddodiad gwerin, ac yn werth eu cadw.

Rwy'n caru merch . . .

Dwn i ddim ai doeth yw neilltuo pennod i drafod merched ai peidio. Gan i rai o'r rhyw deg ddylanwadu tipyn golêw arnaf, efallai y dylwn sôn am ambell un! Rhaid imi gyfaddef hefyd fy mod wedi bod erioed, ac yn dal i fod, yn swil iawn hefo merched. Mi fydda i'n meddwl weithiau mai dylanwad Mam sy'n gyfrifol am hynny. Roedd hi â barn bendant iawn ar bopeth bob amser, a thuedd i wthio'r farn honno ar y gweddill o'r teulu, a gwae'r sawl fyddai'n anghytuno â hi. Bu ambell i dro reit ddigri oherwydd y natur yna a berthynai iddi.

Tua diwedd y pumdegau cafodd 'Nhad ei symud i weithio. Diraddiwyd pencadlys y Weinyddiaeth Amaeth yn Nolgellau i fod yn swyddfa ardal yn unig, a rheolid popeth o'r swyddfa ranbarth yng Nghaernarfon. Felly cafodd 'Nhad rybudd mai o Langefni y byddai'n gweithio o tua diwedd 1957 ymlaen. Golygai hyn gychwyn oddi cartref tua saith o'r gloch ar fore dydd Llun, lletya yn Nhalwrn ger Llangefni drwy'r wythnos, a'i throi hi am adref wedi noswyl ar ddydd Gwener. Ar ôl cyrraedd adre byddai holi mawr sut y byddai pethau wedi mynd ar hyd yr wythnos, a ninnau yn ein tro yn cael gwybod am hynt a helynt pobol Sir Fôn, a chlywed enwau lleoedd nad oeddynt yn adnabyddus iawn inni. Un tro bu enw lle oedd yn weddol gyfarwydd inni yn achos tipyn o hwyl, sef Rhos-y-bol. Am ryw reswm byddai Mam yn gyndyn iawn o ddefnyddio'r enwau priodol ar rai rhannau o'r corff. Efallai fod hyn i'w ddisgwyl gan un a anwyd yn oes Fictoria. P'run bynnag, fyddai yna byth, byth sôn am y rhannau rhywiol, ac roedd y gair tin hefyd yn waharddedig – pen-ôl bob amser! Doedd sôn am fol ddim yn dderbyniol iawn chwaith, gwell ganddi fyddai galw'r rhan arbennig hwnnw yn stumog – ac un noson wedi i 'Nhad grybwyll Rhos-y-bol droeon dyma hi'n ebychu'n bur sarrug, 'Ruwd fawr, Wili, rydach chi'n fylgar yn deud y Rhos-y-bol 'na o hyd, fasa ddim gwell ichi ddeud Rhos-y-bôl?' Dydw i ddim yn meddwl iddi byth ddeall pam fod 'Nhad a minnau wedi chwerthin yn aflywodraethus!

Efallai fod byw am flynyddoedd yng nghysgod rhywun fel Mam wedi effeithio ar rywun cyn belled ag yr oedd perthynas â merched eraill yn y cwestiwn. Beth arall oedd y rheswm dros y swildod mawr yma, oedd bron yn ofn weithiau? Ai dyna hefyd pam fy mod yn dipyn o fabi Dad? Wedi dweud hynna, roedd un peth yn dda iawn am Mam – fe fyddech yn gwybod yn iawn ymhle yr oeddych yn sefyll gyda hi, tra gallai Dad fod yn dipyn o gadno ar adegau!

Rydw i'n cofio un digwyddiad a barodd i Mam bechu tipyn yn fy erbyn pan oeddwn i'n bur ifanc, a bûm yn pendroni am y digwyddiad am ddyddiau rwy'n siŵr. Roeddwn i wedi hel ychydig o flodau gwylltion yn yr ardd ac wedi mynd â nhw i'r tŷ. Roedd Mam wedi gwneud rhyw ychydig o sylw ohonynt, a'u gosod mewn hen bot poted-mît, synnwn i ddim. Eiliad neu ddwy yn ddiweddarach roeddwn i wedi gwneud rhywbeth o'i le, ac wedi cael row (haeddiannol mae'n siŵr) nes fy mod i'n neidio. Yn hwyrach ar y dydd fe alwodd rhywun heibio, dydw i ddim yn cofio pwy erbyn hyn, ac wedi'r cyfarchion arferol gofynnodd sut oedd yr hogyn bach. Pan atebodd Mam 'mod i'n hogyn da iawn a 'mod i wedi hel tusw o flodau iddi, dechreuodd fy meddwl weithio ac ymresymu *nad* oeddwn yn hogyn da y pnawn hwnnw neu fuaswn i ddim wedi cael row, ac nad oedd y blodau'n ddim ond llygad y dydd a blodau menyn beth bynnag, felly beth yn y byd oedd yn bod ar Mam yn dweud rhywbeth nad oedd yn wir, ac nad oedd hi'n ei feddwl? Wnaeth o ddim taro i'm meddwl ei bod yn bur bosibl nad oedd

Mam, ynghanol miri croesawu ymwelydd, yn cofio'r mymryn helynt fu rhyngom. Fedra i ddim rhoi dyddiad ar y digwyddiad, ond rwyf yn eitha siŵr nad oeddwn wedi dechrau'r ysgol. Nid awgrymu fy mod yn feddyliwr praff cyn derbyn addysg ffurfiol yw fy amcan yn datgelu'r hanes, ond tynnu sylw at y ffaith fod posibilrwydd fod plant ifanc iawn yn gallu gweld drwy bobl hŷn! Wedi'r digwyddiad yma, ofnaf imi fynd yn dipyn mwy o hogyn Dad am sbel!

Ar y cyfan roedd fy chwiorydd a minnau'n dipyn o ffrindiau, er y gallwn, rwy'n siŵr, fod yn dipyn bach o niwsans iddynt yn achlysurol. Cofiaf gael fy rhoi yn fy lle un noson pan oeddwn wedi llusgo wrth gwt Beti ac un o lanciau'r ardal oedd yn ei danfon adref o ryw gyfarfod neu'i gilydd, a cheisio rhoi gwybod iddynt fod Dad ar ei ffordd adre heb fod ymhell y tu ôl inni. Yr ateb a gefais gan y danfonwr oedd, 'Cer *di* i'r tŷ, boi, mi wna i'n olêw hefo dy dad!'

Chwarae teg iddynt, tra buont gartre fe fu'r ddwy chwaer yn fy nandwn am oriau tra byddai Mam yn brysur yn cyflawni rhyw orchwylion eraill. Bu Beti'n eithriadol o garedig wrthyf pan oeddwn yn yr ysgol uwchradd. Bu Lin yn y coleg yn Aberystwyth, ac aeth i weithio i leoedd pellennig fel Caer a Sir Fôn, ond bu Beti'n athrawes yn yr ysgol leol yn y Parc wedi sbel yn Llandrillo a Harlech. Y prif reswm dros ddychwelyd, o wybod am natur garedig Beti, oedd fod Nain Nant erbyn hynny yn gaeth i'w gwely. Roedd yn colli ei golwg ac yn bur ffwndrus, ac roedd cae pâr arall o ddwylo – a thraed – o gwmpas ar ôl oriau ysgol yn help mawr i Mam.

Braidd yn ddifeddwl fyddai Dad a Mam ynglŷn â phres poced. Mae'n bur debyg eu bod eu dau wedi eu geni cyn i'r fath beth gael ei ddyfeisio. Doeddwn innau erioed wedi meddwl y dylwn fargeinio am gyflog am garthu'r cwt moch neu odro neu gario dŵr. O feddwl dros y peth, braidd yn araf fûm i'n gweld cyfle i wneud arian erioed. Roedd cinio ysgol yn y dyddiau cynchwyddiant hynny yn rôt y dydd – swllt ac wyth yr wythnos –

sef rhyw wyth geiniog mewn arian ôl-ddegol. Fel arfer cawn bisyn deuswllt, hanner coron os oeddwn i'n lwcus, i dalu am fy nghinio, a chadw'r newid. Roedd tarten jam yn Siop Dil yn costio dwy geiniog. Nid oes angen mathemategydd craff i weithio allan sawl diwrnod yr wythnos y byddwn yn byw heb darten jam os mai deuswllt fyddai'n dod i'm llaw ar fore Llun! Byddai Beti a minnau'n cyd-gerdded adre, hi o'r ysgol a minnau oddi wrth y bws, a'r cwestiwn a ofynnai ddwywaith neu dair bob wythnos oedd, 'Be'di hanes y banc, Lôns?' Fyddai'r banc byth yn llewyrchus nes y byddai Beti wedi bod yn chwilota yn ei phwrs am chwechyn imi. Byddai hynny'n golygu chwarter o fferins o Siop Dil drannoeth.

Edward William Jones oedd enw iawn Dil, a chadwai siop ar y gornel, bron gyferbyn â'r ysgol. Byddai ei wraig, Naomi, a'i chwaer hithau, Fflorens, yn gwneud ugeiniau o gacennau bob dydd. Byddent yn cario basgedaid neu ddwy o'r tŷ i'r siop yn y bore, ac wrthi'n paratoi ar ein cyfer yn yr ystafell fach yng nghefn y siop bron drwy'r dydd. Gwerthid fferins ac, yn achlysurol, hufen iâ cartref a alwai Dil yn Aisys. Roedd yno ystafell arall hefyd, a gwneid prydau bwyd yn honno; dwn i ddim faint a godid am ginio, ond gellid cael 'te plaen' am swllt a thair.

Tipyn o *entrepreneur* oedd Dil. Rywdro, yn weddol fuan wedi diwedd y rhyfel, daeth dogni blawd i rym – ergyd greulon iawn i'r siop fach ar y gornel, ond daliodd Dil i werthu cacennau hôm-mêd. Cymerai'r cogydd rhyw bum waffer hufen iâ, taenu ychydig o arogl jam arnynt i'w cydio yn ei gilydd, yna tywallt ychydig o siocled cynnes drostynt, a'u gwerthu wedi iddynt oeri am dair ceiniog yr un. Roedden nhw'n andros o flasus.

Sylweddolodd hefyd os byddai'r bwyd yn cael ei fwyta o fewn yr adeilad y gellid cael blawd ychwanegol, gan y cyfrifid hynny yn gaffi. Cyn pen dim roedd Dil wedi clirio ystafell arall oedd yn yr adeilad, rhoi tân trydan (bach!) ynddi, a'n

235

gorchymyn i fwyta ein cacennau yn yr ystafell, ' . . . neb i fynd allan, bois.' Roeddym ym gwybod am y Blac Hôl of Calcyta o'n gwersi Hanes. Diamau mai rhywbeth tebyg iddo oedd ystafell fach Siop Dil, ond ei bod hi'n dipyn oerach yno yn ystod gaeaf 1947 nag ydoedd yn yr India ganrif ynghynt.

Rydw i wedi neidio pum mlynedd neu fwy rŵan; dowch, mi awn ni'n ôl i'r ysgol fach. Yr hyn na hoffwn erioed fyddai pobl yn gofyn imi pwy oedd fy nghariad i, neu'n fy mhlagio mai hon-a-hon oedd fy nghariad. Byddai ambell ferch fyddai'n dod acw ar dro hefo fy chwiorydd in honni mai *hi* oedd fy nghariad i. Ni wn ai am fy mod i yn hogyn bach annwyl (wps!) a'u bod wedi dotio ataf, neu am eu bod yn ceisio bod yn ddigri y byddai'r ffrindiau yma yn rhoi'r fath fynegiant i'w teimladau. P'run bynnag, ofnaf mai mynd i 'nghragen y byddwn i, er mawr ddifyrrwch i ambell un o'r tynwyr coes.

Doedd rhai o ferched mawr yr ysgol gynradd fawr gwell na'r rhai y cyfeiriwyd atynt uchod, yn cofleidio rhywun ar bob cyfle, ac eisiau bod yn gariad imi, a finnau reit siŵr ddim eisiau bod yn gariad iddyn nhw. Ond yn raddol bach deuthum i sylweddoli fod ambell un o'r merched yn yr ysgol ychydig yn anwylach neu'n fwy deniadol na'r lleill, ond er fy mod weithiau yn dychmygu anturiaethau rhamantus iawn yn eu cwmni, fyddwn i byth wedi breuddwydio fod 'run ohonynt yn gariad imi chwaith.

Y flwyddyn cyn imi adael yr ysgol fach fe ymddeolodd Miss Defis, ac fe ddaeth Miss Morris yn ei lle. Wel, sôn am bishin! Roedd yr hogiau i gyd wedi syrthio mewn cariad hefo hi, ac amdani hi y byddem yn sôn pan nad oedd pobol eraill yn gwrando. Ac mi roedd hi'n medru canu ac adrodd. Cofiaf fod yn ddigon hy' unwaith, pan oedd hi'n digwydd bod yn gofalu am y dosbarth mawr yn yr ysgol, i ofyn iddi ganu inni. 'Cŵyn Mam-yng-nghyfraith' ganodd hi, ac roeddwn i'n meddwl ei bod hi'n grêt. O ran hynny, rydw i'n dal i feddwl y byd ohoni er ei bod wedi priodi rhywun arall! Gadawodd ein hysgol ni i fynd i un o golegau Llundain i astudio cerddoriaeth a pherfformio, a hynny ar yr un diwrnod ag yr oeddwn innau'n gadael am yr ysgol uwchradd. Ar y pryd roedd yn deimlad braf iawn ein bod ni'n dau o leiaf wedi gadael yr ysgol hefo'n gilydd.

Wedi cyrraedd ysgol Tytandomen edrych o bell a wnaem, yn llythrennol felly, ar y merched. Roedd Ysgol y Merched rhyw ddau ganllath i fyny'r ffordd. Dyma deyrnas Miss Dorothy Jones, ac ni chaniateid i'w dinasyddion hi ddod i'r stryd ar awr ginio, er y byddai ambell un yn mentro. Clywais hanes Miss Jones flynyddoedd ynghynt, yn disgrifio dwy neu dair o ferched a ddaliwyd ganddi yn siarad gyda hogiau ar y stryd yn *pack of man-hunting tigresses!* Yn ddigri iawn roedd un, os nad dau, o'r parau yn frawd a chwaer! Am un sbel yn ein cyfnod ni byddai'r *train girls* i gyd yn gorfod ymdeithio i'r orsaf i gyfarfod y trên o dan ofal un o'r athrawesau, i ofalu eu bod mewn rhan o'r trên na allai'r bechgyn fynd iddo. Yn yr orsaf nesaf, wrth gwrs, byddai ymfudo mawr o un rhan o'r trên i'r llall, a gwaith Miss Jones druan yn ofer. Clywais ddweud y byddai hogiau Trawsfynydd fel rhes o bryfed cop yn medru mynd i ran y merched o'r trên o'r tu allan i'r cerbydau a'r trên yn symud.

Ar y bws y byddem ni'n trafaelio, ac nid oedd unrhyw derfynau rhyngom ar hwnnw. Ar adegau byddai rhai o ferched a bechgyn Gwyddelwern yn dod am reid, i'n danfon adre fel petai, gan fod y bws hwnnw, yn syth ar ôl ein danfon ni, yn dychwelyd i'r Bala i gludo plant Gwyddelwern adre. Afraid dweud fod mwy o groeso bob amser i'r merched nag i'r bechgyn! Fel y dringid i ddosbarthiadau uchaf yr ysgol byddai mwy a mwy o sôn am ferched ar awr ginio a rhwng dosbarthiadau. Gwrandäwr fyddwn i bob amser, ond byddwn yn aml yn synhwyro nad oedd y rhai a wnâi fwyaf o sŵn ynglŷn â'r pwnc mor hyddysg ynddo ag yr ymhonnent ychwaith.

Roedd olynydd Dorothy Jones, sef Miss Hughes, o'r un anian â'i rhagflaenydd. Yn wir, yn ôl un stori, ymddangosai fel pe bai'n anfodlon i'w disgyblion ddod i gysylltiad ag unrhyw greadur gwryw. Yn ôl y sôn, bu trafodaeth yn un o gyfarfodydd y llywodraethwyr beth i'w wneud â'r borfa ar faes chwarae'r ysgol. Roedd y maes chwarae yn ffinio â rhai o'r ystafelloedd dosbarth, ac weithiau'n cael llonydd i dyfu'n sylweddol yn ystod gwyliau'r haf. Cynigiwyd mai manteisiol fyddai rhentu'r cae am gyfnod i ffermwr cyfagos ddod â defaid yno i bori. Gwrthwynebai Miss Hughes y cynnig yn ffyrnig iawn, ond pan roed y mater i bleidlais colli a wnaeth. Fodd bynnag, wrth gydnabod cael ei threchu, mynnodd roi amod i mewn, a tharanodd, 'Ôl reit, mi gawn ni ddefaid, *ond dim hwrdd!*'

Yng nghyfnod fy nglasoed roedd yr arfer o 'ddanfon adre' yn dal mewn bodolaeth. I'r capel y deuai pawb, yn hen ac ifanc, i gyfarfod ei gilydd yr amser hwnnw, ac ar droed neu ar feic y teithid fel rheol. Rywdro ar ôl cael ein derbyn yn gyflawn aelodau byddem yn cael rhyw fath o drwydded anweledig i eistedd yn y seddi ôl. Roedd pob teulu â'u sedd eu hunain, a byddai Sali Jones yn hel arian bob diwedd blwyddyn, swllt a thair y pen yn ôl y nifer a ddaliai'r sedd. Cedwid nifer o'r seddi ôl ar gyfer gweithwyr y ffermydd, yn arbennig rhai oedd yn enedigol o ardaloedd eraill, ambell un ohonynt yn fynychwyr oedfa ond heb fod yn aelodau. Roedd cael caniatâd i eistedd yn y seddi ôl bron cystal â chael gwisgo trowsus llaes am y tro cyntaf, er fod Mam yn gwgu'n arw pan ddechreuais eistedd gyda rhai o'm cyfoedion yn y cefn ar ôl imi ymadael o'r ysgol, ' . . . i'r sêt yna mae'r diafol yn dod gynta a finnau'n talu drosdat ti bob blwyddyn i Sali Jones.' Cyfeiriad, mae'n siŵr, at y ffaith y byddai yna dipyn o sŵn papur fferins – a siarad a phiffian chwerthin – yn dod o'r seddi dan sylw pan fyddai'r pregethwr yn gweddïo. Gynted ag y gwelai hithau rhywun o'r newydd wedi encilio i'r sedd gefn, byddai Trysorydd yr Eisteddleoedd ar ein holau am swllt a thair, a rhyw wên hunan-foddhaus ar ei hwyneb fel trafaeliwr blawd wedi cael cwsmer newydd.

Un fantais fawr o eistedd yn y cefn oedd y byddai'n gymaint

haws gweld pa ferched ifanc oedd yn y capel heb neb i'w gwarchod, ac o amseru'n ofalus gellid camu allan o'r capel yn ddigon agos at y gywen ddewisedig i sibrwd yn ei chlust a oedd hi eisiau cwmni i gerdded adre. Yr un drefn fyddai yng nghyfarfodydd y Gymdeithas Ddiwylliannol, ond mai yn yr ysgol y cynhelid rheiny fel arfer, ac y byddai llai o rieni o gwmpas i gadw llygad ar y merched. Wedi dod i oed Aelwyd yr Urdd wrth gwrs, ein noson ni oedd honno, heb fawr iawn o ymyrraeth o du'r oedolion.

Rhyw gydio a chyd-gerdded a sws neu ddwy fyddai trefn y danfon cyntaf, gan ofalu na fyddai'r cydio wedi bod yn ddigon egr i rieni'r ferch ifanc sylwi fod yna ormod o ymrafael yn mynd ymlaen. Os byddai'r tywydd yn anffafriol neu'r cariad yn cynhesu, byddai'r sgubor neu'r tŷ gwair yn cynnig cysgod a diddosrwydd – a themtasiwn i aros yno'n hwy! Yr unig ddrwg oedd y byddai'n rhaid gofalu na fyddai hadau gwair neu we pry cop ar ddillad yr un ohonom cyn troi am ein cartrefi – y merched yn arbennig!

Fûm i erioed yn mynd i gnocio. Roedd yr arferiad wedi darfod o'r tir cyn imi ddod i wybod amdano, synnwn i ddim. Tebyg iawn fod ieuenctid heddiw yn hollol anwybodus o'r term yma am y weithred o luchio dyrnaid o raean at ffenest llofft gwrthrych serch. Morynion ffermydd fyddai'n denu'r sylw yma gan amlaf yn ôl y sôn, er fod stori am ddwy chwaer yn yr ardal wedi dod i'r ffenest o ganlyniad i wŷs y dyrnaid graean, ond pur gyndyn oeddynt o wneud unrhyw symudiad i ddod yn nes at y ddau oedd yn cnocio. Wedi bod yn sibrwd siarad â'r ddwy am sbel go hir dyma Robert John, Cwmtylo, yn dweud, 'Wel dowch i lawr wir Dduw, neu waeth gen i fod adre ddim yn darllen catalog J.D.!' Roedd J.D. Williams, Manceinion, yn anfon catalog i holl gartrefi gogledd Cymru y dyddiau hynny, a byddai ynddo ddetholiad da o ddilladau isaf merched!

Wedi'r danfon lleol byddai'n gorwelion yn ehangu, a cheid hanes Cwarfod Bach yma ac acw mewn ardaloedd cyfagos –

taith beic. Cyfarfodydd Cystadleuol, rhyw fini-eisteddfodau, oedd y rhain, ac roedd y gefnogaeth a gaent gan hogiau na fedrent, neu na fynnent, ganu nodyn, na chwaith sefyll o flaen cynulleidfa i geisio adrodd yn anhygoel! Yn anffodus, byddai presenoldeb deiliaid y seddi ôl yma, a'r rhai a sefai yn y cyntedd, yn cyfrannu'n sylweddol at gur pen yr arweinydd fyddai'n ceisio cael trefn a distawrwydd yn ystod y cystadlu. Synnwn i ddim nad oedd y gwrandawyr swnllyd yma yn rhai pur fedrus pan yn ceisio cael bachiad yn y tywyllwch pan ddôi'r merched allan. Er, o'm profiad i, byddai gwell gobaith am gariad os byddai rhywun wedi cystadlu yn ystod y cyfarfod Ac os daeth lwc, a gobaith am daflu winc wrth ddod 'nôl o gyrchu gwobr, roedd pethau'n edrych yn llawer mwy addawol!

Gweithgareddau nosweithiau tymor y gaeaf a'r dydd byr oedd y rhain, wrth gwrs. Cynhelid eisteddfodau mwy yn ystod y gwanwyn a'r haf, a haws oedd tynnu sgwrs y tu allan i neuadd neu babell o dan amgylchiadau cynhesach a goleuach. Y drwg oedd fod yn rhaid bod yn berchen rhyw fath o gerbyd i fedru dilyn eisteddfodau felly. Efallai fod y steddfod bymtheg milltir i ffwrdd. Beth pe bai gwrthrych eich serch yn byw bymtheg milltir yr ochr arall i safle'r steddfod, mi fyddai hi'n dipyn o daith ar feic. A pha ferch fyddai eisiau cael ei hebrwng adre ar feic beth bynnag? Wel, ar ôl swnian tipyn y byddai cerbyd ychwanegol yn gyfleus (yn hanfodol, mewn gwirionedd!) at ddibenion y fferm, roeddwn i'n falch ofnadwy pan brynodd 'Nhad fan ail-law, hen Ford 10, gan Gwyn y Doladd tuag un o'r gloch y bore ar ddiwedd cyfarfod y nos o'r Ŵyl Cerdd Dant yn Nolgellau. Doedd hi ddim yn un smart, ond fe wasanaethodd am filoedd o ferched/filltiroedd!

Wedyn daeth dawnsio gwerin yn boblogaidd. Synnwn i ddim nad amheuai Mam mai rhyw ddyfais arall o eiddo'r diafol, fel seddi ôl y capel, oedd y dawnsfeydd hyn, ond credaf y byddai wedi mwynhau ei hun yn iawn pe byddai'n ddigon ifanc i ddod i ambell ddawns hefo ni. Byddem yn cyrchu'n gyson i Neuadd Idris yn Nolgellau bob nos Sadwrn, ac ambell i noson ganol yr wythnos hefyd, a daeth y Ddafad Gorniog, y *Lucky 7s*, Robin Ddiog a'r *St Bernard's Waltz* a llu o ddawnsfeydd eraill yn rhan o'n ffordd o fyw bron, o dan gyfarwyddyd medrus galwyr fel Gwyn Williams (Bangor), Iolo ab Eurfyl ac Ann Jenkins. Os oedd posib cael gafael ar gariad mewn steddfod, wel roedd y ddawns werin yn gwneud pethau'n seithwaith haws, ac aeddfedodd aml garwriaeth a eginodd yn yr hen Neuadd Idris i fod yn briodas hapus iawn.

Bu llawer tro trwstan. Bu'r troelli mor egnïol yn Nawns y Fasged un tro nes y tarodd coes un o'r merched ar draws un o'r colofnau a ddaliai'r galeri yn Neuadd Idris, ac fe'i torrwyd – y goes, nid y golofn debyg iawn! Cofiaf dro arall fod wedi mynd i Ddolgellau yng nghar Tyddyn Du hefo Dafydd a Robin, ac yn y ddawns yn taro ar ferch ifanc ddel y teimlwn ei bod yn ddyletswydd arnaf ofalu ei bod yn mynd adre'n ddiogel. Y drwg oedd fod y ddewisedig fun yn byw yr ochr bellaf i Ddolgellau. Peth braf yw bod â ffrindiau caredig, oherwydd cefais fenthyg car yn syth gan hogiau Tyddyn Du. Gobeithient hwy gael reid adref hefo rhywun arall, a threfnwyd i gyfarfod pan fyddem ein tri wedi cyrraedd adre. Trefnwyd hefyd, pe na baent wedi bod yn ddigon ffodus i gael reid, y byddent yn aros amdanaf ym mynedfa Neuadd Idris. Doedd fy siwrnai ddim ymhell, a chan fod gennym fusnes pwysig yn aros ar ôl cyrraedd adre, fûm i ddim yn hir. Arefais wrth fynd i lawr y sgwâr yn Nolgellau, ond nid oedd olwg o Dafydd na Robin. Daeth rhyw deimlad drosof y dylwn roi un tro ychwanegol o gwmpas y dre, ond wnes i ddim, ac i ffwrdd â mi am adre. Cyrraedd y lle penodedig, a dim hanes o'r ddau Samariad. Doedd dim i'w wneud ond troi'n ôl i chwilio amdanynt, a'u cyfarfod yn cerdded wrth orsaf Bontnewydd. Roeddynt wedi mynd i lechu i mewn i gyntedd Neuadd Idris ac wedi cysgu. Sŵn y car yn mynd i lawr y sgwâr a'u deffrôdd. Roeddynt mewn hwyliau rhyfeddol o ystyried eu bod wedi cerdded rhyw dair milltir go dda.

Y rheswm dros fod yn ôl yn rhesymol gynnar y noson (neu'r bore) arbennig yma oedd fod cefnder i'r ddau yn priodi. Bu'n arferiad ers cenedlaethau i roi tro o gwmpas y lle ar noson cyn priodas rhag ofn y byddai rhywbeth angen ei symud i adael i'r pâr ifanc wybod ein bod yn meddwl amdanynt ar eu diwrnod mawr. Weithiau rhoddid rhwystrau ar y ffordd. Efallai y byddai cerrig go fawr yn hwylus o agos. Dro arall roedd llwyth o frics wedi ei adael yn gyfleus dros ben. Bu sgerbwd rhyw hen gar yn cael ei ddefnyddio i'r un diben, ac os methid cael gafael ar unrhyw beth doedd dim i'w wneud ond rhwymo giât yn dynn gyda weiar bigog. Clywais am wartheg godro'n cael eu symud i fferm arall i greu anhwylustod i deulu un o'r rhai oedd yn priodi, ond ni fuom ni'n mynd dros ben llestri felly. Chwarae teg i'r anifeiliaid, hawdd iawn fyddai iddynt gael niwed wrth eu symud i le dieithr wedi nos.

Os gellid cael gafael ar gar perthynol i'r rhai fyddai'n priodi, gellid ei osod ar ganol y ffordd, rhoi blociau dano a thynnu ei olwynion, a chadw'r rheiny yn ddiogel. Dyna ddigwyddodd i gar Defi Morus, Tŷ Cerrig unwaith, ac nid perthynas iddo fo oedd yn priodi chwaith. Wedi addo sioffro Eirwen Rhydyrefail i'w phriodas yr oedd o, ac wedi bod yn ddigon annoeth i ymffrostio na fyddai neb yn cael gafael ar ei gar o. Wel, mi gafwyd gafael ar ei gar o, ac fe'i gadawyd yn groes i ffordd Rhydyrefail – heb ei olwynion. Fe gadwyd y rheiny'n ofalus yn nhoiled allanol Tŷ Capel, a gyfenwid yn Eifi Hows. Aed â'r platiau gloywon oedd ar ganol yr olwynion yn ddistaw bach i'w rhoi i bwyso yn erbyn drws cefn Tŷ Cerrig, fel mai'r peth cyntaf a gyfarchai gŵr y tŷ fel yr âi allan i odro yn y bore oedd pedwar whîl-cap. Roedd hi'n ganol bore ar Dafydd Dafis, Tŷ Capel yn mynd i'r lle chwech y diwrnod hwnnw, a dyna pryd y stopiodd Defi Morus esgor ar y cathod!

Rhaid cyfaddef inni wneud llawer o ddrygau ar yr achlysuron yma, ond gallaf yn onest dystio na wnaethom erioed achosi colled i neb. Anhwylustod efallai, ond colled – naddo.

Cyn belled â bod y rhai sy'n dal i gynnal y traddodiad yn peidio mynd dros ben llestri, mae gen i rhyw deimlad y bydd y rhai sy'n priodi yn siomedig efallai os na fydd neb wedi bod heibio yn gwneud rhywbeth, pe bai'n ddim ond paentio rhyw gyfarchiad ar y ffordd.

I ddod yn ôl at noson y ddawns. Un o'r tai cyngor a elwid yn Tai'n Rhos oedd cartref Robin, y cefnder, ac yn gysylltiedig â phob un o'r tai roedd tŷ golchi a chwt glo, gyda tho o goncrid gwastad arnynt. Roedd y priodfab yn berchen car bychan tair olwyn, a meddyliwyd mai cymwynas â'r car fyddai ei godi i ben y to er mwyn iddo gael gwell golwg ar bethau ar ddydd priodas ei berchennog. Roedd un o ysbïwyr y criw ohonom a arferai weithredu fel hyn wedi cael ar ddeall ymhle y cadwyd y car, oherwydd dyn ffôl iawn a adewai ei gar ar hyd y lle ar y noson cyn ei briodas, yn enwedig os mai car tair olwyn ydoedd. Daethpwyd o hyd i'r cerbyd yn ei guddfan, ac roedd digon o ddwylo parod i'w wthio oddi yno, ei godi dros ffens yr ardd, ac i ofalu ei fod yn esgyn ymhellach yn ddistaw i'w lwyfan. Roedd hyn tua thri o'r gloch y bore, mewn digon o bryd ar gyfer gweld y briodas. Ond roedd Robin wedi cael help rhywrai i'w dynnu i lawr ymhell cyn y gwasanaeth. Dwi'n siŵr fod hynny'n achos siomedigaeth fawr i'r car!

Heblaw'r arferiad o danio ergydion pan fyddai'r briodferch yn cyrraedd y capel i'w phriodas, yn aml iawn fe addurnid cyffiniau'r capel â nifer o wahanol elfennau. Erbyn hyn yr unig addurn yw hen beipen wedi ei phlygu'n fwa. Caiff ei gosod dros lidiard buarth y capel ac arni clymir canghennau bychain o goed bytholwyrdd a blodau, ac mae'n ychwanegiad hardd i du allan yr addoldy. Mae'r holl gyplau a briododd yn y Parc yn y blynyddoedd diwethaf yn ddyledus iawn i Glyn Rhydyrefail a'i gynorthwywyr am ofalu am y rhan yma o'r trefniadau. Flynyddoedd yn ôl byddai pethau eraill yn cael eu clymu ar bolion teliffon a thrydan yng nghyffiniau'r capel. Un o'r hoff bethau fyddai hen flwmar wedi ei lenwi â gwellt. Gwelwyd yn cael eu harddangos hefyd ŵr a gwraig gwellt, a hen grud neu bram.

Cofiaf yn dda am un tro pan drodd y chwarae'n chwerw. Er fy mod i yno ar y pryd (wedi cael caniatâd R.G. mae'n siŵr i fynd o'r ysgol i weld y briodas) doeddwn i ddim yn ddigon hen, diolch byth, i gymryd rhan yn y gweithgareddau. Roedd rhywun wedi cael y weledigaeth o roi rhaff o'r lamp oedd ar gornel y capel i'r polyn trydan oedd rhyw ugain llath i ffwrdd. Ar y rhaff crogwyd y casgliad arferol, ond yn ogystal rhwymwyd mewn sach hen ddrwm oel bum galwyn yn llawn o ddŵr. Lleolwyd hon ar y rhaff yn union uwchben giât y capel. Y syniad gwreiddiol oedd tanio ergyd o ychydig bellter at y drwm oel, fel y byddai'r pelenni plwm yn ei thyllu ddigon i ollwng rhyw gawod fach am ben y pâr ifanc. Barnwyd yn ddiweddarach mai peryglus fyddai gweithred o'r fath, rhag ofn i'r pelenni dasgu oddi ar y drwm ac anafu rhywun, a phenderfynwyd y dylai'r taniwr sefyll cyn agosed â phosib at y targed. Hynny a fu, a phan oedd y ddau hapus o dan y drwm dyma danio. Roedd y taniwr yn llawer iawn rhy agos, wrth gwrs, ac fe chwythwyd gwaelod yr hen ddrwm i mewn i'w chanol, a disgynnodd y pum galwyn dŵr i gyd ar unwaith am ben y wraig ifanc druan nes ei bod yn wlyb at ei chroen. Criw go swil o fagnelwyr drodd am adre'r diwrnod hwnnw!

Wedi treulio rhyw chydig o'm hamser hamdden i ddymuno'n dda i wŷr a gwragedd ifanc yr ardal yn y modd yma, byddwn yn ystyried ambell dro tybed a fyddai rhywun dichellgar o blith fy nghyd-ardalwyr yn ystyried talu'n ôl imi. Pe byddent, fyddai dim i'w wneud ond diodde'n dawel, gan obeithio na fyddai neb yn ei theimlo'n ddyletswydd i roi llogau ar ben yr ad-daliad! Ond fe fûm yn lwcws iawn; doedd ar Lona ddim eisiau rhyw briodas fawr, felly fe benderfynwyd mynd yn ddistaw bach ar ddiwrnod arbennig o braf ar ddechrau mis Tachwedd. Deunaw oedd yn y briodas, a'r cyfan ohonynt wedi eu siarsio i gau eu cegau – ac fe wnaethant. Cafwyd y cinio yn

nhŷ Lin yn Nolgellau; roedd yno stafell braf i fwyta, a
pherthynas pell wrth law i wneud y bwyd. Roedd hyn cyn i neb
ddyfeisio rhyw lol fel parti nos, ac felly erbyn amser te roeddem
ein dau ar y trên yn chwyrnellu tua Llundain am wythnos i
fwrw'n swildod.

Er mai enw ngwraig i ydi Lona, Sian fydda i'n ei galw hi –
dim ond fi sydd â hawl i'w galw hi'n Sian. Mi ofynnais iddi os
oedd hi eisiau reid adre o rhyw ddawns werin yn Nolgellau,
ond doedd hi ddim medde hi. Erbyn Steddfod Llangwm ryw
chydig o fisoedd yn ddiweddarach roedd hi'n fwy desparet! Ers
hynny mae hi wedi magu Mererid, Euros, Iolo, Ffuon a Guto,
a'u gwarchod nhw tra byddwn i'n ceisio gofalu bod y busnes
ffarmio yn mynd yn ei flaen, yn ogystal â thrampio i
gyngherddau, steddfodau, cynghorau a phwyllgorau. Mae hi
hefyd wedi paratoi tunelli o brydau bwyd, wedi golchi a
thrwsio digon o ddillad i orchuddio Sir Feirionnydd gyfan, a
glanhau'r tŷ o'i dop i'w waelod o leiaf ddwy fil, tri chant ac
wyth ar hugain o weithiau medde hi. Synnwn i ddim nad oedd
hi'n falch o weld rhywun yn dod heibio i ymarfer at ryw
steddfod neu'i gilydd – o leiaf roedd hynny'n newid o'i
phrysurdeb iddi gael eistedd i gyfeilio. Ar ben hyn bu'n gefn
anhygoel i'm rhieni fel yr aent hwy yn hŷn, fe ddaeth o hyd i
amser i helpu sefydlu Merched y Wawr, i fod yn athrawes Ysgol
Sul, Ysgol Feithrin ac Ysgol Ddyddiol, ac i wneud cant a mil o
orchwylion eraill y disgwylir i wragedd mewn cymuned glòs
mewn ardal wledig eu cyflawni'n ddi-dâl ac weithiau'n
ddiddiolch, a hynny heb gynhyrfu llawer. Ac er inni weithiau
anghytuno ar ambell bwnc, dyden ni 'rioed wedi ffraeo.

Y tro y daethom ni agosaf at hynny oedd adeg y dannedd
gosod newydd. Mi gefais i ddannedd eithaf da, ond gan fod
gennyf 'ddant melys' fel byddan nhw'n dweud, buan y
dechreuodd y cyfan ohonynt fraenu a dadfeilio. Brynle Hughes
o Gorwen oedd ein deintydd yn y Bala, ac fe fyddai wrth ei fodd
yn tynnu dannedd pobl. Felly, wedi'r dirywiad yma yn fy hanes

fe gytunwyd y byddai'n cael tynnu fy nannedd i bob un, a gwneud set o ddannedd gosod imi a fyddai'n ffitio mor dda fel y byddwn yn dal i fedru chwarae fy nhrombôn heb unrhyw drafferth. Roedd Brynle yn gerddor galluog iawn yn ei amser hamdden, ac yn offerynnwr medrus hefyd, felly gwyddai'n dda am bwysigrwydd dannedd i chwythwr corn, er mai'r ffidil oedd ei offeryn ef.

Daliodd y dannedd am flynyddoedd lawer, ond treulio'n ara deg a wnaethant, a dechreuodd Lona grybwyll fy mod angen rhai newydd. Roeddwn i'n ymwybodol o hynny, ond ofn yn fy nghalon cael rhai salach ar gyfer y chwythu, oherwydd erbyn hyn doedd Brynle Hughes ddim o gwmpas i wneud set gyffelyb. Fodd bynnag, wedi i'r crybwyll fynd yn swnian, fe benderfynais rhyw bnawn gwlyb fynd i weld y deintydd yn ddistaw bach heb ddweud ddim wrth neb – rhyw drefnu syrpreis iddi fel petai. Aeth yr ymweliad yn ddau neu dri, ac ar yr ymweliad olaf cefais y dannedd i ddod adre – yn fy ngheg!

Cyrhaeddais adre pan oedd amryw o'r teulu wrth y bwrdd yn cael eu te. Sefais wrth y drws a gwenu ar bawb, ond sylwodd neb ar y newid. Cyferchais hwy'n siriol a gwenu wedyn, ond cadw'u trwynau yn eu cwpanau a'u brechdanau a wnaethant. Cefais ryw gyfarchiad tebyg i 'Ty'd yn dy flaen, rwyt ti'n hwyr i de' gan fy annwyl wraig wrth iddi godi i estyn am y tebot. Cerddais i'w chyfeiriad, ei chofleidio'n gariadus fel yr arferwn ei wneud yn y ddawns werin erstalwm, a chyffwrdd ei chlust yn chwareus gyda'r dannedd newydd. Yn anffodus, doeddwn i ddim wedi sylweddoli eu bod rhyw chwarter modfedd o boptu yn hwy na'r hen rai, a bu bron imi frathu darn o'i chlust i ffwrdd. Sôn am syrpréis!

Rŵan, wedi 'ymddeol', pan ddylai gymryd pethau'n dawelach, mae hi wrthi fel lladd nadroedd yn difetha deg o wyrion. Bydd yn dweud yn aml na fyddai neb arall wedi medru byw hefo creadur fel fi. Erbyn hyn, rydw i'n dechrau credu ei bod hi yn llygad ei lle yn hynny o beth. O feddwl am y peth, digon prin y medrwn innau fod wedi byw hefo neb arall chwaith! Oes angen dweud rhagor?